外国人说熟语

Chinese Idiomatic Phrases for Foreign Students

徐宗才　应俊玲　编著

Compiled by Xu Zongcai Ying Junling

北京语言大学出版社

BEIJING LANGUAGE AND CULTURE
UNIVERSITY PRESS

图书在版编目（CIP）数据

外国人说熟语：汉英对照／徐宗才，应俊玲编著．
—北京：北京语言大学出版社，2012 重印
ISBN 978 - 7 - 5619 - 1048 - 1

Ⅰ．外…
Ⅱ．①徐…②应…
Ⅲ．汉语－熟语－汉、英
Ⅳ．H136.3

中国版本图书馆 CIP 数据核字（2002）第 018854 号

书　　　名：外国人说熟语
责任印制：陈　辉

出版发行：**北京语言大学出版社**
社　　址：北京市海淀区学院路 15 号　邮政编码 100083
网　　址：www.blcup.com
电　　话：发行部　82303650 /3591 /3648
　　　　　编辑部　82303647
　　　　　读者服务部　82303653 /3908
　　　　　网上订购电话　82303668
　　　　　客户服务信箱　service@ blcup.net
印　　刷：保定市中画美凯印刷有限公司
经　　销：全国新华书店

版　　次：2002 年 6 月第 1 版　2012 年 8 月第 6 次印刷
开　　本：787 毫米×1092 毫米　1 /16　印张：13.5
字　　数：275 千字　印数：14001—15000 册
书　　号：ISBN 978 - 7 - 5619 - 1048 - 1 / H·02018
定　　价：25.00 元

凡有印装质量问题，本社负责调换。电话：82303590

前　　言

　　本书是为外国人编写的汉语熟语学习读物。

　　熟语（惯用语、成语、俗语、歇后语等）是极富表现力的固定词语或词组，但外国人学习起来有一定难度。这是因为熟语附着着浓厚的中国文化色彩，以外国人的身份说熟语，把握起来很难恰到好处。因此外国人一般很少说熟语。为了帮助外国人掌握一点熟语，增强他们的汉语表现力，我们选取了最常用的熟语557条，把它们造成生活中实用的句子。外国人可以通过学说现成的句子，逐渐掌握熟语。

　　本书有以下特点：（1）所选熟语最为常用。（2）熟语注有汉语拼音，有简单汉英双语释义。（3）每条熟语配有一组或两组情景对话，熟语在对话中以不同形式多次重复。（4）对话后附有多种搭配形式，供读者选用。

　　本书适合有一定汉语基础的外国人学习，如高年级本科生、研究生、公司职员等。

编　者
2001 年 10 月

FOREWORD

The present book has been prepared for foreign students as a guide to their study of Chinese idiomatic phrases.

Chinese idiomatic phrases, including idioms, proverbs, slang words and two-part allegorical sayings, are fixed collocations that are rather expressive in ordinary usage. Because of their rich cultural implications, however, foreign students often find it difficult to grasp their meanings and correct usages. Thus they always feel hesitated in employing them in their daily conversation. In order to help foreign students to learn the idiomatic phrases well and improve their spoken Chinese, we have selected 557 commonly used expressions and provided English translations as well as illustrative sentences accompanying with them. Through reading and pondering over the exemplified sentences, it may be possible for them to get familiar with those usages.

Readers may benefit from the book, which is compiled in the following way:

1. The phrases selected here are all most commonly used;

2. They are presented with *pinyin* and simple explanation in both Chinese and English;

3. Each phrase is illustrated with one or two situational dialogues and repeated in usage one way or another;

4. Habitual collocations are provided for readers to make reference to.

This book, we believe, would also be beneficial to advanced foreign students, postgraduates and company staffs studying Chinese.

Compilers
October 2001

分类音序目录

惯 用 语

A

爱面子　ài miànzi ………… 1

B

半边天　bànbiāntiān ………… 1

半瓶醋　bànpíngcù ………… 1

帮倒忙　bāng dào máng ………… 2

C

唱主角　chàng zhǔjué ………… 2

炒鱿鱼　chǎo yóuyú ………… 3

吃闭门羹　chī bìméngēng ………… 3

吃后悔药　chī hòuhuǐyào ………… 3

吃老本　chī lǎoběn ………… 4

吃闲饭　chī xiánfàn ………… 4

出难题　chū nántí ………… 5

出洋相　chū yángxiàng ………… 5

穿小鞋　chuān xiǎoxié ………… 5

D

打保票　dǎ bǎopiào ………… 6

打光棍儿　dǎ guānggùnr ………… 6

打交道　dǎ jiāodao ………… 6

打算盘　dǎ suànpan ………… 7

打退堂鼓　dǎ tuìtánggǔ ………… 7

打预防针　dǎ yùfángzhēn ………… 8

打折扣　dǎ zhékòu ………… 8

大锅饭　dàguōfàn ………… 9

戴高帽子　dài gāomàozi ………… 9

当参谋　dāng cānmóu ………… 10

当耳旁风　dàng ěrpángfēng ………… 10

倒胃口　dǎo wèikou ………… 11

定心丸　dìngxīnwán ………… 11

兜圈子　dōu quānzi ………… 11

F

放在眼里　fàng zài yǎn li ………… 12

G

给颜色看　gěi yánsè kàn ………… 12

H

喝墨水　hē mòshuǐ ………… 13

喝西北风　hē xīběifēng ………… 13

红眼病　hóngyǎnbìng ………… 14

J

夹生饭　jiāshēngfàn ………… 14

见上帝　jiàn shàngdì ………… 14

见世面　jiàn shìmiàn ………… 15

讲价钱　jiǎng jiàqian ………… 15

揭老底儿　jiē lǎodǐr ………… 16

K

开场白　kāichǎngbái ………… 16

开绿灯　kāi lǜdēng ………… 16

开夜车　kāi yèchē ………… 17

侃大山　kǎn dàshān ………… 17

L

拉关系　lā guānxi ………… 18

老大难　lǎodànán ………… 18

老掉牙　lǎodiàoyá ………… 18

老皇历　lǎohuángli ………… 19

两下子　liǎngxiàzi ………… 19

露一手　lòu yì shǒu ………… 20

M

马后炮　mǎhòupào ………… 20

马拉松　mǎlāsōng ………… 20

卖关子　mài guānzi ………… 21

蒙在鼓里　méng zài gǔ li ………… 21

1

磨嘴皮子　mó zuǐpízi　…………21

N

拿手戏　ná shǒu xì　…………22

P

拍马屁　pāi mǎpì　…………22

跑龙套　pǎo lóngtào　…………22

碰钉子　pèng dīngzi　…………23

碰一鼻子灰　pèng yì bízi huī　…………23

泼冷水　pō lěngshuǐ　…………24

Q

气管炎　qìguǎnyán　…………24

敲边鼓　qiāo biāngǔ　…………24

敲警钟　qiāo jǐngzhōng　…………25

敲竹杠　qiāo zhúgàng　…………25

翘尾巴　qiào wěiba　…………26

R

绕弯子　rào wānzi　…………26

S

杀风景　shā fēngjǐng　…………26

伤脑筋　shāng nǎojīn　…………27

书呆子　shūdāizi　…………27

耍嘴皮子　shuǎ zuǐpízi　…………28

算老几　suàn lǎojǐ　…………28

随大流　suí dàliú　…………28

T

铁饭碗　tiěfànwǎn　…………29

捅娄子　tǒng lóuzi　…………29

W

挖墙脚　wā qiángjiǎo　…………30

往上爬　wǎng shàng pá　…………30

X

下台阶　xià táijiē　…………30

向钱看　xiàng qián kàn　…………31

小动作　xiǎodòngzuò　…………31

笑掉牙　xiào diào yá　…………32

Y

一刀切　yìdāoqiē　…………32

一风吹　yìfēngchuī　…………33

一锅粥　yì guō zhōu　…………33

Z

砸饭碗　zá fànwǎn　…………33

找窍门　zhǎo qiàomén　…………34

找小脚　zhǎo xiǎojiǎo　…………34

抓把柄　zhuā bǎbǐng　…………34

走过场　zǒu guòchǎng　…………35

走后门儿　zǒu hòuménr　…………35

走弯路　zǒu wānlù　…………36

钻空子　zuān kòngzi　…………36

钻牛角尖儿　zuān niújiǎojiānr　…………37

做文章　zuò wénzhāng　…………37

成　语

A

爱不释手　ài bú shì shǒu　…………38

安分守己　ān fèn shǒu jǐ　…………38

安家落户　ān jiā luò hù　…………38

B

白头偕老　bái tóu xié lǎo　…………39

半途而废　bàn tú ér fèi　…………39

半信半疑　bàn xìn bàn yí　…………40

杯盘狼藉　bēi pán láng jí　…………40

背信弃义　bèi xìn qì yì　…………40

本末倒置　běn mò dào zhì　…………41

避重就轻　bì zhòng jiù qīng　…………41

变化无常　biàn huà wú cháng　…………41

别具一格　bié jù yì gé　…………42

不计其数　bú jì qí shù　…………42

不翼而飞　bú yì ér fēi　…………42

不务正业　bú wù zhèng yè　…………43

不辞而别　bù cí ér bié　…………43

不欢而散　bù huān ér sàn　…………44

不慌不忙　bù huāng bù máng　…………44

不了了之　bù liǎo liǎo zhī　…………44

不三不四　bù sān bú sì　…………45

不相上下	bù xiāng shàng xià	45
不学无术	bù xué wú shù	46
不约而同	bù yuē ér tóng	46

C

层出不穷	céng chū bù qióng	46
车水马龙	chē shuǐ mǎ lóng	47
称心如意	chèn xīn rú yì	47
成千上万	chéng qiān shàng wàn	47
诚心诚意	chéng xīn chéng yì	48
承前启后	chéng qián qǐ hòu	48
出类拔萃	chū lèi bá cuì	48
川流不息	chuān liú bù xī	49
吹毛求疵	chuī máo qiú cī	49
此起彼伏	cǐ qǐ bǐ fú	49
从容不迫	cóng róng bú pò	50
粗心大意	cū xīn dà yì	50

D

大公无私	dà gōng wú sī	50
大惊小怪	dà jīng xiǎo guài	51
大同小异	dà tóng xiǎo yì	51
大有可为	dà yǒu kě wéi	51
当机立断	dāng jī lì duàn	52
得不偿失	dé bù cháng shī	52
得意忘形	dé yì wàng xíng	52
东奔西走	dōng bēn xī zǒu	53
独立自主	dú lì zì zhǔ	53
对牛弹琴	duì niú tán qín	54

E

阿谀逢迎	ē yú féng yíng	54
耳闻目睹	ěr wén mù dǔ	54

F

发愤图强	fā fèn tú qiáng	55
发扬光大	fā yáng guāng dà	55
翻来覆去	fān lái fù qù	55
繁荣昌盛	fán róng chāng shèng	56
反复无常	fǎn fù wú cháng	56
废寝忘食	fèi qǐn wàng shí	56
奋不顾身	fèn bú gù shēn	57

G

改邪归正	gǎi xié guī zhèng	57
格格不入	gé gé bú rù	57
各奔前程	gè bèn qián chéng	58
各抒己见	gè shū jǐ jiàn	58
根深蒂固	gēn shēn dì gù	58
供不应求	gōng bú yìng qiú	59
顾全大局	gù quán dà jú	59
固执己见	gù zhí jǐ jiàn	59
归根到底	guī gēn dào dǐ	59
归心似箭	guī xīn sì jiàn	60

H

和蔼可亲	hé ǎi kě qīn	60
花言巧语	huā yán qiǎo yǔ	60
画蛇添足	huà shé tiān zú	61
欢天喜地	huān tiān xǐ dì	61
货真价实	huò zhēn jià shí	61

J

机不可失	jī bù kě shī	62
集思广益	jí sī guǎng yì	62
家常便饭	jiā cháng biàn fàn	62
家喻户晓	jiā yù hù xiǎo	63
坚持不懈	jiān chí bú xiè	63
艰苦奋斗	jiān kǔ fèn dòu	63
艰苦朴素	jiān kǔ pǔ sù	64
见利忘义	jiàn lì wàng yì	64
见义勇为	jiàn yì yǒng wéi	64
骄傲自满	jiāo ào zì mǎn	65
脚踏实地	jiǎo tà shí dì	65
教学相长	jiào xué xiāng zhǎng	65
接二连三	jiē èr lián sān	66
津津有味	jīn jīn yǒu wèi	66
锦上添花	jǐn shàng tiān huā	66
兢兢业业	jīng jīng yè yè	66
精打细算	jīng dǎ xì suàn	67
精益求精	jīng yì qiú jīng	67
敬而远之	jìng ér yuǎn zhī	67
举世闻名	jǔ shì wén míng	68
举世瞩目	jǔ shì zhǔ mù	68

| 举一反三 | jǔ yī fǎn sān | …… 68 |
| 聚精会神 | jù jīng huì shén | …… 68 |

K

| 口是心非 | kǒu shì xīn fēi | …… 69 |
| 脍炙人口 | kuài zhì rén kǒu | …… 69 |

L

滥竽充数	làn yú chōng shù	…… 69
理所当然	lǐ suǒ dāng rán	…… 70
理直气壮	lǐ zhí qì zhuàng	…… 70
立竿见影	lì gān jiàn yǐng	…… 71
乱七八糟	luàn qī bā zāo	…… 71

M

美中不足	měi zhōng bù zú	…… 71
门当户对	mén dāng hù duì	…… 72
面面俱到	miàn miàn jù dào	…… 72
名副其实	míng fù qí shí	…… 72
名列前茅	míng liè qián máo	…… 72
莫名其妙	mò míng qí miào	…… 73
目中无人	mù zhōng wú rén	…… 73

N

| 弄虚作假 | nòng xū zuò jiǎ | …… 73 |

P

平易近人	píng yì jìn rén	…… 74
萍水相逢	píng shuǐ xiāng féng	…… 74
迫不及待	pò bù jí dài	…… 74

Q

七嘴八舌	qī zuǐ bā shé	…… 75
齐心协力	qí xīn xié lì	…… 75
奇花异草	qí huā yì cǎo	…… 75
岂有此理	qǐ yǒu cǐ lǐ	…… 75
恰到好处	qià dào hǎo chù	…… 76
恰如其分	qià rú qí fèn	…… 76
千方百计	qiān fāng bǎi jì	…… 76
千篇一律	qiān piān yí lù	…… 76
前功尽弃	qián gōng jìn qì	…… 77
前所未有	qián suǒ wèi yǒu	…… 77
取长补短	qǔ cháng bǔ duǎn	…… 77
全力以赴	quán lì yǐ fù	…… 77
全心全意	quán xīn quán yì	…… 78

R

| 日积月累 | rì jī yuè lěi | …… 78 |
| 如饥似渴 | rú jī sì kě | …… 78 |

S

三番五次	sān fān wǔ cì	…… 78
三心二意	sān xīn èr yì	…… 79
三言两语	sān yán liǎng yǔ	…… 79
深入浅出	shēn rù qiǎn chū	…… 79
神通广大	shén tōng guǎng dà	…… 80
生动活泼	shēng dòng huó pō	…… 80
十全十美	shí quán shí měi	…… 80
实事求是	shí shì qiú shì	…… 80
拾金不昧	shí jīn bú mèi	…… 81
束手无策	shù shǒu wú cè	…… 81
思前想后	sī qián xiǎng hòu	…… 81
似是而非	sì shì ér fēi	…… 81
素不相识	sù bù xiāng shí	…… 82
随机应变	suí jī yìng biàn	…… 82
损人利己	sǔn rén lì jǐ	…… 82

T

滔滔不绝	tāo tāo bù jué	…… 82
讨价还价	tǎo jià huán jià	…… 82
甜言蜜语	tián yán mì yǔ	…… 83
同甘共苦	tóng gān gòng kǔ	…… 83
投机倒把	tóu jī dǎo bǎ	…… 83
吞吞吐吐	tūn tūn tǔ tǔ	…… 84

W

万事如意	wàn shì rú yì	…… 84
微不足道	wēi bù zú dào	…… 84
惟利是图	wéi lì shì tú	…… 84
温故知新	wēn gù zhī xīn	…… 85
无可奈何	wú kě nài hé	…… 85
无能为力	wú néng wéi lì	…… 85
无微不至	wú wēi bú zhì	…… 86

X

喜闻乐见	xǐ wén lè jiàn	…… 86
显而易见	xiǎn ér yì jiàn	…… 86
相提并论	xiāng tí bìng lùn	…… 86
想方设法	xiǎng fāng shè fǎ	…… 87

小心翼翼 xiǎo xīn yì yì ……… 87
心平气和 xīn píng qì hé ……… 87
欣欣向荣 xīn xīn xiàng róng ……… 87
新陈代谢 xīn chén dài xiè ……… 88
兴高采烈 xìng gāo cǎi liè ……… 88
循序渐进 xún xù jiàn jìn ……… 88

Y

鸦雀无声 yā què wú shēng ……… 89
洋洋得意 yáng yáng dé yì ……… 89
夜以继日 yè yǐ jì rì ……… 89
依依不舍 yī yī bù shě ……… 89
一概而论 yí gài ér lùn ……… 90
一路平安 yí lù píng ān ……… 90
一路顺风 yí lù shùn fēng ……… 90
一技之长 yí jì zhī cháng ……… 91
一目了然 yí mù liǎo rán ……… 91
一视同仁 yí shì tóng rén ……… 91
以身作则 yǐ shēn zuò zé ……… 92
一帆风顺 yì fān fēng shùn ……… 92
一干二净 yì gān èr jìng ……… 92
一丝不苟 yì sī bù gǒu ……… 92
一无是处 yì wú shì chù ……… 93
一无所有 yì wú suǒ yǒu ……… 93
一心一意 yì xīn yí yì ……… 93
一言一行 yì yán yì xíng ……… 93
一知半解 yì zhī bàn jiě ……… 94

异口同声 yì kǒu tóng shēng ……… 94
引人注目 yǐn rén zhù mù ……… 94
犹豫不决 yóu yù bù jué ……… 94
有备无患 yǒu bèi wú huàn ……… 95
有目共睹 yǒu mù gòng dǔ ……… 95
有口无心 yǒu kǒu wú xīn ……… 95
有声有色 yǒu shēng yǒu sè ……… 96

Z

再接再厉 zài jiē zài lì ……… 96
斩钉截铁 zhǎn dīng jié tiě ……… 96
朝气蓬勃 zhāo qì péng bó ……… 96
朝三暮四 zhāo sān mù sì ……… 97
针锋相对 zhēn fēng xiāng duì ……… 97
争先恐后 zhēng xiān kǒng hòu ……… 97
指手画脚 zhǐ shǒu huà jiǎo ……… 98
置之不理 zhì zhī bù lǐ ……… 98
众所周知 zhòng suǒ zhōu zhī ……… 98
诸如此类 zhū rú cǐ lèi ……… 99
助人为乐 zhù rén wéi lè ……… 99
自高自大 zì gāo zì dà ……… 99
自力更生 zì lì gēng shēng ……… 99
自始至终 zì shǐ zhì zhōng ……… 100
自私自利 zì sī zì lì ……… 100
自相矛盾 zì xiāng máo dùn ……… 101
座无虚席 zuò wú xū xí ……… 101

俗　语

A

矮子里选将军 ǎizi li xuǎn jiāngjūn ……………………………… 102

B

八字没一撇 bā zì méi yì piě ……………………………………… 102
百闻不如一见 bǎi wén bù rú yí jiàn ……………………………… 102
饱汉不知饿汉饥 bǎo hàn bù zhī è hàn jī ………………………… 103
背着抱着一般沉 bēizhe bàozhe yìbān chén ……………………… 103
比上不足，比下有余 bǐ shàng bù zú, bǐ xià yǒu yú …………… 103
冰冻三尺，非一日之寒 bīng dòng sān chǐ, fēi yí rì zhī hán …… 104
病从口入，祸从口出 bìng cóng kǒu rù, huò cóng kǒu chū …… 104
病急乱投医 bìng jí luàn tóu yī …………………………………… 104

不怕不识货，就怕货比货　bú pà bù shí huò, jiù pà huò bǐ huò ·········· 105

不撞南墙不回头　bú zhuàng nán qiáng bù huí tóu ············· 105

不打不成交　bù dǎ bù chéng jiāo ························· 105

不能吊死在一棵树上　bù néng diàosǐ zài yì kē shù shang ·········· 106

C

常说口里顺，常做手不笨　cháng shuō kǒu li shùn, cháng zuò shǒu bú bèn ···· 106

常在河边站，哪能不湿鞋　cháng zài hé biān zhàn, nǎ néng bù shī xié ·· 107

车到山前必有路　chē dào shān qián bì yǒu lù ················ 107

撑死胆大的，饿死胆小的　chēng sǐ dǎn dà de, è sǐ dǎn xiǎo de ······ 107

成事不足，败事有余　chéng shì bù zú, bài shì yǒu yú ·········· 108

吃不了，兜着走　chī bu liǎo, dōuzhe zǒu ··················· 108

吃人家的嘴软，拿人家的手短　chī rénjia de zuǐ ruǎn, ná rénjia de shǒu duǎn ·· 108

吃水不忘打井人　chī shuǐ bú wàng dǎ jǐng rén ··············· 109

吃一堑，长一智　chī yí qiàn, zhǎng yí zhì ················· 109

重打锣鼓另开张　chóng dǎ luó gǔ lìng kāi zhāng ·············· 109

丑媳妇总得见公婆　chǒu xífu zǒng děi jiàn gōng pó ············ 109

初生牛犊不怕虎　chū shēng niúdú bú pà hǔ ················· 110

春捂秋冻　chūn wǔ qiū dòng ··························· 110

此地无银三百两　cǐ dì wú yín sānbǎi liǎng ················· 111

聪明一世，糊涂一时　cōngmíng yí shì, hútu yì shí ············· 111

D

打是亲，骂是爱　dǎ shì qīn, mà shì ài ·················· 111

打肿脸充胖子　dǎ zhǒng liǎn chōng pàngzi ················· 112

大事化小，小事化了　dà shì huà xiǎo, xiǎo shì huà liǎo ········· 112

当一天和尚撞一天钟　dāng yì tiān héshang zhuàng yì tiān zhōng ····· 112

当着真人不说假话　dāngzhe zhēnrén bù shuō jiǎ huà ············ 113

端谁的碗，服谁的管　duān shuí de wǎn, fú shuí de guǎn ········· 113

多个朋友多条路　duō gè péngyou duō tiáo lù ················ 114

多一事不如少一事　duō yí shì bù rú shǎo yí shì ············· 114

E

二虎相斗，必有一伤　èr hǔ xiāng dòu, bì yǒu yì shāng ········· 114

F

饭来张口，衣来伸手　fàn lái zhāng kǒu, yī lái shēn shǒu ········ 115

防君子不防小人　fáng jūnzǐ bù fáng xiǎorén ················ 115

肥水不落外人田　féi shuǐ bú luò wài rén tián ··············· 115

G

赶早不赶晚　gǎn zǎo bù gǎn wǎn ······················· 115

隔行如隔山　gé háng rú gé shān ······················· 116

公说公有理，婆说婆有理　gōng shuō gōng yǒu lǐ, pó shuō pó yǒu lǐ ···· 116

功夫不负苦心人　gōngfu bú fù kǔ xīn rén ················· 116

恭敬不如从命　gōngjìng bù rú cóng mìng ················· 117

贵人多忘事　guìrén duō wàng shì ····················· 117

过了这个村，就没这个店了　guòle zhège cūn, jiù méi zhège diàn le ·· 117

　　H

行行出状元　háng háng chū zhuàngyuan ················· 118

好钢用在刀刃上　hǎo gāng yòng zài dāorèn shang ··········· 118

好汉不吃眼前亏　hǎohàn bù chī yǎn qián kuī ··············· 118

好借好还，再借不难　hǎo jiè hǎo huán, zài jiè bù nán ········· 119

好酒不怕巷子深　hǎo jiǔ bú pà xiàngzi shēn ··············· 119

好了伤疤忘了疼　hǎo le shāngbā wàng le téng ············· 120

好心成了驴肝肺　hǎo xīn chéng le lǘ gān fèi ··············· 120

恨铁不成钢　hèn tiě bù chéng gāng ····················· 120

横挑鼻子竖挑眼　héng tiāo bízi shù tiāo yǎn ··············· 121

红花还得绿叶扶　hóng huā hái děi lù yè fú ················· 121

葫芦里卖的什么药　húlu li mài de shénme yào ·············· 121

换汤不换药　huàn tāng bú huàn yào ···················· 122

皇帝女儿不愁嫁　huángdì nǚ'ér bù chóu jià ··············· 122

活人不能叫尿憋死　huó rén bù néng jiào niào biē sǐ ·········· 122

货高招远客　huò gāo zhāo yuǎn kè ···················· 123

　　J

机不可失，时不再来　jī bù kě shī, shí bú zài lái ············· 123

鸡蛋里挑骨头　jīdàn li tiāo gǔtou ····················· 124

吉人自有天相　jí rén zì yǒu tiān xiàng ·················· 124

既在矮檐下，怎敢不低头　jì zài ǎi yán xià, zěn gǎn bù dī tóu ····· 124

家家有本难念的经　jiā jiā yǒu běn nán niàn de jīng ·········· 125

家有千口，主事一人　jiā yǒu qiān kǒu, zhǔ shì yì rén ········· 125

江山易改，本性难移　jiāngshān yì gǎi, běnxìng nán yí ········· 125

脚正不怕鞋歪　jiǎo zhèng bú pà xié wāi ·················· 126

近水楼台先得月　jìn shuǐ lóu tái xiān dé yuè ·············· 126

近朱者赤，近墨者黑　jìn zhū zhě chì, jìn mò zhě hēi ········· 126

井水不犯河水　jǐngshuǐ bú fàn héshuǐ ··················· 127

敬酒不吃吃罚酒　jìng jiǔ bù chī chī fá jiǔ ················ 127

久病成良医　jiǔ bìng chéng liáng yī ··················· 127

酒后吐真言　jiǔ hòu tǔ zhēn yán ······················ 128

旧的不去，新的不来　jiù de bú qù, xīn de bù lái ············ 128

君子动口不动手　jūnzǐ dòng kǒu bú dòng shǒu ············· 128

　　K

看人下菜碟　kàn rén xià cài dié ······················ 128

靠山吃山，靠水吃水　kào shān chī shān, kào shuǐ chī shuǐ ……………… 129

L

来得早不如来得巧　lái de zǎo bù rú lái de qiǎo ………………………… 129

癞蛤蟆想吃天鹅肉　làiháma xiǎng chī tiān'é ròu ……………………… 129

浪子回头金不换　làngzǐ huí tóu jīn bú huàn ……………………………… 130

老虎还有打盹的时候　lǎohǔ hái yǒu dǎ dǔn de shíhou ……………… 130

老将出马，一个顶俩　lǎo jiàng chūmǎ, yí ge dǐng liǎ ……………… 130

礼多人不怪　lǐ duō rén bú guài …………………………………………… 131

礼轻人意重　lǐ qīng rényì zhòng ………………………………………… 131

临上轿现扎耳朵眼儿　lín shàng qiào xiàn zhā ěrduoyǎnr ………… 131

临阵磨枪，不快也光　lín zhèn mó qiāng, bú kuài yě guāng ……… 132

留得青山在，不怕没柴烧　liú de qīng shān zài, bú pà méi chái shāo … 132

驴唇不对马嘴　lǘ chún bú duì mǎ zuǐ …………………………………… 132

萝卜快了不洗泥　luóbo kuài le bù xǐ ní ………………………………… 133

M

买卖不成仁义在　mǎimai bù chéng rényì zài ………………………… 133

买卖成交一句话　mǎimai chéngjiāo yí jù huà ………………………… 133

买卖俩心眼儿　mǎi mài liǎ xīn yǎnr …………………………………… 134

买卖买卖，和气生财　mǎimai mǎimai, héqi shēng cái ……………… 134

买主买主，衣食父母　mǎizhǔ mǎizhǔ, yī shí fùmǔ ………………… 134

卖瓜的不说瓜苦　mài guā de bù shuō guā kǔ ………………………… 135

漫天要价，就地还钱　màntiān yào jià, jiùdì huán qián …………… 135

没有不透风的墙　méiyǒu bú tòu fēng de qiáng ……………………… 135

眉毛胡子一把抓　méimao húzi yì bǎ zhuā ……………………………… 136

每逢佳节倍思亲　měi féng jiājié bèi sī qīn …………………………… 136

名师出高徒　míng shī chū gāo tú ………………………………………… 136

明人不做暗事　míng rén bú zuò àn shì ………………………………… 136

磨刀不误砍柴工　mó dāo bú wù kǎn chái gōng ……………………… 137

N

拿鸭子上架　ná yāzi shàng jià …………………………………………… 138

哪壶不开提哪壶　nǎ hú bù kāi tí nǎ hú ………………………………… 138

哪里跌倒哪里爬　nǎli diē dǎo nǎli pá …………………………………… 138

男大当婚，女大当嫁　nán dà dāng hūn, nǚ dà dāng jià …………… 139

男儿有泪不轻弹　nán'ér yǒu lèi bù qīng tán ………………………… 139

内行看门道，外行看热闹　nèiháng kàn méndao, wàiháng kàn rènao … 139

能人背后有能人　néngrén bèihòu yǒu néngrén ……………………… 140

你有千条妙计，我有一定之规　nǐ yǒu qiān tiáo miàojì, wǒ yǒu yídìng zhī guī ……… 140

宁吃鲜桃一口，不吃烂杏一筐　nìng chī xiān táo yì kǒu, bù chī làn xìng yì kuāng …… 140

女大十八变　nǚ dà shíbā biàn …………………………………………… 140

P

跑了和尚跑不了寺　pǎo le héshang pǎo bu liǎo sì ·················· 141

便宜无好货　piányi wú hǎo huò ·················· 141

破家值万贯　pò jiā zhí wànguàn ·················· 141

Q

起个大早，赶个晚集　qǐ ge dà zǎo, gǎn ge wǎn jí ·················· 142

前怕狼，后怕虎　qián pà láng, hòu pà hǔ ·················· 142

钱是英雄胆　qián shì yīngxióng dǎn ·················· 142

巧媳妇难为无米之炊　qiǎo xífu nán wéi wú mǐ zhī chuī ·················· 142

清官难断家务事　qīngguān nán duàn jiāwùshì ·················· 143

情人眼里出西施　qíngrén yǎn li chū Xīshī ·················· 143

穷家难舍，故土难离　qióng jiā nán shě, gùtǔ nán lí ·················· 143

R

人不可貌相，海水不可斗量　rén bù kě mào xiàng, hǎishuǐ bù kě dǒu liáng ·················· 144

人多智慧高　rén duō zhìhuì gāo ·················· 144

人逢喜事精神爽　rén féng xǐshì jīngshén shuǎng ·················· 144

人怕出名猪怕壮　rén pà chū míng zhū pà zhuàng ·················· 145

人巧不如家什妙　rén qiǎo bù rú jiāshi miào ·················· 145

人是铁，饭是钢　rén shì tiě, fàn shì gāng ·················· 145

人是衣裳马是鞍　rén shì yīshang mǎ shì ān ·················· 146

人熟好办事　rén shú hǎo bàn shì ·················· 146

人往高处走，水往低处流　rén wǎng gāo chù zǒu, shuǐ wǎng dī chù liú ·················· 146

人无头不走，鸟无头不飞　rén wú tóu bù zǒu, niǎo wú tóu bù fēi ·················· 147

人心都是肉长的　rénxīn dōu shì ròu zhǎng de ·················· 147

人心齐，泰山移　rénxīn qí, Tài Shān yí ·················· 147

人一走，茶就凉　rén yì zǒu, chá jiù liáng ·················· 148

入乡先问俗　rù xiāng xiān wèn sú ·················· 148

若要人不知，除非己莫为　ruò yào rén bù zhī, chúfēi jǐ mò wéi ·················· 148

S

三分吃药，七分养　sān fēn chī yào, qī fēn yǎng ·················· 149

三个臭皮匠，顶个诸葛亮　sān ge chòupíjiang, dǐng ge Zhūgě Liàng ·················· 149

三句话不离本行　sān jù huà bù lí běn háng ·················· 149

三天打鱼，两天晒网　sān tiān dǎ yú, liǎng tiān shài wǎng ·················· 150

杀鸡给猴看　shā jī gěi hóu kàn ·················· 150

山外有山，天外有天　shān wài yǒu shān, tiān wài yǒu tiān ·················· 151

伤筋动骨一百天　shāng jīn dòng gǔ yìbǎi tiān ·················· 151

上梁不正下梁歪　shàng liáng bú zhèng xià liáng wāi ·················· 151

少壮不努力，老大徒伤悲　shàozhuàng bù nǔlì, lǎodà tú shāngbēi ·················· 152

舍不得孩子打不着狼　shě bu dé háizi dǎ bu zháo láng ·················· 152

身教重于言教　shēn jiào zhòng yú yán jiào ················ 152

身在曹营心在汉　shēn zài cáo yíng xīn zài hàn ·············· 153

身在福中不知福　shēn zài fú zhōng bù zhī fú ·············· 153

生姜还是老的辣　shēng jiāng hái shì lǎo de là ············ 153

生米做成了熟饭　shēng mǐ zuò chéng le shú fàn ············ 154

胜败乃兵家常事　shèng bài nǎi bīngjiā cháng shì ·········· 154

失败乃成功之母　shībài nǎi chénggōng zhī mǔ ·············· 154

十年河东，十年河西　shí nián hé dōng, shí nián hé xī ·········· 155

十年树木，百年树人　shí nián shù mù, bǎi nián shù rén ········ 155

世上无难事，只怕有心人　shìshàng wú nán shì, zhǐ pà yǒuxīnrén ·· 155

瘦死的骆驼比马大　shòu sǐ de luòtuo bǐ mǎ dà ············ 156

树挪死，人挪活　shù nuó sǐ, rén nuó huó ················ 156

水火不留情　shuǐ huǒ bù liú qíng ······················ 157

水浅养不住大鱼　shuǐ qiǎn yǎng bu zhù dà yú ·············· 157

说曹操，曹操就到　shuō Cáo Cāo, Cáo Cāo jiù dào ·········· 157

说的比唱的还好听　shuō de bǐ chàng de hái hǎo tīng ········ 157

死马当做活马医　sǐ mǎ dàngzuò huó mǎ yī ················ 158

死猪不怕开水烫　sǐ zhū bú pà kāishuǐ tàng ·············· 158

送君千里，终有一别　sòng jūn qiān lǐ, zhōng yǒu yì bié ······ 158

T

抬头不见低头见　tái tóu bú jiàn dī tóu jiàn ·············· 159

太阳从西边出来　tàiyáng cóng xībian chūlai ·············· 159

贪多嚼不烂　tān duō jiáo bu làn ······················ 159

天无绝人之路　tiān wú jué rén zhī lù ···················· 160

天有不测风云　tiān yǒu bú cè fēngyún ···················· 160

跳进黄河也洗不清　tiào jìn Huánghé yě xǐ bu qīng ·········· 161

偷鸡不成蚀把米　tōu jī bù chéng shí bǎ mǐ ·············· 161

头痛医头，脚痛医脚　tóu tòng yī tóu, jiǎo tòng yī jiǎo ······ 161

头三脚难踢　tóu sān jiǎo nán tī ······················ 162

兔子不吃窝边草　tùzi bù chī wō biān cǎo ················ 162

W

万事开头难　wàn shì kāitóu nán ······················ 162

无事不登三宝殿　wú shì bù dēng sānbǎodiàn ·············· 163

无债一身轻　wú zhài yì shēn qīng ······················ 163

物以稀为贵　wù yǐ xī wéi guì ·························· 163

X

县官不如现管　xiànguān bù rú xiàn guǎn ················ 164

心有余而力不足　xīn yǒu yú ér lì bù zú ·················· 164

新官上任三把火　xīn guān shàng rèn sān bǎ huǒ ············ 165

10

Y

眼不见为净　yǎn bú jiàn wéi jìng ································ 165

养兵千日，用兵一时　yǎng bīng qiān rì, yòng bīng yì shí ·············· 165

一寸光阴一寸金　yí cùn guāngyīn yí cùn jīn ··················· 166

一个巴掌拍不响　yí ge bāzhang pāi bu xiǎng ··············· 166

一个萝卜顶一个坑　yí ge luóbo dǐng yí ge kēng ·············· 166

一分钱一分货　yì fēn qián yì fēn huò ···················· 167

一回生两回熟　yì huí shēng liǎng huí shú ················· 167

一口吃不成个胖子　yì kǒu chī bu chéng ge pàngzi ·············· 167

一人做事一人当　yì rén zuò shì yì rén dāng ··············· 168

一失足成千古恨　yì shīzú chéng qiāngǔ hèn ··············· 168

一条鱼腥了一锅汤　yì tiáo yú xīng le yì guō tāng ·············· 168

一心不可二用　yì xīn bù kě èr yòng ···················· 169

一朝被蛇咬，十年怕井绳　yì zhāo bèi shé yǎo, shí nián pà jǐng shéng ··· 169

英雄难过美人关　yīngxióng nán guò měirén guān ·············· 170

有奶便是娘　yǒu nǎi biàn shì niáng ···················· 170

有钱能买鬼推磨　yǒu qián néng mǎi guǐ tuī mò ············· 170

冤仇宜解不宜结　yuānchóu yí jiě bù yí jié ················· 171

远亲不如近邻　yuǎn qīn bù rú jìn lín ··················· 171

远水不解近渴　yuǎn shuǐ bù jiě jìn kě ··················· 171

Z

在家靠父母，出门靠朋友　zài jiā kào fùmǔ, chū mén kào péngyou ········ 172

在家千日好，出门一时难　zài jiā qiān rì hǎo, chū mén yìshí nán ······· 172

站着说话不腰疼　zhànzhe shuō huà bù yāo téng ············· 173

知人知面不知心　zhī rén zhī miàn bù zhī xīn ··············· 173

纸包不住火　zhǐ bāo bu zhù huǒ ······················ 173

众人拾柴火焰高　zhòngrén shí chái huǒyàn gāo ·············· 174

歇　后　语

B

八仙过海——各显神通　bāxiān guòhǎi—gè xiǎn shéntōng ·········· 175

C

茶壶煮饺子——有嘴倒不出　cháhú zhǔ jiǎozi—yǒu zuǐ dào bu chū ····· 175

窗户眼吹喇叭——名声在外　chuānghuyǎn chuī lǎba— míngshēng zài wài ···· 176

D

大姑娘坐轿——头一回　dà gūniang zuò jiào—tóu yì huí ·········· 176

大水冲了龙王庙——一家人不认识一家人　dàshuǐ chōng le lóngwángmiào—yì jiā rén bú

rènshi yì jiā rén ·································· 177

G

擀面杖吹火——一窍不通　gǎnmiànzhàng chuī huǒ—yí qiào bù tōng ·········· 177

高射炮打蚊子——大材小用　gāoshèpào dǎ wénzi—dà cái xiǎo yòng ·········· 178

黄鼠狼给鸡拜年——没安好心　huángshǔláng gěi jī bài nián—méi ān hǎo xīn ·········· 178

火烧眉毛——顾眼前　huǒ shāo méimao—gù yǎnqián ·········· 178

J

鸡蛋碰石头——自找难看　jīdàn pèng shítou—zì zhǎo nánkàn ·········· 179

鸡毛炒韭菜——乱七八糟　jīmáo chǎo jiǔcài—luàn qī bā zāo ·········· 179

姜太公钓鱼——愿者上钩　Jiāngtàigōng diào yú—yuàn zhě shàng gōu ·········· 179

脚底抹油——溜了　jiǎodǐ mǒ yóu—liū le ·········· 180

脚上的泡——自己走的　jiǎo shang de pào—zìjǐ zǒu de ·········· 180

K

孔夫子搬家——净是书　Kǒngfūzǐ bān jiā—jìng shì shū ·········· 181

快刀斩乱麻——一刀两断　kuài dāo zhǎn luàn má—yì dāo liǎng duàn ·········· 181

L

老鸹落在猪身上——看见别人黑，看不见自己黑　lǎogua luò zài

　　　　zhū shēn shang—kànjian biéren hēi, kàn bu jiàn zìjǐ hēi ·········· 181

老鼠过街——人人喊打　lǎoshǔ guò jiē—rén rén hǎn dǎ ·········· 182

老王卖瓜——自卖自夸　Lǎo Wáng mài guā—zì mài zì kuā ·········· 183

老太太过年——一年不如一年　lǎotàitai guò nián—yì nián bù rú yì nián ·········· 183

聋子的耳朵——摆设　lóngzi de ěrduo—bǎishe ·········· 183

罗锅上山——前紧　luóguō shàng shān—qián jǐn ·········· 184

M

马尾穿豆腐——提不起来　mǎyǐ chuān dòufu—tí bu qǐlái ·········· 184

门缝里看人——把人看扁了　mén fèng li kàn rén—bǎ rén kàn biǎn le ·········· 185

木头眼镜——看不透　mùtou yǎnjìng—kàn bu tòu ·········· 185

N

泥菩萨过江——自身难保　ní púsà guò jiāng—zìshēn nán bǎo ·········· 185

逆水行舟——不进则退　nì shuǐ xíng zhōu—bú jìn zé tuì ·········· 186

牛皮灯笼——里头亮　niúpí dēnglong—lǐtou liàng ·········· 186

P

蚍蜉撼大树——不自量力　pífú hàn dà shù—bú zì liàng lì ·········· 186

Q

骑毛驴看唱本——走着瞧　qí máolǘ kàn chàngběn—zǒu zhe qiáo ·········· 186

R

肉包子打狗——有去无回　ròu bāozi dǎ gǒu—yǒu qù wú huí ·········· 187

S

沙锅捣蒜——一锤子买卖　shāguō dǎo suàn—yì chuízi mǎimai ·········· 187

十五个吊桶打水——七上八下　shíwǔ ge diàotǒng dǎ shuǐ—qī shàng bā xià ·········· 187

孙猴子的脸——说变就变　Sūnhóuzi de liǎn—shuō biàn jiù biàn ·········· 188

T

剃头挑子——一头热　tì tóu tiāozi—yì tóu rè ·· 188

铁公鸡——一毛不拔　tiě gōngjī—yì máo bù bá ··································· 188

铁路警察——各管一段　tiělù jǐngchá—gè guǎn yí duàn ················· 189

秃头上的虱子——明摆着　tūtóu shang de shīzi—míng bǎi zhe ········ 189

兔子尾巴——长不了　tùzi wěiba—cháng bu liǎo ···························· 189

W

外甥打灯笼——照舅　wàisheng dǎ dēnglong— zhào jiù ··············· 190

X

瞎子点灯——白费蜡　xiāzi diǎn dēng—bái fèi là ·························· 190

小葱拌豆腐——一青二白　xiǎo cōng bàn dòufu—yì qīng èr bái ······ 190

Y

哑巴吃饺子——心里有数　yǎba chī jiǎozi—xīn li yǒu shù ··············· 191

哑巴吃黄连——有苦说不出　yǎba chī huánglián—yǒu kǔ shuō bu chū ·· 191

Z

丈二和尚——摸不着头脑　zhàng'èr héshang—mō bu zháo tóunǎo ·· 191

芝麻开花——节节高　zhīma kāi huā—jié jié gāo ··························· 192

猪八戒照镜子——里外不是人　Zhūbājiè zhào jìngzi—lǐ wài bú shì rén ···· 192

竹篮打水——一场空　zhúlán dǎ shuǐ—yì chǎng kōng ················· 193

做梦娶媳妇——光想美事　zuò mèng qǔ xífu—guāng xiǎng měi shì ·· 193

学习熟语主要参考目录 ··· 194

惯 用 语

爱面子　ài miànzi

【解释】指说话、办事过于考虑情面而自讨苦吃。也用来劝人不要太顾忌情面。

Being concerned too much about face-saving when speaking or acting. It is mainly used to refer to people scrupling too much and asking for trouble. It may also be used to persuade someone not to scruple too much.

【情景1】留学生吉田阳一告诉老师，他打牌输了钱。

【对话1】吉田：他们说三缺一，非让我跟他们赌，我也**爱面子**，不好推辞。

老师：这种事你还**爱**什么**面子**，不玩就是不玩！

【情景2】顾先生发现有个员工拿走了公司的东西，他跟朋友麦克说起了这事。

【对话2】顾先生：唉，大家都是熟人，我也**爱面子**，不好说什么。

麦　克：熟人也不能**爱面子**，该说的还得说！

【搭配】"太～"、"都～"、"总是～"、"不～"、"不要～"、"不能～"、"用不着～"、"爱什么面子"等。

半边天　bànbiāntiān

【解释】半边天：半个天空。比喻妇女的作用和男人一样重要。多用来强调或称赞妇女作用大，也特指妇女或妻子。

半边天, half the sky, is likened to women who can play an equal part in the new society. It is mainly used to emphasize or praise the important role of women or wives.

【情景】某厂在一次争创名优产品活动中，不少女工成绩突出。朱山与外国朋友议论这事。

【对话】朋友：那些女工好厉害呀！

朱山：那是，妇女能顶**半边天**嘛。

朋友：有些工作我还担心女工干不好呢。

朱山：你别看不起人家**半边天**！

朋友：你那个**半边天**也这么能干？

朱山：我那**半边天**比我厉害！

【搭配】"是～"、"顶～"、"～的作用"、"～的意见"、"我那～"等。

半瓶醋　bànpíngcù

【解释】半瓶醋：瓶子里只装一半醋。比喻对某种知识或技术只了解掌握一点儿的人。说

1

自己表示谦虚，说别人表示对人看不起。

半瓶醋, half a bottle of vinegar, is likened to a dabbler. It is used to express modesty when referring to oneself and express the attitude of looking down upon them when referring to others.

【情景1】某公司的克毕克找到了中国员工张力，向他请教某些技术问题。

【对话1】克毕克：张先生，有些问题我想向您请教一下儿。

张　力：不要说请教，一块儿商量吧，在这方面我也是个**半瓶醋**。

【情景2】徐东用电脑画图怎么也画不出来，他告诉马丁，是麦克教他的。

【对话2】徐东：麦克给我讲了不少计算机知识。

马丁：他也是个**半瓶醋**，能讲出什么！

【搭配】"是～"、"他那个～"、"不过～"、"～而已"等。

帮倒忙　bāng dào máng

【解释】倒：反面的，相反的。"帮倒忙"指帮忙的结果反而给人增加了麻烦。多用来怪人跟着瞎忙活。

倒, reversed, contrary. "帮倒忙" refers to being more of a hindrance than a help. It is mainly used to blame others for their foolish help.

【情景1】罗莎交给中国朋友高民一些装订好的材料。

【对话2】罗莎：我帮你把这些资料都装订在一起了。

高民：那些资料是我特意拆开要分类的，你这是给我**帮倒忙**！

【情景2】许丰去找阿曼朋友安沃尔。

【对话2】许　丰：听说你要回国了，我来帮你收拾行李。

安沃尔：谢谢你，不用了，你只能给我**帮倒忙**。

【搭配】"净～"、"别～"、"专门～"、"给人～"、"帮了倒忙"等。

唱主角　chàng zhǔjué

【解释】比喻在某项活动或任务中担任主要人物。唱主角的可以指人，也可以指单位团体。

Likened to playing an important role in some action or work. The subject can either be someone or a group.

【情景1】系主任找到了外籍教师约翰先生，跟他谈教学评估的事。

【对话1】主任：这次活动就由你唱**主角**了，你同评估组的几位老师下周开始听课。

约翰：这种活动我没参加过，唱不了**主角**，还是让石老师**唱主角**吧。

石柱：不行不行，我跟着干还行，**主角**我可唱不了。

主任：约翰先生就别推辞了，你**唱主角**，大家一块儿干。

【情景2】老师布置留学生搞一次汉语节目表演。

【对话2】老师：安娜，你口语不错，讲个故事吧。

安娜：我看咱们来个群口相声吧。

艾伦：安娜**唱主角**，我们每人说一句。

【搭配】"他～"、"一直～"、"想～"、"净～"、"不爱～"、"唱不了主角"、"唱过主角"、"由谁～"等。

炒鱿鱼　chǎo yóuyú

【解释】鱿鱼：即"枪乌贼"，俗称"鱿鱼"，常被切成小块儿炒着吃。小块鱿鱼一受热就卷成卷儿，所以用"炒鱿鱼"来借指让人卷起行李离开，即辞退、解雇别人。

鱿鱼, i. e. squid. Sleeve-fish is its popular name. It is usually cut into small pieces to be stir-fried. The piece of sleeve-fish coils when heated, so people use this idiom to refer to letting someone roll his or her luggage to leave, i. e. dismissing him or her.

【情景1】谢里克在某中国公司找到了工作。一天，朋友赵力去找他。

【对话1】赵　力：你们外国员工工作不好，能不能被**炒鱿鱼**？

谢里克：一样，谁不好好干，就**炒**谁的**鱿鱼**，昨天就有一个员工被**炒了鱿鱼**。

【情景2】纳赛尔遇见了在某大饭店当厨师的中国朋友尤清。

【对话2】纳赛尔：你以前当过厨师吗？

尤　清：三年前在一个小餐厅干过，后来让老板**炒了鱿鱼**。

纳赛尔：你小心点儿，别再被**炒鱿鱼**。

尤　清：那时我的技术不行，现在不同了，谁还**炒**我的**鱿鱼**！

【搭配】"被～"、"炒了鱿鱼"、"炒他的鱿鱼"、"让老板炒了鱿鱼"等。

吃闭门羹　chī bìméngēng

【解释】比喻遭到拒绝，被阻挡在门外不让进屋。可表示被人拒绝，也可表示拒绝别人。

Likened to being refused and barred from the door. It can be used to express being refused by someone or refusing others.

【情景】外方经理雷银达想再去找吴玉谈谈，员工黄显标劝阻了他。

【对话】雷银达：我去找他谈谈，问题不解决不行。

黄显标：您别去了，去也得**吃闭门羹**。

雷银达：我去跟他谈工作，不信他就给我**闭门羹吃**！

黄显标：他那脾气你不知道，我可不止一次**吃过闭门羹**。

【搭配】"怕～"、"不想～"、"吃了个闭门羹"、"吃过闭门羹"、"吃了多少回闭门羹"、"吃够了闭门羹"、"让他吃个闭门羹"等。

吃后悔药　chī hòuhuǐyào

【解释】后悔药：比喻解除后悔的办法。"吃后悔药"指后悔或反悔。多用来说不必后悔，后悔也没有用。也表示后悔了。

后悔药, likened to medicine that could release people from regret. "吃后悔药"

refers to regret or go back on one's word. Mainly used to persuade others that it's useless to regret. It is also used to express regret itself.

【情景1】石原先生与中国员工安先生谈工作。

【对话1】安先生：合同已经签了，别**吃后悔药**了。

　　　　石　原：我不是**吃后悔药**，我是说交货日期确实紧了点儿。

【情景2】日本夫人安田从街上买回一件假丝绸衬衫，拿给中国老师看。

【对话2】安田：我真后悔不应该在街上买丝绸衬衫。

　　　　老师：你不就图凉快吗，买了就别**吃后悔药**了！

　　　　安田：是啊，现在**吃后悔药**也没用了！

【搭配】"别～"、"常～"、"吃什么后悔药"、"吃不得后悔药"、"吃不起后悔药"、"给他后悔药吃"、"没有后悔药可吃"等。

吃老本　chī lǎoběn

【解释】老本：最初的本钱，比喻原有的能力、基础、成绩、功劳等。"吃老本"比喻只靠原有的本事去工作而没有新的作为。

　　　　老本，original capital, likened to primary ability, basement, contribution, etc. "吃老本" is likened to people who work with original skill, without new deeds.

【情景1】某厂外方厂长贝拉迪在对工人进行教育。

【对话1】贝拉迪：我们的名牌产品也得有进步，靠**吃老本**是保不住名牌的。

　　　　工程师：是啊，现在是高科技时代，都要抓紧学习，不能**吃老本**！

【情景2】中外教师一起聊天。

【对话2】卡娜提：你们老教师经验丰富啊！

　　　　王老师：我这些年基本上是**吃着老本**过来的，不学习不行了！

　　　　丁老师：我也是，那点**老本**快**吃**光了。

【搭配】"净～"、"光～"、"靠～"、"一直～"、"不～"、"不能～"、"别～"、"吃着老本"、"吃那点儿老本"、"吃不得老本"、"吃了几年的老本"、"没老本可吃"等。

吃闲饭　chī xiánfàn

【解释】指没有工作或不干事白吃饭。多指没有工作的人，如老人和孩子。也指不干事的人。

　　　　Referring to people who have no job or eat without doing anything' e. g. the old and the child. Also referring to someone who takes nothing as work.

【情景1】留学生与几位中国工人座谈。

【对话1】学生：你们现在生活怎么样？

　　　　老林：我家生活还可以。我们夫妻和儿子都工作，家里没有**吃闲饭**的。

　　　　小崔：我家不行啊，爱人没工作，孩子上学，有两口人**吃闲饭**。

【情景2】退休员工程松来找经理路易斯。

【对话2】程　松：整天呆在家里**吃闲饭**，怪无聊的，我再来都帮帮忙吧。

路易斯：你要**吃**不惯**闲饭**，可以给邻居取取信，送送报，往这跑太辛苦了。

【搭配】"不能～"、"～的"、"不想～"、"在家～"、"整天～"、"闲饭吃不起"等。

出难题　chū nántí

【解释】比喻给别人制造困难，让人难办。为难的对象可以是单位，也可以是个人。

Likened to making trouble for others and making it difficult for them to do. The object can be a group or an individual.

【情景】一批外国游客向某旅行社提出了一些要求。

【对话】导游：你们这是给我**出难题**呀。

游客：这叫什么**出难题**，这点小事是难不住你们的。

【搭配】"净～"、"专门～"、"给人～"、"出了难题"、"出了大难题"、"出什么难题"、"难题出了一大堆"等。

出洋相　chū yángxiàng

【解释】比喻出丑、丢面子。也指做出一副怪样子，让人笑。

Liken to making a fool of sb. or oneself. Also referring to making a strange exhibition of oneself in order to make others laugh.

【情景1】劳尔经理邀请朋友高林去他们公司做技术表演。

【对话1】高林：我的技术不是最好的，别在大家面前**出洋相**了。

劳尔：大家互相学习，怎么能说**出洋相**呢？

高林：你请别人吧，别**出**我的**洋相**了。

劳尔：你放心吧，我不会让你**出洋相**的！

【情景2】左拉去中国朋友夏明家做客，与夏明的母亲聊了起来。

【对话2】左拉：大妈，你这儿子特逗。

大妈：他从小就调皮，爱**出**个**洋相**什么的。

左拉：**出出洋相**没什么不好，逗大家乐一乐，开开心呗。

【搭配】"净～"、"别～"、"不要～"、"出什么洋相"、"出尽了洋相"、"出够了洋相"、"出我的洋相"、"给我出洋相"等。

穿小鞋　chuān xiǎoxié

【解释】比喻报复人，对人故意为难、限制。被报复的可以是个人，也可以是集体单位。

Likened to revenge, making things hard for somebody. The revenged can be an individual or a group.

【情景1】某外国公司员工贝立对经理有意见不敢提，与中国员工贾爽说。

【对话1】贾爽：你不敢给经理提意见，怕他给你**穿小鞋**吧？

5

贝立：是的，我怕**穿小鞋**。

【搭配】"怕～"、"给人～"、"穿 过小鞋"等。

打保票　dǎ bǎopiào

【解释】"打保票"也说"打包票"，比喻做出保证。多用于好的方面，可为人做保证，也
可为事物做保证。

"打保票" is also spoken as "打包票", likened to making a promise. Mainly used to
guarantee for someone or something.

【情景1】留学生彼德跟老师谈考研究生的问题。

【对话1】老师：你的成绩这么好，考研没有问题，我敢**打保票**。

彼德：谢谢老师，您能**打**这个**保票**，我心里就踏实多了。

【情景2】中外两个公司在谈生意。

【对话2】中方：贵公司的空调价格还可以接受，性能方面与红旗厂相比，怎么样？

外方：绝不次于他们。要说处处比人家强，我也不能**打**这个**包票**。

【搭配】"敢～"、"不能～"、打过保票"、"打不得保票"、"给他打保票"等。

打光棍儿　dǎ guānggùnr

【解释】指做单身汉，含贬义。

Referring to a bachelor, with a derogatory meaning sometimes.

【情景】桑尼与中国朋友沈萍聊天。

【对话】桑尼：你哥哥结婚了没有？

沈萍：没有，还**打光棍儿**呢。

桑尼：他三十五六了，怎么还**打着光棍儿**呢？

沈萍：太挑剔，把我妈气得整天骂他"**得打**一辈子**光棍儿**"。

桑尼：干吗骂他？**打光棍儿**未必不好!

沈萍：怎么，你也想**打光棍儿**？

桑尼：没人看上我，只好**打光棍儿**了。

【搭配】"得～"、"怕～"、"打了半辈子光棍儿"等。

打交道　dǎ jiāodao

【解释】"打交道"指交往、交涉或接触、联系。打交道的对象多为人，也可以是事物。

"打交道" refers to communication, negotiation, contact or relation. The object to be
engaged is mainly someone, or something.

【情景1】刘冰陪日本朋友石川先生去见外贸公司陆先生。

【对话1】刘冰：您跟陆先生很熟吧？

石川：谈不上熟，只在上次广交会期间**打过**几回**交道**。

刘冰：我也跟他**打过交道**，那是在大连服装交易会上。那个人不太好**打交道**。

石川：人太精明了。

【情景2】宋兰的摩托车出了毛病，她找泰国朋友余远东帮她修理。

【对话2】宋　兰：我跟这车**打**了两年**交道**也摸不准它的脾气，总出毛病，都我看看吧。

　　　　余远东：我从小就跟摩托车**打交道**，干别的不行，修这个还可以。

　　　　宋　兰：那我就不送车场修了，跟他们**打**不起那**交道**。

【搭配】"经常～"、"不好～"、"打过交道"、"打不得交道"、"打不起交道"、"打了半年交道"、"跟谁打交道"等。

打算盘　dǎ suànpan

【解释】比喻计算得失或筹划主意，略带贬义。常指为个人利益考虑，也指为小集体考虑。
Likened to calculating gain and loss or pondering over, with slightly derogatory meaning. Usually referring to thinking for the sake of oneself or a small group's interests.

【情景】某公司经理马林与外国朋友米齐谈论某家商店。

【对话】马林：两家小店分了合，合了分，各自都**打**着自己的**算盘**。

　　　米齐：这很正常嘛，这**算盘**还真得好好**打打**。

　　　马林：什么意思？

　　　米齐：当领导的，万一**算盘打**错了，怎么向职工交代！

　　　马林：可也是，有些事是得好好**打打算盘**！

　　　米齐：你也常常为自己**打算盘**？

　　　马林：我是公司经理，怎么能为自己**打算盘**呢？

　　　米齐：你不为自己**打算盘**，谁为你**打算盘**？

　　　马林：哈哈，你这个脑袋，就知道**打**自己的小**算盘**！

【搭配】"打～"、"打小算盘"、"打如意算盘"、"打了半天算盘"、"为自己～"、"替别人～"等。

打退堂鼓　dǎ tuìtánggǔ

【解释】退堂鼓：古时官吏停止办公退出大堂时敲的鼓。打退堂鼓，指做事中途改变主意或退缩。有贬义。多用来责怪别人的退缩，也可以说自己只好改变主意。
退堂鼓, the drum that is used when ancient officials stopping handle business and exit the hall. "打退堂鼓"refers to changing idea or flinching, with derogatory meaning. Mainly used to blame others for their flinch, also referring to one who has no ways out but change his or her idea.

【情景1】韩国人崔元山急急忙忙去找中国朋友李玉荣。

【对话1】崔元山：咱们合伙开小吃店的事都跟人家谈好了，你怎么又**打退堂鼓**了！

　　　　李玉荣：钱被我老公拿去炒股了，不**打退堂鼓**我拿什么开店？

　　　　崔元山：钱恐怕不是你**打退堂鼓**的原因吧？你还在乎这十万八万吗？

　　　　李玉荣：你什么意思？

7

崔元山：不管怎么说你都不该**打退堂鼓**，你让我怎么收场！

【情景2】孟秋告诉外国朋友维多亚，他不与人合作了，资金已撤了出来。

【对话2】孟　秋：当时对合作伙伴也没调查清楚，后来听人一介绍，我赶紧**打了退堂鼓**。

维多亚：你中途**打了退堂鼓**，会不会给另一方造成损失？

孟　秋：我答应适当赔偿。要是不**打**这个**退堂鼓**，一块儿干下去，那损失就大了。

维多亚：这么说这**退堂鼓打**得好。

孟　秋：打得好，打得及时。一句话，这个**退堂鼓**该打。

【搭配】"想～"、"别～"、"不能～"、"打了退堂鼓"、"打不得退堂鼓"等。

打预防针　dǎ yùfángzhēn

【解释】预防针：为预防疾病而打的针。"打预防针"比喻提醒别人警惕不良现象或行为发生。提醒的对象可以是个人，包括别人和自己，也可以是集体。

预防针，preventive inoculation. "打预防针" is likened to reminding others of the possible bad behaviour or action. The object can be an individual, including others and oneself, or a group.

【情景1】龙方跟外国朋友列娜谈到未成年人犯罪及对他们的教育问题。

【对话1】列娜：小孩子分不清是非，容易学坏。

龙方：父母应该早点儿给他们**打预防针**。

列娜：我小时候父亲就常给我**打预防针**，不让我学抽烟喝酒。

龙方：学校组织学生参观青少年犯罪展览，就是给他们**打预防针**。

【情景2】田局长在一次会上要求各生产厂家制止造假风，会后，某厂中外两位厂长商量这事。

【对话2】中方厂长：局长今天给我们**打了预防针**，眼睛不能只盯着钱！

外方厂长：这个**预防针**打得好，我们绝不能制假。

中方厂长：我们一定做到货真价实，坑害消费者的事绝对不干。

外方厂长：这**预防针**要经常给大家打一打呀！

【搭配】"得～"、"打了预防针"、"给他～"等。

打折扣　dǎ zhékòu

【解释】"打折扣"原指出售货物时按标价减去一定数目。比喻不完全按照规定的或答应别人的做。可以说人不讲信用，也可以说条件可以降低。

"打折扣", primarily referring to selling goods at a discount. Likened to not doing things properly or in accordance with what has been promised completely. The subject referred to can be someone without credit or a condition that has been lowered.

【情景1】两个人谈论杜经理不讲信用。

【对话1】任平：杜经理答应得挺痛快，口口声声赔偿损失。

叶达：杜经理的话水分太大，你瞧着吧，签赔偿协议书时他准大**打折扣**。

【情景2】吉田和范刚讨论价钱问题。

【对话2】吉田：范先生，贵公司要求的条件是不是高了点儿？能不能在包装材料上**打点儿折扣**？

范刚：我们的条件高，你们的也不低呀，**要打折扣**，咱们一块儿打。

【搭配】"大～"、"打了不少折扣"、"打起折扣来了"等。

大锅饭　dàguōfàn

【解释】"大锅饭"指供多数人吃的普通伙食。比喻没有区别，同等的待遇。多用来说农村或集体单位报酬分配不合理。含贬义。

　　"大锅饭" primarily refers to ordinary meal provided for the majority. Likened to an indifferent or equal treat. Mainly used to describe irrational distribution in a rural area or in a group, with derogatory sense.

【情景1】外国朋友参观完某村后，与农民梁大伯座谈。

【对话1】朋友：大伯，您是种田能手，那些年收入比一般人高吗？

大伯：不高，那些年是**大锅饭**，大家一样的工分。

朋友：现在你们还吃**大锅饭**吗？

大伯：不吃了，现在再吃**大锅饭**，生产怎么发展？

朋友：你觉得吃**大锅饭**怎么样？

大伯：吃**大锅饭**不能调动人的积极性。

【情景2】彭玉林跟外国朋友东方巨等合开一个饭馆。

【对话2】彭玉林：咱们都是朋友，利润平分。

东方巨：别搞**大锅饭**了，吃**大锅饭**时间一长，准出矛盾。

【搭配】"吃～"、"搞～"、"是～"等。

戴高帽子　dài gāomàozi

【解释】"戴高帽子"比喻对人说恭维的话。可用来回绝别人的恭维，也可用来批评社会上

9

恭维人的现象。也说"戴高帽儿"。

"戴高帽子" is likened to flattering others with words. It can be used to refuse others' compliment or criticize the phenomena of compliment.

【情景1】留学生马发奈找高老师指导毕业论文。

【对话1】马发奈：高老师，您在文学领域是个权威。

高老师：别给我**戴高帽子**，权威谈不上，就算是个文学爱好者吧。

【情景2】万小辉与法国朋友古隆一起观看文艺表演。

【对话2】万小辉：有些人就喜欢给人**戴高帽儿**，演了一两个节目，就称"著名表演艺术家"、"艺术大师"。

古隆：这种乱**戴高帽儿**的事多了！

【搭配】"喜欢~"、"给人~"、"乱~"、"戴了很多高帽儿"等。

当参谋　dāng cānmóu

【解释】参谋：军队中参与指挥部队行动、制定作战计划的干部。这里指替别人出主意的人。"当参谋"比喻替别人出主意。也可用来求别人帮自己出主意。

参谋, a kind of officer who participating in commanding the action of troop and constituting the plan of battle. Here referring to someone who gives advice for somebody. "当参谋" is likened to people who play the role of giving advice for others. It is also used to ask others for good idea.

【情景1】日本员工岩下与贺群商量购进一批真丝针织衫。

【对话1】岩下：贺先生，您看质量怎么样？

贺群：我看东西还行。不过我只能**当参谋**，进不进货您决定好了。

【情景2】中国阿姨跟日本夫人一起去买衣服。

【对话2】阿姨：我要买这套衣服，你帮我**当当参谋**吧。

夫人：好，我给你**当当参谋**。

【搭配】"给人~"、"替人~"、"当~"、"当不了这个参谋"等。

当耳旁风　dàng ěrpángfēng

【解释】耳旁风：从耳边吹过的风。"当耳旁风"比喻不把别人劝告或嘱咐的话放在心上。多用来责备人不重视别人的话，也表示担心对别人的话不重视，还可以劝人不要在意某些话。

耳旁风, a puff of wind passing the ear. "当耳旁风" is likened to turning a deaf ear to others' advices or warnings. Mainly used to blame somebody for ignoring others' words, or persuade somebody not to take care of some words.

【情景1】老师多次讲过写毕业论文要注意的问题，还有人弄错。

【对话1】学生：老师，这样写对吗？

老师：我说过多少次，你们都**当耳旁风**了！

【情景2】意大利留学生依莱萨听了些闲话很生气，中国朋友曾露劝她。

【对话2】依莱萨：你要是听见他们那些话得气死！

　　　　曾　露：听那些闲话干吗？**当耳旁风**算了。

【搭配】"把我的话～了"、"被他的话当成了耳旁风"、"～算了"、"就～吧"等。

倒胃口　dǎo wèikou

【解释】"倒胃口"指腻味而不想再吃。比喻听的或看的次数太多使人感到无聊或厌烦。多用来说欣赏多次失去兴趣。

　　　　"倒胃口" refers to having no appetite. Likened to feeling senseless or bored when the times of watching or listening are excessive. Mainly used to refer to being uninterested after many times of watch.

【情景1】金阳约外国朋友马尔克去看电影。

【对话1】马尔克：又是武打片？你不怕看**倒**了**胃口**？

　　　　金　阳：哎，成龙的大片，不会**倒胃口**的。

【情景2】旅行团刘小姐带外国游客去观看地方戏。

【对话2】游客甲：这叫什么戏？简直**倒**观众的**胃口**！

　　　　游客乙：真的，这戏看一次就让人**倒胃口**了。

【搭配】"真～"、"让人～"、"倒了观众的胃口"等。

定心丸　dìngxīnwán

【解释】"定心丸"比喻能使人安心的话。多在得到承诺、安慰时表示安心了。

　　　　"定心丸" is likened to comfortable words capable of setting sb's mind at ease. Mainly used to express the feeling of being easy after receiving promise or consolation.

【情景1】美尔坦到中国来工作了。她买了一台电脑，又担心质量问题。

【对话1】美尔坦：阿姨，你给电脑公司打电话了没有？

　　　　阿　姨：打了，他们答应保修三年，终身维修。

　　　　美尔坦：总算让我吃了**定心丸**。

【情景2】史德安与中国朋友陈明聊考研究生的事。

【对话2】陈　明：这几年研究生越来越难考了。

　　　　史德安：老师说我没问题。

　　　　陈　明：那是老师看你缺乏信心，鼓励你，先给你颗**定心丸**吃。

　　　　史德安：我明白了，谁也不能吃了**定心丸**就不努力了。

【搭配】"吃～"、"给人～吃"、"吃了颗～"等。

兜圈子　dōu quānzi

【解释】兜：绕。"兜圈子"比喻说话、办事不直截了当，不干脆。多用来要求对方说话直接、痛快。

兜, circle. "兜圈子", beating around the bush, is likened to delaying talking about the most important part of a subject. Mainly used to ask the opposite to speak forthrightly.

【情景】小野先生跟中国员工林山谈话，说话显得很不痛快。

【对话】林山：有什么话就说吧，用不着跟我**兜圈子**。

小野：我不是**兜圈子**，我得先把公司的意图交代清楚。

林山：您跟我**兜**了半天**圈子**，到底有什么事找我？

小野：怎么跟你说呢，唉，最近公司业务不多……

林山：你不用**兜圈子**了，是不是要解雇我？

【搭配】"别~"、"少~"、"兜什么圈子"、"兜了半天圈子"、"跟我~"等。

放在眼里　fàng zài yǎn li

【解释】"放在眼里"比喻十分看得起，因而予以重视。多用否定，说别人时表示看不起人；说自己时常表示因受轻视而不满。也说对事物小看。

"放在眼里" is likened to thinking highly of and so regard somebody or something. Mainly used in its negative form to express looking down upon somebody when addressing the other while expressing the feeling of being discontent because of being disregarded when addressing oneself. Also used to downgrade something.

【情景1】秘书把一份关于公司处理哈乌违纪行为的材料拿给他看。

【对话1】秘书：这可是经理亲自批的。

哈乌：我根本没把他**放在眼里**!

【情景2】张明跟外国朋友罗哈多一起在街心公园散步，看见有人踏入园中草坪。

【对话2】罗哈多：那儿不是插着牌子吗？怎么还有人踩草坪？

张　明：是插着牌子，可有人根本不把它**放在眼里**。

【搭配】"没~"、"不~""把……~"、"放在谁的眼里"等。

给颜色看　gěi yánsè kàn

【解释】"给颜色看"比喻用严厉的脸色或行动对付别人。多用来说对人不客气，或说人的报复行为。

"给颜色看" is likened to treating others with severe face or action. Mainly used to refer to people being impolite to somebody or action of retaliation.

【情景1】某公司一笔生意没谈成，经理维克多生气地和员工毕丹先生谈论这件事。

【对话1】维克多：我知道是向丰公司给我们捣乱，我得**给**他们点儿**颜色看看**!

毕先生：**给**人家什么**颜色看**？你抓住人家什么问题了？

【情景2】泰国学生黄爱南感冒了，她在路上遇见了刘力，谈北京的天气。

【对话2】黄爱南：北京这天气真厉害，稍不注意它就**给**你点儿**颜色看**。

刘　力：北京冬天比较冷，不像泰国那么暖和，一不注意就容易感冒。

【搭配】"给人颜色看"、"别给人颜色看"、"让人～"、"给他点儿颜色看看"等。

喝墨水　hē mòshuǐ

【解释】"喝墨水"指上学读书，诙谐（huīxié）的话。多用来说人的文化水平高低。

"喝墨水" refers to going to school, a humorous expression. Mainly used to refer to the level of people's education.

【情景】中国员工董天民问外国同事罗伯特一台机器的性能。

【对话】董天民：你喝的是洋**墨水**，这进口机器的性能比我懂。

罗伯特：我懂的也不多，用你们中国人的话来说，**墨水**喝得少啊！

【搭配】"喝了几年墨水"、"没喝过墨水"、"墨水喝多了"等。

喝西北风　hē xīběifēng

【解释】"喝西北风"指挨饿，没有东西吃。多用来强调要备有生活费，或要有工作、有收入。

"喝西北风", to drink the northwest wind, is likened to living on air, having nothing to eat. It is mainly used to remind people of preparing for cost of living or having a job and income.

【情景1】外国留学生尤龙约中国朋友郑义民去旅行。

【对话1】尤　龙：咱们放假到南方去旅行好吗？

郑义民：旅行？我把钱花光了，不吃饭了，**喝西北风**啊？

【情景2】洪青告诉外国朋友，他爸爸在离家很远的郊区找到了一份工作，朋友不理解。

【对话2】朋友：干吗到郊区工作？不干算了。

　　　　洪青：不干？他不工作，一家人得**喝西北风**了！

【搭配】"得～"、"不能～"、"靠～"等。

红眼病　hóngyǎnbìng

【解释】"红眼病"是一种眼睛发红的急性眼科疾病。比喻忌妒别人得到好处的毛病。多用来责备、批评好忌妒的人，也用来说自己不爱忌妒。

　　　　"红眼病", a kind of disease that causes eyes to be red, is likened to being envious of others'benefits. Mainly used to accuse or criticize a easy - envying person, it is also used to say that oneself doesn't like envy.

【情景1】石坦告诉中国朋友包云，她一个同学拍广告，一下子得到一千多美元。

【对话1】石坦：一个学生，怎么给她那么多钱？

　　　　包云：你嫌给多了？你是不是也得了我们中国人说的**红眼病**?

【情景2】德国留学生和丽去交易会当了几天翻译回来，中国朋友温平来看她。

【对话2】温平：和丽，你这几天挣不少钱吧？

　　　　和丽：没几个钱。

　　　　温平：哈哈，不敢告诉我？我可不是**红眼病**!

【搭配】"得了～"、"害了～"、"传染上了～"等。

夹生饭　jiāshēngfàn

【解释】夹生：食物没熟透。"夹生饭"比喻做得不彻底的事情。多用在学习知识掌握本领方面，也用在处理事情方面。

　　　　夹生, half - cooked. "夹生饭", likened to something done incompletely, is mainly used to describe such a situation in studying, grasping knowledge or dealing with something.

【情景1】老师与韩国留学生林熙贤谈学习问题。

【对话1】林熙贤：我语法方面问题最大。

　　　　老　师：因为你没系统学习语法，开始阶段煮了**夹生饭**，再补起来就比较困难了。

【情景2】米卢尼经理派中国员工沈峰去某公司办一件事。

【对话2】米卢尼：你去怎么样？

　　　　沈　峰：上次有人办这事煮了一锅**夹生饭**，我这炒**夹生饭**的事不太好办啊!

【搭配】"炒～"、"做～"、"煮～"、"成了～"、"一锅～"等。

见上帝　jiàn shàngdì

【解释】见上帝：与上帝见面，指死。诙谐（huīxié）话。多用来说非正常死亡，或说自己死。不用于尊敬的人或亲人。

　　　　见上帝, to go to meet God, is a humorous expression referring to death. It is mainly

14

used to refer to the unnatural death of people or oneself, but not applied to that of the respected or relatives.

【情景】中国朋友崔小雨打听谢尔盖出车祸的事。

【对话】崔小雨：伤得重吗？

　　　　谢尔盖：差点儿**见**了**上帝**！

　　　　崔小雨：我一个朋友就是玩摩托出了事，结果**见上帝**去了。

【搭配】"去～"、"～去了"、"见了上帝"、"怕～"、"差点儿～"等。

见世面　jiàn shìmiàn

【解释】世面：指社会上各方面的情况。"见世面"指在社会上经历各种事情，熟悉各种情况；也指见到新奇事物，长见识。多用在开阔眼界方面，也用于称赞人见多识广。用在不好方面则有讽刺意。

　　　　世面, various aspects of society. "见世面" refers to experiencing various things and being familiar with various situations. Also referring to seeing novel things and enhance knowledge, is mainly used to praise one's broad experience, but with ironic meaning when used in bad aspect.

【情景1】老师与留学生兰迪闲聊。

【对话1】老师：兰迪，你有很多钱的话最想干什么？

　　　　兰迪：我最想去旅游，多**见见世面**。

【情景2】马尔克常常让中国朋友范森讲社会见闻。

【对话2】马尔克：你常出差，**见**的**世面**多。

　　　　范　森：你可不比我**见**的**世面**少！

【情景3】沙曼到南方旅游回来，中国朋友鲁华让她讲讲那里的社会风俗。

【对话3】沙曼：不是什么风俗，但我也算**见**了**世面**：四五岁的孩子就会赌博！

　　　　鲁华：啊？**见**那种**世面**！

【搭配】"去～"、"多～"、"见～"、"见了世面"、"见了不少世面"等。

讲价钱　jiǎng jiàqian

【解释】讲：商量。"讲价钱"比喻接受任务时提出要求或条件。多用来说人太计较，也说人不计较。

　　　　讲, bargain."讲价钱" is likened to put forward demand or condition before accepting a task. It is mainly used to say someone who is too particular about something or someone who does not concern too much.

【情景1】中国员工关小姐问日本朋友柳田玉子，池本先生去不去出差。

【对话1】柳　田：经理派他去兰州出差，他跟所长**讲**了半天**价钱**，不想去。

　　　　关小姐：啊？他敢**讲价钱**？

【情景2】中国员工金朋主动找到老板，要求接受一项艰巨任务。

【对话2】金朋：老板，这事就交给我吧，我决不**讲**什么**价钱**。

老板：你干什么事从来没**讲过价钱**，可我也得考虑你的实际困难啊。

【搭配】"不~"、"没~"、"不要~"、"讲过价钱"、"讲什么价钱"、"跟……~"等。

揭老底儿　jiē lǎodǐr

【解释】老底儿：指内情、底细。"揭老底儿"指揭露出内情或底细。被揭的可以是单位团体，也可以是个人。

老底儿, inside information, ins and outs. "揭老底儿" refers to disclosing inside story or ins and outs. The disclosed can be a group or an individual.

【情景1】中外朋友林恩惠和李燕在谈论某公司偷税问题。

【对话1】林恩惠：听说某公司还造了本假账。

李　燕：后来被一位会计**揭**了**老底儿**。

【情景2】格玛发现中国朋友孟环的老板对孟环特别客气，便问他原因。

【对话2】格玛：你们老板对你怎么那么客气？

孟环：他干的那些事我都清楚，他怕我**揭**他的**老底儿**！

【搭配】"专门~"、"怕人~"、"准备~"、"被人揭了老底儿"、"揭他的老底儿"、"给他揭了老底儿"、"揭开老底儿"等。

开场白　kāichǎngbái

【解释】开场白：演出开始时说的话。比喻文章或讲话开始的部分。多用在座谈、会议一类活动时说。

开场白, opening remarks, is likened to the opening part of an article or speaking. It is mainly used in discussing or meeting.

【情景1】艾莲娜没参加今天的会，她向张静打听会议情况。

【对话1】艾莲娜：今天总经理都谈了什么？

张　静：他以市场需求的变化为**开场白**，谈了公司的经营方向问题。

【情景2】这次留学生演唱中国歌曲大奖赛由米拉主持，她在与校长商量。

【对话2】米拉：比赛前您是不是给大家说几句，来个**开场白**？

校长：比赛又不是开会，要什么**开场白**！

【搭配】"一段~"、"简要的~"、"不要~"、"没有~"、"是个~"、"~太长"、"以……为~"等。

开绿灯　kāi lǜdēng

【解释】绿灯：绿色的灯，表示放行的交通信号。"开绿灯"比喻对别人的行动不加阻止，提供方便。多用在不良行为甚至违法活动方面，也用来说支持有益行动。

绿灯, green light, the traffic signal that gives permission of going ahead. "开绿灯"

is likened to not preventing others' action and providing convenience. Mainly used in preventing bad action, even illegal activity. Also used in supporting useful action.

【情景1】丁卫与外国朋友拉西姆一起看完电视新闻，又开始了议论。

【对话1】拉西姆：那些地方小煤窑非法开采怎么会禁止不住？

丁　卫：当地政府肯定在为他们**开着绿灯**！

【情景2】何进找到公司总经理菲利普先生，谈他们的新锅炉实验问题。

【对话2】何　进：我们的实验希望得到公司的支持。

菲利普：我会尽量为你们**开绿灯**的。

【搭配】"尽量～"、"不能～"、"开了绿灯"、"为……～"、"开不得绿灯"等。

开夜车　kāi yèchē

【解释】开夜车：夜间开车。比喻为了赶时间而在夜间学习或工作。多指夜里学习或从事脑力、文字方面的工作。

开夜车, to work late into the night, is likened to studying or working in the night. It mainly refers to study or engaging in mental or letter work.

【情景1】王红劝外国朋友阿里早动手复习功课。

【对话1】王红：阿里，快复习吧，别靠临考前天天**开夜车**。

阿里：我就得考试前**开夜车**，复习早了还得忘。

【情景2】一天晚上，藤野先生说要写东西，他的中国夫人阿珍劝阻他。

【对话2】阿珍：刚加班回来，又要**开夜车**呀？

藤野：明天有个商务谈判，我得起草一份合同，不**开夜车**不行啊。

阿珍：你不能天天**开夜车**，身体要紧。

藤野：好，我尽量少**开夜车**。

【搭配】"天天～"、"常常～"、"偶尔～"、"不要～"、"必须～"、"靠～"、"开了几天夜车"、"开不得夜车"、"开起了夜车"等。

侃大山　kǎn dàshān

【解释】"侃大山"又作"砍大山"，指无边际地闲聊。用来说人不干事，只是闲聊时，有贬义；用来说随便闲谈时，没有贬义。

"侃大山" is also used as "砍大山", referring to chatting without definitive topic, with derogatory meaning when used to say someone who does nothing but chats, and without derogatory meaning when used to refer to chat casually.

【情景1】负责管理临时工的中国员工李先生来找经理根上先生。

【对话1】李先生：那几个临时工根本不好好干活，常聚在一块儿**侃大山**。

根　上：工作时间**侃大山**，那怎么行！

【情景2】外国朋友亨达访问了一个建筑队，与工人聊天。

【对话2】亨达：你们施工队白天那么累，晚上早早就睡了吧？

    工人：早了也睡不着，我们就躺在宿舍里**侃大山**。

【搭配】"净～"、"喜欢～"、"在……～"、"不许～"、"跟人～"、"在一块儿～"、"侃起大山来"、"侃了半天大山"、"没有人～"、"不敢～"等。

拉关系　lā guānxi

【解释】"拉关系"指为了某种目的而拉拢、联络有权势、起作用的人。多用来批评人办事靠关系，也说自己要靠关系办事。

　　　"拉关系" refers to someone who draws the puissance over one's side for some purpose. Mainly used to criticize someone who depends on relations. Also used to say that one must manage to do things through relations with others.

【情景1】中国员工白冲向经理马特建议进货找熟人帮帮忙。

【对话1】白冲：咱们找找熟人进货好快一点儿。

　　　经理：交货日期由咱们提出要求，不必靠**拉关系**办事。

【情景2】负责组织员工活动的刘先生找所长加藤先生商量。

【对话2】刘先生：咱们常组织员工去旅游，也得跟旅游局**拉拉关系**，好给咱点儿方便。

　　　加　藤：是得**拉拉关系**，说不定能有优惠呢。

【搭配】"会～"、"靠～"、"跟……～"、"拉上了关系"等。

老大难　lǎodànán

【解释】"老大难"指特别不好解决的问题。可以指人，也可以指单位团体，还可以指一般问题。也说"大老难"。

　　　"老大难" refers to problems that demand great efforts to solve. It can be used to refer to a series of long - standing problems. Also used as "大老难".

【情景1】中外员工田新和卡基娅聊天。

【对话1】卡基娅：你们办公室吴永青还没有对象吧？

　　　田　新：他可是个**老大难**，要求太高，谁都不敢给介绍。

【情景2】马庆斌和外国朋友戴维从一家商场出来。

【对话2】戴　维：这家商场的服务水平称得上是一流的！

　　　马庆斌：可是三个月前，它还是个**老大难**单位呢。

【搭配】"是～"、"～的事情"、"～单位"、"碰上个～"、"……那个～"等。

老掉牙　lǎodiàoyá

【解释】"老掉牙"形容过于陈旧、已经过时了。多用来说事物，尤其是物件，也用在言论方面。

　　　"老掉牙" describes machines being too old and obsolete. Mainly used to refer to things. Also used to refer to ideological things.

【情景1】留学生罗纳多到中国朋友赵宏宿舍来时，赵宏正在听歌曲。

【对话1】罗纳多：放几首新歌吧，这几首**老掉牙**的曲子早让人听够了。

赵　宏：还放新歌呢，瞧我这**老掉牙**的录音机吧。

【情景2】安德烈非让中国朋友李青给他讲一个笑话不可，李青不得不讲。

【对话2】李　青：好，我讲。从前有一个读书人……

安德烈：行了，行了，你这个**老掉牙**的笑话讲了有八百遍了。

【搭配】"已经～了"、"早就～了"、"～的式样"、"～的机器"、"～的相机"、"～的曲子"、"～的说法"等。

老皇历　lǎohuángli

【解释】老皇历：陈旧过时的历书。比喻过了时的事。多用来说一些规定、情况等是过去的，现在早就变了；也用来说人的成绩、过失、兴趣、爱好等都已成为过去。

老皇历，last year's calendar, is likened to old history or obsolete practice. Mainly used to say that some rules or circumstances are outdated. Also used to say that one's achievement, lapse, interest and preference become old history.

【情景1】苏龙到北京语言大学留学生宿舍看外国朋友铃木。

【对话1】苏龙：学校规定读研究生的留学生才可以单独住一个房间吧？

铃木：那是**老皇历**了，现在只要交费就可以了。

【情景2】古波已转入北大学习，他来北语看运动会，遇见了中国朋友张华光。

【对话2】古　波：张华光，记得你百米短跑成绩是 11 秒 2，还打破学校纪录了呢。

张华光：那是几年前的事了，还翻那**老皇历**干什么！

【搭配】"是～"、"翻～"、"看～"、"提～"等。

两下子　liǎngxiàzi

【解释】"两下子"指本领、技能。多用来夸赞人手工技能高或办事本事大。

"两下子" refers to skill or ability. Mainly used to praise one's high skill or strong ability.

【情景1】中村夫人请钢琴师李先生调钢琴。

【对话1】先生：钢琴调好了。

夫人：您真有**两下子**，不到半小时就调好了！

【情景2】中外朋友在议论选举经理的事。

【对话2】朋友：董明真有**两下子**！当上了经理。

胡涛：董明那**两下子**不行，留着他那"**两下子**"吧。

朋友：瞧你得意的，我看你那**两下子**也不怎么样。

【搭配】"有～"、"这～"、"来～"、"没那～"、"你那～"等。

露一手　lòu yì shǒu

【解释】一手：指一种技能或本领。"露一手"比喻显示出某种本领让人看一看。多指某些操作或技能表演。也说"露两手"。

一手，refers to skill or ability. "露一手" is likened to showing some skill to somebody. Mainly used to refer to some operation or skill performances.

【情景1】奥山先生告诉中国朋友江维，他们又在松本先生家吃饭了。

【对话1】江维：是松本先生做的菜？

　　　　奥山：当然，松本先生学会了做中国菜，一有机会就给大家**露一手**。

【情景2】圣诞节后的一天课堂上。

【对话2】老师：狄佩，你们的圣诞晚会开得怎么样？

　　　　狄佩：可热闹了，奥地利同学黑尔加还**露了两手**，她的电子琴弹得棒极了！

【搭配】"好好～"、"准备～"、"我来～"、"露了一手"、"给大家～"、"让他～"等。

马后炮　mǎhòupào

【解释】马后炮："马"后边的"炮"，象棋术语，"马"和"炮"都是棋子儿名称。"马后炮"比喻主意、措施、举动等不及时，晚了。多用来埋怨人事前不说，事后指指点点。

马后炮，"cannon" after "horse", is a Chinese chess term. "horse" and "cannon" are both terms in the Chinese chess. "马后炮" is likened to belated idea, measure or action. Mainly used to complain that someone gives advices later, not before.

【情景】中国员工赵明去发货处找到了山下先生。

【对话】赵明：经理说这批货还应该办保险。

　　　　山下：他怎么不早说？托运手续已经办完了，净来**马后炮**！

【搭配】"是～"、"净来～"、"～的事"等。

马拉松　mǎlāsōng

【解释】马拉松：指马拉松赛跑。比喻时间持续得太久。含贬义。多指会议一类的活动太长，让人生厌。

马拉松，marathon, is likened to something lasting too long, with derogatory meaning sometimes. Mainly used to refer to long - lasting and boring activities, such as meeting.

【情景】某公司经理山上先生通知员工们开会。

【对话】王绪：会议几点开始？

　　　　山上：早九点。事情比较多，可能得开一个上午。

　　　　黑泽：准备充分些，尽量早点儿结束，可别搞**马拉松**会议。

　　　　山上：你以为谁愿意搞**马拉松**啊！

【搭配】"搞～"、"是个～"、"～式的"、"～会议"、"～谈判"、"～演说"等。

卖关子　mài guānzi

【解释】卖关子：讲长篇故事的人常常在最吸引人的地方停下来，为的是吸引听众接着往下听。比喻说话、做事故意在紧要的时候停下来，以便引起对方更大的兴趣，观察对方的态度。多用来催人快把关键性的话讲出来。

卖关子，to stop a story at a climax to keep the listeners in suspense, is likened to people who stop at a climax when speaking in order to attract more interest and watch the reaction of listeners.

【情景】圣诞节前，爱萨娜代表全班去办公室请假了，上课时老师问起这事。

【对话】老师：你们去办公室请假了？

爱萨娜：我说圣诞节我们有一个活动，你猜李老师说什么？

沙乌士：说什么？别**卖关子**了，李老师同意没同意？

【搭配】"别～"、"不要～"、"故意～"、"又在～"、"卖了个关子"、"卖什么关子"、"卖起了关子"等。

蒙在鼓里　méng zài gǔ li

【解释】"蒙在鼓里"比喻对发生的与自己有关系的事情，一点儿都不知道。多用来说被别人故意瞒着而不知情。

"蒙在鼓里" is likened to someone knowing nothing about what has happened to oneself. Mainly used to refer to people who are kept in the dark.

【情景1】杨松和外国朋友巴尔西谈起了某工厂的情况。

【对话1】杨　松：那个厂都没钱发工资了。

巴尔西：听说厂长两个月前就携款逃跑了，怎么工人还**蒙在鼓里**？

杨　松：不是说厂长出国了吗？他把工人**蒙在鼓里**这么久！

【情景2】王娟和外国朋友叶莲娜谈起了她们的朋友阿华。

【对话2】叶莲娜：阿华是去旅行结婚吧？

王　娟：是啊，她是背着父母跟小张登记结婚的，老两口还**蒙在鼓里**呢。

【搭配】"被～"、"还～"、"一直～"、"都～"、"把人～"、"被……～"等。

磨嘴皮子　mó zuǐpízi

【解释】嘴皮子：指嘴唇。"磨嘴皮子"比喻过多地说。多用来说对人多次提出请求或要求。

嘴皮子，lips. "磨嘴皮子" is likened to doing a lot of talking when asking somebody for permission or to do a favor.

【情景1】留学生要求老师带他们去看冰灯。

【对话1】蒙哥马利：老师，能不能组织我们去看一看冰灯？

老　　师：我昨天跟系主任**磨**了半天**嘴皮子**，他说咱人少，不值得专门组织一次。

【情景2】高老师又讲了一遍写论文的要求，有的留学生还说不懂。

【对话2】凯斯林：老师，我还不明白要求。

老　师：我还得讲多少次？**嘴皮子**都**磨**破了！

【搭配】"白～"、"磨了半天嘴皮子"、"磨破了嘴皮子"、"跟他～"、"嘴皮子磨破了"等。

拿手戏　ná shǒu xì

【解释】拿手：对某种技术擅长（shàncháng）。"拿手戏"指最擅长的技术、本领。多用来说某人的特长。

拿手，be good at. "拿手戏" refers to a skill or faculty one is good at. Mainly used to refer to one's strong suit.

【情景】中外朋友一起参观秘书何小姐的新房。

【对话】卡西坦：这新房布置得不错，只是床头上也应该贴个"喜"字。

丘女士：一会儿让王小姐剪个喜字贴上。剪纸是王小姐的**拿手戏**。

拉萨德：你有什么**拿手**好**戏**？

丘女士：我的**拿手戏**是做菜呀，特别是做鱼。

【搭配】"是～"、"……的～"、"拿手好戏"、"拿手戏是什么"等。

拍马屁　pāi mǎpì

【解释】"拍马屁"指对人巴结奉承，向人讨好。贬义。多用来讥讽甚至谩骂人。

"拍马屁"，referring to flattering, is a derogatory expression. Mainly used to jeer at, even hurl abuse at somebody.

【情景】中韩两国员工议论曹先生。

【对话】金钟玉：曹先生特别能讨好上司，整天**拍**老板的**马屁**。

赵　山：谁都说他特别会**拍马屁**。

金钟玉：前些日子一直**拍**邢老板的**马屁**，这会儿又**拍**霍经理的**马屁**了。

【搭配】"专门～"、"净～"、"就会～"、"少～"、"拍……的马屁"、"拍了半天马屁"、"马屁拍错了"等。

跑龙套　pǎo lóngtào

【解释】龙套：传统戏曲中成队的随从或兵卒。"跑龙套"指在戏曲中扮演随从或兵卒。比喻在人手下做无关紧要的工作。用来说别人时，有看不起意味，说自己则表示谦虚。

龙套，attendants or pawns in traditional drama. "跑龙套"，referring to acting as an attendant or a pawn, is likened to people playing an unimportant role, with the meaning of looking down to when used to refer to the other while expressing modesty when used to refer to oneself.

【情景】克里姆先生听说新员工尹钢以前是搞环境保护的。

【对话】克里姆：尹先生，你就负责环保工作吧。

尹　钢：叫我负责不行，我就**跑跑龙套**，干点儿具体事儿吧。

克里姆：你是从环保部门来的，有经验啊。

尹　钢：我不过是个**跑龙套**的。

【搭配】"是～的"、"跑～"、"只能～"、"给别人～"、"帮人家～"等。

碰钉子　pèng dīngzi

【解释】比喻遭到拒绝或受到挫折。多指请求当即遭到不客气的拒绝或行动受到挫折。

Likened to people being refused or meeting frustration. It is mainly used to refer to that a request meet frustration at once or an action meet refusal.

【情景1】雅格娜在跟中国员工邓辉谈论保罗的事。

【对话1】雅格娜：保罗对经理安排的工作不满意，去找经理，**碰**了**钉子**回来了。

邓　辉：你怎么知道他**碰**了**钉子**？

雅格娜：他要不**碰钉子**回来早嚷嚷了。

邓　辉：他什么都不在乎，让他**碰碰钉子**也好。

【情景2】中村先生问锅炉厂技术员许德宽一些情况。

【对话2】中　村：新锅炉试验怎么样？

许德宽：别提了，一开始就**碰**了**钉子**。

【搭配】"怕～"、"又～了"、"去～"、"碰过钉子"、"碰了硬钉子"、"碰了几回钉子"等。

碰一鼻子灰　pèng yì bízi huī

【解释】"碰一鼻子灰"指遭到拒绝或斥责，落得没趣。多用来说请求、劝告等当即遭到回绝或斥责，弄得很没面子。

"碰一鼻子灰" refers to being refused or reprimanded to feel put out. Mainly used to refer to somebody whose request or advice is refused or reprimanded at once feels losing face.

【情景】洪友林报名参赛，却被审查组把名字给划下去了。外国朋友雷米见到了他。

【对话】雷　米：洪友林，你没去找找审查组的人？

洪友林：别提了，我去碰了**一鼻子灰**。

雷　米：怎么了？

洪友林：人家说我根本没资格参赛。

【搭配】"怕～"、"谁知～"、"碰了一鼻子灰"、"碰了我一鼻子灰"等。

泼冷水　pō lěngshuǐ

【解释】比喻打击人的热情。多用来说对别人的行动不支持。

Likened to striking one's fervor. Mainly used to refer to not supporting others' actions.

【情景】甘朋听说法国朋友尼古拉不想再搞电视摄影了，要去做广告人。

【对话】甘　朋：你家里人支持你吗？

尼古拉：支持什么，净给我**泼冷水**！

甘　朋：我也得给你**泼泼冷水**，搞摄影多好啊。

尼古拉：也难怪他们**泼冷水**，广告难办哪。

【搭配】"爱～"、"不怕～"、"专门～"、"不要～"、"少～"、"给人～"、"泼了不少冷水"、"一瓢冷水泼下来"等。

气管炎　qìguǎnyán

【解释】"气管炎"是一种疾病，因为与"妻管严"（妻子管得严）谐音，所以用来借指男人怕老婆。当面说对方是与人开玩笑，说他人时则是觉得人过于老实。

"气管炎", tracheitis, a homophone of "妻管严" (the wife supervise severely), is borrowed to refer to a man afraid of his wife. It may be a joke when addressing the listener face to face while it may mean that the man is too timid when addressing the others not present.

【情景】中外朋友一起商量去游览长城的事。

【对话】阿卜杜：明天能不能跟大家一起去，我还得跟爱人商量一下儿。

王　兴：啊？你什么时候得了**气管炎**？

费萨尔：他呀，是个有名的**气管炎**！

【搭配】"是～"、"得了～"、"患上了～"、"笑他～"、"说他～"等。

敲边鼓　qiāo biāngǔ

【解释】比喻从旁帮腔或从侧面帮助。多用来要求别人协助说明理由等，也用来表示对他人的帮腔不满意。

Likened to speaking or acting to assist somebody. Mainly used to ask the other to assist to explain the cause, it is also used to refer to being dissatisfied at the other's speaking in support.

【情景】角田因为缺课太多被老师批评了，他跟中国朋友郑文说这事。

【对话】郑文：老师批评你时，阿苏没替你解释吗？他知道你病了。

角田：他不但不替我解释，还帮老师**敲边鼓**，真把我气坏了。

郑文：你再去找老师说说。

角田：我们一起去，你帮我**敲敲边鼓**吧。

郑文：好，我在一旁**敲边鼓**。

【搭配】"专门～"、"帮你～"、"替人～"、"帮着～"、"敲了一通边鼓"、"在一旁～"、"跟人一块儿～"等。

敲警钟 qiāo jǐngzhōng

【解释】警钟：报告发生意外的钟。"敲警钟"比喻提醒人的警惕。多用来表示感谢别人提醒了自己，也可以用来说要提醒别人。

警钟，alarm bell. "敲警钟" is likened to reminding somebody of something. Mainly used to express thanks for the other's reminder, it is also used to refer to reminding the other.

【情景1】乔治被小流氓打了，他一直想报复，中国朋友卢强劝阻他。

【对话1】卢强：乔治，听说你要找人收拾他，我给你**敲警钟**，这太危险了。

乔治：谢谢你好心为我**敲了警钟**。

【情景2】汉语水平考试成绩发下来以后，桑娅遇见了中国朋友赵青。

【对话2】桑娅：我觉得学得不错了，才考了110分！

赵青：这次 HSK 预测的成绩也算给你**敲了警钟**，得努力学习啊！

桑娅：这个**警钟敲**得好！

【搭配】"经常～"、"为人～"、"给他～"、"向人们～"、"敲～"、"警钟敲得好"、"敲起了警钟"、"敲响了警钟"等。

敲竹杠 qiāo zhúgàng

【解释】"敲竹杠"指利用别人的弱点或者以某种借口，抬高价格或者索取财物。多在对方索要费用太高时用来表示不满。

"敲竹杠", with a negative sense, refers to taking advantage of sb.'s weakness or finding an excuse to raise the price or extort property. Mainly used to express dissatisfaction when being asked for too much price.

【情景1】阿利与中国朋友吴禹一起去游玩，顺便在饭店吃顿午饭。

【对话1】阿利：咱们这一顿饭才花了一百多元，服务费就收了二百，这不是**敲竹杠**吗？

吴禹：这种饭店就靠**敲客人的竹杠**赚钱呢。

【情景2】城东饼屋厨师清水雅一跟中国员工景春聊天。

【对话2】清水雅一：咱老板在用电方面特别仔细。

景　春：为什么这个月电费两千多元？

清水雅一：老板怀疑人家**敲**咱的**竹杠**。

【搭配】"是～"、"不能～"、"向人～"、"敲人的竹杠"、"敲过他的竹杠"、"敲了一下竹杠"等。

翘尾巴　qiào wěiba

【解释】翘尾巴：尾巴向上竖起。比喻过于得意，骄傲自大。常在人受到称赞或获得成功后，显出骄傲情绪时，用来告诫人。

翘尾巴, erect one's tail, is likened to being proud of oneself and cocky. Usually used to warn somebody when he or she shows proudness after gaining compliment or acquiring success.

【情景1】所长河本先生觉得中国员工谢明受到表扬后有些骄傲。

【对话1】河本：谢明先生，可不能有点儿成绩就**翘尾巴**啊。

谢明：谢谢所长提醒，我这点儿成绩不算什么，我不会**翘尾巴**的。

【情景2】雷娜里的父母到中国旅行，顺便到学校了解孩子的情况，孙老师接待了他们。

【对话2】孙老师：你儿子这段时间进步挺快，成绩也上来了。

学生父母：这孩子夸不得，一夸又**翘尾巴**了。

【搭配】"容易～"、"有点儿～"、"怕他～"、"不敢～"、"翘起了尾巴"、"尾巴翘得太高"等。

绕弯子　rào wānzi

【解释】绕弯子：不从正面通过，从侧面或后面走远路转过去。比喻说话或办事不直截了当。多用来怪人有话不直接说出来，也用来要求人有话直说。

绕弯子, not pass from the front but turn around for a longer distance from the side or back. Likened to talking or working in a roundabout way. Mainly used to blame somebody for his or her indirect words, it is also used to ask somebody to talk straightforward.

【情景】万佳有事求中国朋友汪辉帮忙。

【对话】汪辉：你不用客气，求朋友帮忙还用**绕弯子**？

万佳：那我就直话直说，不跟你**绕弯子**了。

【搭配】"爱～"、"净～"、"别～"、"跟我～"、"绕了很大弯子"等。

杀风景　shā fēngjǐng

【解释】杀风景：影响风景的美观。比喻使人扫兴。多用来埋怨人在人兴致很高时，言行扫人的兴。

杀风景, influence the scene, is likened to spoiling the fun. Mainly used to complain of the other's speaking that spoils his or her fun while being very happy.

【情景】梅雨丝在路上遇见了中国朋友苗容，她们谈起昨晚在歌厅的事。

【对话】梅雨丝：昨晚，丁立真能**杀风景**！

苗　容：怎么了？

梅雨丝：昨天是菲利浦的生日，我们晚上在四季歌厅唱卡拉OK。

苗　容：这个时间不错啊，正好考完试了。

梅雨丝：是啊，我们尽情地唱啊跳啊，唱英文歌，唱中文歌，唱韩国语歌。

苗　容：玩儿个通宵吧？

梅雨丝：就在我们唱得最高兴的时候，丁立来了，进门就嚷嚷菲利浦考试不及格，让他明天去办公室拿补考证。

苗　容：他不能晚些时候告诉他吗？真是太**杀风景**了！

梅雨丝：是啊，他**杀**了这么一通**风景**，谁还有心思玩儿了！

【搭配】"真～"、"净～"、"别～"、"大～"、"杀尽了风景"等。

伤脑筋　shāng nǎojīn

【解释】形容事情难办，费心思。在遇到为难的事情时用。

Describing a troublesome thing that needs to be given a lot of care. It is mainly used when meeting with trouble thing.

【情景】中国员工姚远跟经理保罗谈工作。

【对话】姚远：经理，这批货销路怎么样？

　　　　经理：我正为这事**伤脑筋**呢。

　　　　姚远：您用不着**伤脑筋**，我再去联系几家客户。

　　　　经理：好啊，这最让人**伤脑筋**的事就交给你了！

【搭配】"太～"、"真～"、"让人～"、"伤了不少脑筋"、"为孩子学习～"、"伤透了脑筋"、"白伤不少筋脑"等。

书呆子　shūdāizi

【解释】呆子：傻子。"书呆子"指只知道死读书的人，有贬义。多用来抱怨关系亲近的人为人处事太教条，太古板，也在谈论他人时，嫌人太死气。

呆子，idiot. "书呆子" is likened to a bookworm, with derogatory sense. Mainly used to complain that a friend or relative deals with affairs too dogmatically and inflexibly, it is also used to express the feeling of dislike someone's lifelessness when talking about them.

【情景1】许文见阿加里总是一个人行动，觉得很奇怪，他问沃尔特。

【对话1】许　文：阿加里好像朋友不多？

　　　　沃尔特：他是个**书呆子**，不爱与人交往。

【情景2】阿文总嫌她的日本丈夫死心眼儿，不会讨好上司。

【对话2】阿文：所长生日，你就不能带点儿礼物去看看人家？

　　　　丈夫：你整天说我**书呆子**气，送礼，不是我这**书呆子**干的事儿！

【搭配】"是个～"、"～气"、"～教授（技术员、工程师、医生等）"等。

耍嘴皮子　　*shuǎ zuǐpízi*

【解释】耍：卖弄。嘴皮子：嘴唇，指口才。"耍嘴皮子"指卖弄口才。贬义。多用来对光说不干实事的人表示看不起或抱怨。也用来劝人少说些，有责备语气。

耍, show off. 嘴皮子, lips, likened to eloquence. "耍嘴皮子", showing off one's eloquence, is a derogatory expression. Mainly used to express the feeling of looking down upon or complain about somebody who doesn't do practical and realistic work. Also used to persuade somebody to talk less, with derogatory meaning.

【情景1】葛瑞和中国朋友何强在议论刚才的座谈会。

【对话1】葛瑞：宋先生真能讲，"哇啦哇啦"一上午没停嘴。

　　　　何强：他就**耍嘴皮子**行。

【情景2】张雨还要跟外国朋友贝当古解释。

【对话2】张　雨：你听我说嘛！

　　　　贝当古：行了，少跟我**耍嘴皮子**！

【搭配】"会～"、"光～"、"只～"、"专门～"、"整天～"、"靠～"、"别～"、"耍半天嘴皮子"、"耍起了嘴皮子"、"跟我～"等。

算老几　　*suàn lǎojǐ*

【解释】老几：排行第几。"算老几"指数不着，不值得尊敬或重视。用来说别人时，表示看不起人，说自己则表示谦虚，略带不服语气。

老几, order of seniority among brothers and sisters. "算老几" refers to not deserving notice or respect. Used to express looking down upon when addressing the other while expressing modesty when the object is oneself, having a slight mood of being unconvinced.

【情景1】阿兰要中国朋友项梅陪她去买自行车。

【对话1】项梅：这事你跟汤姆商量过吗？

　　　　阿兰：跟他商量？他**算老几**！

【情景2】中国员工孟民听说公司要召开重要会议，便问石原先生。

【对话2】孟民：石原先生，明天的会议你参加吗？

　　　　石原：人家那是高层领导会议，我**算老几**？

【搭配】"你～"、"他～"、"我～"、"工人～"、"教师～"、"算得上老几"、"算得了老几"等。

随大流　　*suí dàliú*

【解释】大流：河心流速快的水流。"随大流"比喻跟着多数人行事。说自己时表示不爱多考虑，不想与众不同；说别人时是觉得别人肯定随多数人行动，不必征求他的意见。

大流, rapid stream. "随大流" is likened to following the general trend. Expressing disliking considering much when the object is oneself while expressing the feeling that oth-

28

ers must follow the majority and it is unnecessary to solicit his or her idea when the object is others.

【情景1】中外员工在谈论假日旅游的事。

【对话1】王星：涩谷小姐，这活动你参加吗？

涩谷：我**随大流**，别人都参加我就参加。

王星：你总是**随大流**。这样也好，我也来个**随大流**。

【情景2】老师在班里统计参加 HSK 辅导班人数。

【对话2】老　师：今天井上同学没来，不知他想不想参加？

夏汉德：他一般都**随大流**，要是咱班参加的人多，就给他报上名吧。

【搭配】"我～"、"总是～"、"～吧"、"随上大流"、"干什么都～"等。

铁饭碗　tiěfànwǎn

【解释】铁饭碗：比喻稳定的、有固定工资收入的工作。多在谈论人的工作稳定性时用。

铁饭碗，iron rice bowl, likened to a secure job with steady income. Mainly used in discussing the steadiness of one's job.

【情景1】胡国光跟外国朋友瑞加谈起了工作的事。

【对话1】胡国光：你们在公司工作，也是**铁饭碗**吧？

瑞　加：也不是**铁饭碗**，干不好也可能丢掉工作。

胡国光：说是打破**铁饭碗**了，不过还有好些部门仍然是**铁饭碗**。

【情景2】小杜找到了工作，他来告诉外国朋友哈比比。

【对话2】哈比比：看样子你很高兴。

小　杜：当然高兴，我找到的是**铁饭碗**！

【搭配】"是～"、"有～"、"端着～"、"捧着～"、"丢掉～"、"扔了～"、"打破～"等。

捅娄子　tǒng lóuzi

【解释】娄子：乱子，纠纷，祸事。"捅娄子"指引起纠纷，惹出祸事。多在谈论人惹出麻烦时说。也说"捅乱子"。

娄子，disorder, dispute, disaster. "捅娄子", making a blunder and getting (oneself or others) into trouble, is mainly used in discussing the trouble one causes. Also used as "捅乱子".

【情景1】米歇尔不小心把电脑电源碰断了，曹小姐半天的材料白打了。

【对话1】米歇尔：曹小姐，是我**捅**的**娄子**。

曹小姐：你这**娄子捅**大了，总公司急着要这材料呢！

【情景2】小唐与外国朋友聊天，他们谈起了小时候的事。

【对话2】小唐：小时我每次出门爸爸都嘱咐我"别在外边**捅乱子**"，妈妈也怕我**捅乱子**。

朋友：准是你好**捅乱子**。

29

挖墙脚　wā qiángjiǎo

【解释】比喻用破坏手段使他人或集体倒台，或使事情不能顺利进行。贬义。多指拉走别人的主要人员、骨干力量，或弄走人家的重要设备等。也写做"挖墙角"。

Likened to using the means of destruction to make somebody or a group collapse or not to go on smoothly, with a derogatory sense. Mainly referring to drawing away the main members or backbone forces or taking away the other's important equipment. Also written as "挖墙角".

【情景1】老教练向新来的洋教练介绍情况。

【对话1】老教练：咱们队本来有两名很强的主攻手，前不久被明元队**挖墙脚**挖去了。

新教练：他们怎么能这么**挖别人的墙脚**？

老教练：咳，几个队互相**挖墙脚**的事不奇怪！

【情景2】某厂外籍厂长杰克逊向中国工人了解情况。

【对话2】曾师傅：去年物资处长把我厂的进口电动机卖给他弟弟了。

杰克逊：这不是**挖咱们厂的墙角**吗？

【搭配】"他们～"、"专门～"、"挖我们的墙脚"、"被人挖了墙脚"、"挖起别人的墙脚来"等。

往上爬　wǎng shàng pá

【解释】往上爬：爬到上面去。比喻利用不正当的手段获得高职。贬义。多用来对他人高升的行为表示看不起。也说"向上爬"。

往上爬, To climb up, is likened to using unfair means to gain higher position. A derogatory term, is mainly used to show looking down upon. Also spoken as "向上爬".

【情景】听说公司派西田先生去工厂锻炼一段时间，中外员工有些议论。

【对话】李力：是他自己要求去的？什么学习技术，还不是为了**往上爬**！

加藤：学习技术也是工作需要，这跟**往上爬**有什么关系？

李力：**往上爬**要有资本嘛。

李力：哎，加藤先生，这次提职你有没有希望？

加藤：我从来没想过**向上爬**，我要是想**向上爬**，早爬上去了。

【搭配】"一心～"、"只想～"、"只顾～"、"～的想法"、"～的机会"等。

下台阶　xià táijiē

【解释】台阶：在门前或坡道上，用砖、石等修建的一级一级供人上下的路。"下台阶"比喻摆脱窘迫（jiǒngpò）的处境。多用来说在人难堪时帮忙。

台阶, steps leading up to a house or on a ramp, made from bricks, stone, etc. "下台

30

阶" is likened to being in the situation of embarrassment. Mainly used to refer to helping the other who is in an extremely awkward situation.

【情景1】客户走了以后，阿里与中国员工潘玉才松了一口气。

【对话1】潘玉：客户问得我都答不上来了，幸亏你插上一句话，给我**下了台阶**。

阿里：我不给你**台阶下**，你也会找到**台阶下**的。

【情景2】生意谈不下去了，秘书小冯见经理麦克为难，赶紧把他叫走了。

【对话2】麦克：冯小姐，你脑筋好快呀！

小冯：您趁便就**下台阶**了。

麦克：是啊，我赶紧**下了台阶**。

【搭配】"无法～"、"想法～"、"赶忙～"、"怎么～"、"让领导～"、"下不来台阶"、"找台阶下"、"顺着台阶下"、"给经理～"、"给领导台阶下"等。

向钱看 xiàng qián kàn

【解释】"向钱看"与"向前看"谐音。"向前看"常被用来教育人抛开不愉快的过去，看到并争取光明的未来。而"向钱看"则表示不顾一切，只是为了钱，贬义。多用来批评人只为钱而不顾其他。

"向钱看" is the homophone of "向前看". "向前看" is usually used to persuade the other to throw away his or her past disappointment and try for a bright future. "向钱看", however, means the regardless action for money. A derogatory term. Mainly used to criticize somebody who does everything for money, regardless of others.

【情景1】中国员工贾春旺与经理杜邦先生谈当前社会上的造假问题。

【对话1】贾春旺：有的生产厂家只顾**向钱看**，不重视产品质量，甚至造假。

杜　邦：质量低劣的产品不会有销路，**向钱看**只会坑害自己。

【情景2】徐老师与外国朋友木村先生谈起了写书的稿费问题。

【对话2】老师：这本书我用了两年的时间，其中有四个假期。

木村：稿费可远不如课时费多呀。

老师：唉，不能只**向钱看**，也得讲一点儿贡献啊。

【搭配】"只～"、"专门～"、"眼睛～"、"～的思想"、"～的做法"等。

小动作 xiǎodòngzuò

【解释】小动作：指私下里进行的干扰性活动，有贬义。多用来说为某种好处而进行的请客送礼、拉关系或暗中伤人等不光明活动。

小动作, petty action, referring to secret interfering activities, with derogatory meaning. Mainly used to refer to disguised activities whose aim is to gain benefits, such as inviting somebody to dinner, giving somebody a present, trying to establish relationship with somebody, or taking undermining actions.

【情景】商业部门将举行大型评奖活动，某公司中国员工李平请示经理田中先生，要不要送礼什么的。

【对话】李平：每次评奖都有人搞**小动作**，我怕咱们不搞要吃亏。

田中：哪儿都一样，一有比赛啊，评奖啊，就有人在下面搞**小动作**。我们不搞**小动作**。

李平：你不搞**小动作**，他搞啊！

田中：所以我建议，凡是搞**小动作**的都取消参评资格！

李平：是得想办法杜绝**小动作**，否则评什么都没有意义。

【搭配】"搞～"、"有～"、"～太多"等。

笑掉牙 xiào diào yá

【解释】形容耻笑得非常厉害。多用来说事情太让人丢面子或太让人笑话。

Laugh one's head off. Mainly used to refer to things that make somebody lose face or be laughed at.

【情景1】售货员夏春业在为顾客介绍商品情况，他忽然看见一位日本朋友。

【对话1】夏春业：峰村，这台日本电器，你帮我给客人说说。

峰　村：我也不敢随便讲，万一讲错了，还不叫人**笑掉大牙**！

【情景2】布里吉特弄了一份中文资料，想让中国朋友周梅给翻译。

【对话2】布里吉特：周梅，帮我把这材料翻译一下儿，我的朋友们要看。

周　梅：你还不了解我的德语水平？我怕让人**笑掉大牙**！

【搭配】"让人～"、"准得～"、"笑掉了大牙"、"大牙都笑掉了"等。

一刀切 yìdāoqiē

【解释】"一刀切"比喻不区别情况强求一致或同等对待。多在谈处理不同问题时用。

"一刀切", cut it even at one stroke, is likened to prescribing a single solution for diverse problems or treating things equally. Mainly used to talk about the dealing with various questions.

【情景1】某公司提出一种奖励方式，科长刘先生来问总经理桥本先生。

【对话1】刘先生：总经理，我们都搞这样的奖励方式吗？

桥　本：你们看合适不合适吧，我们不强求一致，不搞**一刀切**。

【情景2】中外朋友任荣与桑娅闲聊，谈到了供暖时间问题。

【对话2】任荣：这不能**一刀切**，比如医院就不能到三月十五号来个**一刀切**停止供暖。

桑娅：是啊，要是天太冷，产妇、重病人怎么受得了！

【搭配】"干脆～"、"来个～"、"搞～"、"都是～"、"不能～"、"～的做法"、"～的结果"、"～的毛病"等。

一风吹　yìfēngchuī

【解释】一风：一阵风。"一风吹"比喻一笔勾销或者一下子兴起来，含贬义。多用来说纠正错误问题的做法，也用来评论某些举动。

一风，a gust of wind. "一风吹" is likened to deleting or springing up quickly, with derogatory meaning. Mainly used to refer to the practices of correcting mistakes, it is also used to make comments upon some actions.

【情景1】中外员工一起座谈某些问题。

【对话1】肖先生：有些人被处理错了，不能一风吹都改正吧？

　　　　　海　伦：肯定还得调查，哪能一风吹？

【情景2】凯文与中国朋友孙楠一起在外面散步，见路边新栽了很多小树。

【对话2】凯文：啊，真是一风吹，栽了这么多小树！

　　　　　孙楠：绿化美化环境是长远任务，不能搞一风吹，这也不叫一风吹。

【搭配】"搞～"、"来个～"、"防止～"、"不能～"、"～的做法"等。

一锅粥　yì guō zhōu

【解释】形容混乱、一团糟的局面。多用来感叹局面不可收拾，也用来形容环境脏乱。

A pot of porridge, likened to a situation of chaos. Mainly used to sigh that the situation couldn't be cleared up, it is also used to describe the dirty and confused environment.

【情景1】兰迪想带些朋友参观某工厂，她去找在那个厂工作的中国朋友李兰问问情况。

【对话1】兰迪：你们厂情况怎么样，能不能参观参观？

　　　　　李兰：现在乱着呢，几个厂长闹矛盾，个别人也跟着胡搅一锅粥！

【情景2】叶莲娜与中国员工宋小姐闲聊。

【对话2】叶莲娜：什么时候去你家看看？

　　　　　宋小姐：不好意思，总这么忙，没空收拾，家里都乱成一锅粥了！

【搭配】"乱成～"、"搞成～"、"胡搅～"、"简直是～"、"～的局面"等。

砸饭碗　zá fànwǎn

【解释】砸：打碎。"砸饭碗"比喻破坏生意或影响收入。多在谈论部门发展和个人利害关系时用，也用来说工作的稳定性。

砸，break something into picccs. "砸饭碗" is likened to destroying business or influencing income. Mainly used in talking about the relation between the development of department and individual advantages and disadvantages. Also used to refer to the break of the job's steadiness.

【情景1】苏惠跟外国朋友叶赛尼娅聊起了她工作的小店。

【对话1】叶赛尼娅：你很关心这个小店，是不是怕砸了饭碗？

　　　　　苏　惠：当然关心，这个小店要是倒闭了，我们也就砸了饭碗。

【情景2】汤姆到某公司去看中国朋友贺春。

【对话2】汤姆：贺春，你们老板对员工要求很严，是吧？

贺春：为了工作嘛。老板多次跟大家讲："谁要是**砸**了我们公司的**饭碗**，我就**砸**他的**饭碗**！"

【搭配】"砸他的饭碗"、"砸了饭碗"、"怕～"、"当心砸了饭碗"、"差点儿砸了饭碗"、"把饭碗给砸了"、"砸破了饭碗"等。

找窍门　zhǎo qiàomén

【解释】窍门：能解决问题的好办法。"找窍门"指想出巧妙的办法解决问题，达到目的或得到好处。多在谈论成功、顺利的原因时说，也在遇到难题时，用来启发人。

窍门，method leading to the solution of the problem. "找窍门" refers to thinking up ingenious means to solve the problem in order to gain one's ends or benefits.

【情景1】日本留学生洋子与中国朋友马华一起擦玻璃。

【对话1】洋子：这样又干净又省力，你真会**找窍门**。

马华：**不找窍门**不行，**找**到了**窍门**往往会事半功倍。

【情景2】魏晴见外国朋友马尔克一天都在背生词，很替他着急。

【对话2】魏　晴：马尔克，能不能**找**点儿什么**窍门**，背得快点儿？

马尔克：**找窍门**？背生词有什么**窍门**好**找**？

魏　晴：没听说"窍门满地跑，看你找不找"吗？总会找到一个比较简便的方法。

【搭配】"能～"、"找～"、"找了个窍门"、"找很多窍门"、"找不到窍门"、"没有窍门可找"、"窍门找到了"等。

找小脚　zhǎo xiǎojiǎo

【解释】找：寻找，挑剔。小脚：比喻毛病。"找小脚"比喻故意挑剔别人的毛病，对人报复。贬义。多用来抱怨人故意挑毛病。

找，look for, cavil about. 小脚，bound feet. "找小脚" is likened to cavil about the other to revenge. A derogatory term.

【情景】沃尔特要给经理提意见，中国朋友姜辉劝阻他。

【对话】姜　辉：不要得罪经理，他会在工作上**找**你的**小脚**。

沃尔特：我不怕他**找小脚**，他也**找**不到我的**小脚**！

【搭配】"爱～"、"专门～"、"怕～"、"找人家小脚"、"找找你的小脚"等。

抓把柄　zhuā bǎbǐng

【解释】把柄：器物上便于用手拿的部分，比喻可以用来要挟人的过错。"抓把柄"比喻抓住人的过错，对人要挟。多在遇到要挟或打算要挟人时用。

把柄，handle of a utensil, likened to the fault which can be made use of. "抓把柄" is likened to grasping the other's fault to coerce him or her. Mainly used when meeting coercion or intending to coerce the other.

【情景1】客户走了以后，经理瓦西里与中国员工唐德明聊了起来。

【对话1】瓦西里：这位客户怎么口口声声"骗人"，咱们让人家**抓住**了什么**把柄**吗？

唐德明：咱们谁也没说什么啊，有什么**把柄**可**抓**的？

【情景2】莫尼卡与中国员工侯小姐是好朋友，她也认识侯小姐的爱人。

【对话2】莫尼卡：侯小姐，听说你先生跟秘书小姐关系不太正常，你得留心点儿！

侯小姐：我也听说了，只要叫我**抓**到**把柄**，我决不客气！

【搭配】"抓住了把柄"、"让人抓了把柄"、"被人抓过把柄"、"抓不着把柄"、"抓别人把柄"、"有什么把柄让人抓住了"等。

走过场　zǒu guòchǎng

【解释】过场：指戏剧中的角色上场以后不多停留，只穿过舞台，从另一侧下场。"走过场"比喻草率（cǎoshuài）地走走某种形式，并不认真去做。多用来说督促检查不认真，也用来说某些安排、举动只是做做样子。

过场，stop for a short moment and cross the stage to go off in a drama. "走过场" is likened to doing something perfunctorily. Mainly used to refer to careless supervision or some superficial arrangement or action.

【情景1】刘力与外国朋友温佳去菜市场买东西，她们在看鸡肉。

【对话1】刘力：我对这儿的肉鸡不放心，有的检疫人员不负责任，检疫只是**走过场**而已。

温佳：不会，这种工作他们不敢**走过场**！

【情景2】宋建最近参加了一次应聘考试，今天在路上遇见了外国朋友辽沙。

【对话2】辽沙：怎么样，被录用了吗？

宋建：笔试是通过了，还要参加面试呢。

辽沙：哎，面试也就是**走走过场**，不会有问题了。

宋建：怎么能**走过场**，听说面试也难着呢！

【搭配】"是～"、"不能～"、"防止～"、"避免～"、"走～"、"～而已"、"不过是～"、"走不得过场"等。

走后门儿　zǒu hòuménr

【解释】后门儿：房子或院子后面的门。"走后门儿"比喻通过人情、关系等不正当手段办事，达到某种目的。多用来说办事凭关系。也说"走门路"。

后门儿，back door of a house or a courtyard. "走后门儿" is likened to gaining one's ends by unfair means, such as private relationship. Also spoken as "走门路".

【情景1】小程跟外国朋友波普谈起了他工作的事。

【对话1】小程：有人以为我是**走后门儿**来的，其实我是大学毕业分配来的。

波普：就凭你的技术，还用**走后门儿**！

【情景2】安沃尔找到中国朋友徐悦，求他帮忙弄球票。

【对话2】安沃尔：徐先生，你认识首体的人，能不能**走个后门儿**，帮忙弄几张球票？

徐　悦：怎么，你们老外也靠**走后门儿**办事啊？

安沃尔：哎，**走走后门儿**方便嘛。

徐　悦：我打电话问问吧，只怕好长时间没跟人联系，这个**后门儿走**不通了！

【搭配】"专门～"、"不能～"、"～办事"、"走经理的后门儿"、"走不了后门儿"、"～买东西"、"～进厂"、"后门儿走不通"等。

走弯路　zǒu wānlù

【解释】比喻工作、学习因为方法不合适而遇到了麻烦或多费了功夫。多在总结工作、学习情况时说。

Likened to meeting trouble or spending more time because of unsuitable methods of work or study. Mainly spoken in summarizing the experience of work or study.

【情景1】外国客人访问了某工厂，潘厂长向客人介绍情况。

【对话1】潘厂长：由于缺乏经验，我们在建厂初期**走过一段弯路**。

客　人：**走点儿弯路**没关系，总结出教训，积累了经验，以后就会少**走弯路**。

【情景2】外籍教练沃尔特总结了工作，队员也发表了不少意见。

【对话2】沃尔特：这些年的训练中咱们**弯路可走**得不少啊。

队　员：为了今后少**走弯路**，请您把训练方案设计得周密些。

【搭配】"少～"、"走过弯路"、"走过一段弯路"、"怕～"、"免得～"等。

钻空子　zuān kòngzi

【解释】钻：进入。空子，没有占用的地方或时间。"钻空子"比喻利用漏洞进行对自己有利的活动。多用来提醒人要警惕，别被人找到可利用的机会，也为给人造成漏洞而表示遗憾。

钻, go into. 空子, unoccupied location or time. "钻空子" is likened to going in for profitable activity by making use of flaw. Mainly used to remind the other of not being found a utilizable chance. Also used to express regret for making a flaw for somebody.

【情景1】桥本先生找中国员工朱良谈话。

【对话1】桥本：你去跟他们交涉时说话要注意，不要叫人**钻了空子**。

朱良：**钻我的空子**？他想得美！

【情景2】某公司员工李正华挨了批评来找外国朋友贺辉诉委屈。

【对话2】贺　辉：说了半天你还是有错！

李正华：我不过考虑问题不周到，他们就**钻了空子**，占了便宜！

贺　辉：你还是有**空子**叫人家**钻**啊！以后要注意。

【搭配】"能～"、"会～"、"专门～"、"爱～"、"让人钻了空子"、"钻我们的空子"、"钻不了空子"、"钻什么空子"等。

钻牛角尖儿 zuān niújiǎojiānr

【解释】比喻费力研究不值得研究或无法解决的问题。多用来说人做事、看问题不灵活。

Likened to researching an problem which doesn't deserve research or is unsolvable. Mainly used to refer to somebody who deals with business inflexibly.

【情景1】外籍员工乔治挨了批评，中国朋友王文劝他。

【对话1】乔治：这个问题我怎么也想不通。

王文：你呀，考虑问题总得各方面都想想，别老**钻牛角尖儿**!

【情景2】某公司贸易洽谈会成果不大，会后，中外员工在议论这事。

【对话2】汤姆：这次商务谈判进展不大。

谢中：我看双方代表都爱**钻牛角尖儿**!

【搭配】"专门~"、"爱~"、"净~"、"故意~"、"老~"、"不要~"、"别~"、"少~"、"钻到牛角尖儿里了"、"钻什么牛角尖儿"等。

做文章 zuò wénzhāng

【解释】比喻为达到某种目的而在某一问题上借题发挥。多用来说人对某一问题抓住不放。

Likened to making use of the subject under discussion to put forward one's ideas in order to gain some ends. Mainly used to refer to seizing upon a problem to make an issue of it.

【情景1】韩国留学生朴贞淑跟朋友闹了矛盾，中国朋友冯华为她们调解。

【对话1】冯　华：你们闹什么矛盾？

朴贞淑：我跟她开玩笑，谁知她抓住我这句话大**做文章**。

冯　华：**做什么文章**？

朴贞淑：说我讽刺她学习不好啊，挑拨她与朋友的关系啊，反正**文章做**了一大堆。

冯　华：她不会故意**做文章**，你该好好向她解释一下儿。

【情景2】肖华去某公司打了一个月工就不去了，外国朋友巴巴拉来看她。

【对话2】巴巴拉：是因为报酬低吗？

肖　华：不，他们在计算报酬的方式上**做**了不少**文章**，我不满意。

【搭配】"大~"、"做~"、"做起了文章"、"在这个问题上~"、"做了不少文章"、"有什么文章可做"等。

成 语

爱不释手 *ài bú shì shǒu*

【解释】释：放，放下。由于非常喜爱，拿在手里舍不得放下。

释，put, put down. Being so fond of something that one holds the thing in hand, unwilling to put it down.

【情景1】日本留学生武田小姐与中国朋友李莲从书店里出来。

【对话1】李莲：看样子你很喜欢鲁迅的作品，刚才你一拿起鲁迅的书就**爱不释手**。

武田：我是喜欢鲁迅的作品，可还读不懂多少。

李莲：那本《日汉大词典》我也**爱不释手**，就是太贵了。

武田：你先用我的吧。

【情景2】苏东与伊朗留学生木仁威在商店里走着。

【对话2】苏　东：木仁威，那把让你**爱不释手**的扇子，你怎么没买？

木仁威：我不过看一看，什么叫**爱不释手**？

苏　东：看一看？那么半天不放下就叫**爱不释手**。

木仁威：那扇子太精美了，还有香味儿，我真的**爱不释手**了。

安分守己 *ān fèn shǒu jǐ*

【解释】老老实实守本分，没有违法行为。褒义。

Honestly and duteously, there is no illegal conduct. A commendatory term.

【情景】有人怀疑某外国公司卖了假货，公司员工何塞与中国雇员张轩谈论此事。

【对话】何塞：我们老板一向**安分守己**，那些骗人害人的事他决不会干。

张轩：他还常教育我们要**安分守己**呢。

安家落户 *ān jiā luò hù*

【解释】在一个新地方定居。多指人，有时也可以指商品等物。

Settling down in a new place. Mostly it refers to people, but sometimes can also refer to goods, etc.

【情景1】一批外国游客参观某山村，村长为客人介绍情况。

【对话1】游客：听说你们以前住的山沟交通很不方便，连用水都困难。

村长：是呀，所以我们山沟里的百姓到这里来**安家落户**了。

游客：到这里**安家落户**的有多少人？

村长：有三十多户，一百多口人。

游客：这里风景真美，我都想来**安家落户**了。

村长：欢迎啊！

【情景2】法国商务代表团参观一个酒厂。

【对话2】尼古拉：你们的酒已经在北京**安家落户**了。

厂　长：我们的酒还要到欧洲**安家落户**呢！

尼古拉：好啊，就到法国**安家落户**吧。

【情景3】越南农业代表团参观果园。

【对话3】阮文雄：你们这里有不少南方水果啊！

果　农：是啊，北方人也很喜欢南方水果，越南的青龙果就很受欢迎。

阮文雄：让我们的青龙果早日来**安家落户**吧。

果　农：那太好了，我们很希望。

白头偕老　bái tóu xié lǎo

【解释】夫妇共同生活到年老。多用来祝愿新婚夫妇婚姻美满长久。

A couple live together till old. Mostly it is used to wish new married couples having satisfactory and long matrimony.

【情景1】中村夫人去参加中国朋友云峰、玉娟的婚礼。

【对话1】中 村 夫 人：这是送给你们的小小礼物，祝你们新婚快乐，**白头偕老**。

云峰、玉娟：谢谢。

【情景2】在日本公司工作的中国员工戴先生与日本高田小姐结婚了。

【对话2】高田小姐：你们中国人讲究从一而终，我也希望能与你**白头偕老**。

戴 先 生：愿我们今生今世永不分离，**白头偕老**。

半途而废　bàn tú ér fèi

【解释】废：停止，不再继续下去。中途停止。形容做事有始无终，不能坚持到底。贬义。

废，stop and no longer continue. Stop halfway. It is used to describe those who handle affairs unable to go to the end, unable to follow through. It has derogatory meaning.

【情景1】留学生阿里因为家里突然出了事要回国了，来跟老师告别。

【对话1】阿里：老师，我要回国了。

老师：阿里，你的汉语学得不错，要继续学下去呀，不能**半途而废**。

阿里：我一定学好，不会**半途而废**的。

【情景2】外国友人雷阳与中国朋友舒兵谈一次试验。

【对话2】雷阳：我那次来，你正在搞一个什么试验，搞成功了吗？

舒兵：搞了几次都没有成功，后来有的人被调走了，只好**半途而废**了。

雷阳：**半途而废**了？太可惜了。

半信半疑 bàn xìn bàn yí

【解释】又相信又怀疑。

Believing and suspecting at the same time.

【情景1】尹老师告诉学生们，汉语系办汉语水平考试（HSK）辅导班，公费生可以免费参加，课后学生们议论纷纷。

【对话1】A：老师说我们这次参加辅导班不收费，我是**半信半疑**。

B：好多人对老师的话都**半信半疑**。

C：用不着**半信半疑**，老师还能骗咱们？

【情景2】留学生瑞娜特买了一盒中药，看完说明书，来找中国朋友曲光。

【对话2】瑞娜特：曲光，这说明书说的能都是真的吗？

曲　光：你怎么对这说明书**半信半疑**？不是在药店买的吗？

瑞娜特：说得太好了，我才**半信半疑**。

曲　光：别**半信半疑**了，这药我吃过，就是好。

杯盘狼藉 bēi pán láng jí

【解释】狼藉：杂乱的样子。形容酒饭过后，酒杯和盘子放得乱七八糟。贬义。

狼藉, disorderly appearance. It is mainly used to describe the mess situation after people drinking and eating.

【情景1】田中先生刚送走几位客人，夫人回来了，见桌子上放着杯盘，问阿姨。

【对话1】夫人：招待什么人了？弄得**杯盘狼藉**？

阿姨：没有别人，公司的几个领导。

【情景2】刘老师在家里招待几位留学生吃完饭。

【对话2】学　生：刘老师，咱们唱卡拉OK吧？

刘老师：好，我把桌子收拾一下儿，这样**杯盘狼藉**太不雅了。

学　生：**杯盘狼藉**是我们折腾的，我们来收拾。

刘老师：我自己来，你们先唱吧。

背信弃义 bèi xìn qì yì

【解释】违背诺言，不讲信用，不顾道义。贬义。常用来责备人。

Breach of faith, not obey credit and disregard morality and justice. A derogatory expression, it is usually used to blame other people.

【情景1】中方商务代表A与外方代表B在为履行合同的事进行谈判。

【对话1】A：你们为什么不履行合同，做出这种**背信弃义**的事？

B：**背信弃义**？言重了。情况有变化嘛，谈不上**背信弃义**。

【情景2】某外国公司老板麦克与中国员工许永久谈论海域公司不履行合同的事情。

【对话2】麦　克：海域公司如此**背信弃义**，我们以后再不要跟他们合作了。

许永久：真没想到他们会这样**背信弃义**，一点儿起码的信誉都不讲。

本末倒置　　*běn mò dào zhì*

【解释】本：根本，主要的。末：末梢，次要的。比喻颠倒主要的和次要的关系。贬义。多用来批评、责备人。

　　　本，root, essential. 末, twig, secondary. To put the cart before the horse. It is used to compare to the transposition of the relationship of primary and secondary, ultimate and proximate. A derogatory expression, it is mostly used to criticize and blame other people.

【情景1】中国朋友林祥批评外国朋友伊万经常不去上课，却找人练习口语。

【对话1】林祥：伊万，你简直**本末倒置**，怎么不上课，光找人练口语？

　　　　伊万：我想学些地道的口语嘛！这怎么叫**本末倒置**？

　　　　林祥：你连课都不去上，基础打不好，就是**本末倒置**！

　　　　伊万：还有人不上课去打工呢。

　　　　林祥：那更是**本末倒置**。

【情景2】大洋公司做出培训临时工的决定后，中国员工马文与外国员工海蒂私下议论。

【对话2】海蒂：公司正式职工还没培训好呢，培训什么临时工，真是**本末倒置**！

　　　　马文：抓临时工的技术培训，是对的，不是**本末倒置**。

避重就轻　　*bì zhòng jiù qīng*

【解释】躲避重的，拿轻的。比喻回避重要的，只抓次要的。贬义。多用来批评人不讲自己严重的错误，只检讨小的不重要的错误。也用来说只承担不重要的工作，躲避重要的工作。

　　　Avoid important points and pick up minor ones. It is used to compare to avoiding important points and only get hold of subordinate points. A derogator term , it is mostly used to criticize those who avoid their own serious problems and only exam their minor unimportant mistakes.

【情景1】经理杰克逊批评了做欺骗广告的雇员章南。

【对话1】杰克逊：你夸大宣传的事怎么不说？净**避重就轻**！

　　　章　南：我不是有意**避重就轻**，我不知道该说哪些。

【情景2】警察抓到一个走私香烟的老外，让他交代问题。

【对话2】警察：你必须把问题都说出来，不能**避重就轻**。

　　　老外：我有什么说什么，决不**避重就轻**。

变化无常　　*biàn huà wú cháng*

【解释】形容变化多而且快，让人摸不到规律。含贬义。可以说人的性情，也说天气等。

　　　It is used to describe that changes are excessive and fast which make people unable to find out rules. With derogatory meaning, it can refer to people's disposition or weather, etc.

【情景1】约翰跟女朋友桑娅吹了，他跟中国朋友胡希谈论她。

【对话1】约翰：桑娅这个人**变化无常**，她说的话我总觉得靠不住。

胡希：我觉得她是个认真的人，你怎么会觉得她**变化无常**？

约翰：我比你了解她，她真的**变化无常**啊。

【情景2】丽莎跟中国朋友万方商量去香山游玩的事。

【对话2】丽娜：万方，今天天气不错，下午骑车去香山玩玩儿吧。

万方：最近天气总是**变化无常**，下午说不定会下雨呢。

丽娜：啊？会这样**变化无常**？

万方：五六月的天气就是**变化无常**嘛。

别具一格　bié jù yì gé

【解释】具有一种与众不同的风格、特色。褒义，称赞的话。

Possessing a unique or distinctive style and character. A commendatory term, used to compliment.

【情景1】田川与中国朋友于波一起去酒店喝酒。

【对话1】于波：这个酒店的布局**别具一格**，服务台在中间。

田川：是**别具一格**，我在中国还第一次见过呢。

【情景2】中国朋友小华陪韩国朋友朴春美去买家具。

【对话2】朴春美：这种家具的设计很新颖，**别具一格**。

小　华：这种**别具一格**的家具既方便实用，又美观大方。

不计其数　bú jì qí shù

【解释】计算不出它的数目。形容极多。多用在不好的方面，常说人，有时也说事物。

Not able to work out the amount. It is used to describe the innumerable number. Usually it is used with negative sense referring to the amount of people and sometimes things.

【情景1】中国学生吕建在给外国同学石田讲述社会上一些人行骗的事。

【对话1】田石：真有人相信那些人？

吕建：有，上当受骗的人**不计其数**。

【情景2】县长向来访记者保罗介绍地震情况。

【对话2】保罗：请问，地震造成的伤亡情况怎么样？

县长：由于地震发生在深夜，人们毫无防备，人畜死伤**不计其数**。

【情景3】克拉拉向中国朋友孟悦谈起了她的童年。

【对话3】克拉拉：我小时体弱多病，父母在我身上花的钱**不计其数**。

孟　悦：现在你身体还真不错。

不翼而飞　bú yì ér fēi

【解释】翼：翅膀。没有翅膀却能飞走。比喻消息、事件等迅速传播出去，或物品失踪。

翼, wings. Without wings, but fly away. The term is used to compare to news, issues, etc, spreading out quickly, or objects disappearing without trace.

【情景1】M公司与N公司搞技术合作的事还没定下来，外面已经传开了，经理毕克谈到了这件事。

【对话1】毕　克：我一再嘱咐大家要保密，消息为什么**不翼而飞**了？

　　　　王先生：经理调查一下儿，是谁说出去的？

【情景2】蒙古留学生道尔吉早上去上课，自行车不见了，她看见了中国朋友金灿。

【对话2】道尔吉：金灿，看见我的自行车了吗？

　　　　金　灿：你的车不是也放在这儿了吗？

　　　　道尔吉：是啊，怎么**不翼而飞**了？

　　　　金　灿：不会吧，怎么能**不翼而飞**呢！

　　　　道尔吉：确实"飞"了！你用车带我吧！

不务正业　bú wù zhèng yè

【解释】丢下本职工作不干，去干其他事情，或者不从事正当职业，搞些歪门邪道。贬义，常用来责备人。

Abandon one's own occupation and work on something else or do not go in for legitimate occupation but doing crooked means. A derogatory term, it is usually used to blame others.

【情景1】泰国学生黄元姜与中国朋友兰花谈起了兰花的哥哥。

【对话1】黄元姜：你哥哥干什么工作？

　　　　兰　花：他本来是搞服装设计的，可是忽然迷上了传销，**不务正业**。

　　　　黄元姜：你怎么说哥哥**不务正业**？

　　　　兰　花：爸爸天天这样说他。

【情景2】留学生乔治访问了业余作家何一兵。

【对话2】乔　治：何先生，我们很喜欢读您的小说。

　　　　何一兵：谢谢。我是一名警察，利用业余时间写点儿文章，有人说我**不务正业**。

　　　　乔　治：你用业余时间写作，怎么能说**不务正业**呢！

　　　　何一兵：他们跟我开玩笑，我可不是那种**不务正业**的人。

不辞而别　bù cí ér bié

【解释】不打招呼就离开了。含贬义，常用来责怪人。

Leaving without notifying. It has derogatory meaning and is usually used to blame other people.

【情景1】桑尼跟中国朋友崔红谈昨晚生日晚会的事。

【对话1】桑尼：昨天晚会开到十点多的时候，戴维说去洗手间，就那么**不辞而别**了。

　　　　崔红：他一定有事，没人惹他生气，他怎么会**不辞而别**？

【情景2】劳可兰约中国朋友李进一起去新西兰朋友家做客。

【对话2】劳可兰：咱们今天去做客，离开时要跟主人打个招呼，不能**不辞而别**。

李　进：这我懂，到人家做客，我不会**不辞而别**的。

不欢而散　bù huān ér sàn

【解释】很不愉快地分开了。多指因为发生争执，使聚会之类的活动很扫兴。分开的可以是两个人，也可以是很多人。

Parting on bad terms. It usually refers that activities such as parties, friends - making, etc, make people disappointing because of disputes. The parted can be two people, or more often many people.

【情景1】石川清二跟朋友王军谈他给人介绍对象的事。

【对话1】石川：我给远藤介绍了一个女朋友，他们第一次约会就**不欢而散**了。

王军：**不欢而散**？没吵起来吧？

石川：没有，只是谈不到一块儿。

【情景2】日本留学生铃木和子跟中国朋友王珍谈昨天晚会的情况。

【对话2】王珍：和子，昨天的晚会开得怎么样？

和子：别提了，有两个人酒喝多了，吵了起来，弄得大家**不欢而散**。

王珍：好好的晚会怎么**不欢而散**呢！

不慌不忙　bù huāng bù máng

【解释】不慌张不忙乱。形容人从容、镇静。褒义。

Unhurriedly and not bustling. It is used to describe someone who is unhurried and calm. A commendatory term.

【情景1】几位留学生谈论二年级上第一堂汉语课的情况。

【对话1】阿都嘉华：记得那天汉语课，老师让我们在黑板上写出自己的名字，你**不慌不忙**地写了三个大字——具泰雄。

具泰雄：那是1993年9月吧？那天大家都**不慌不忙**啊。

阿都嘉华：我不是**不慌不忙**，我是想快也快不了。

【情景2】老师带留学生去参观工厂，学生都上了车，老师看见罗伯特从远处走来。

【对话2】老　师：要开车了，罗伯特，你怎么还**不慌不忙**的？

罗伯特：来了，来了！

不了了之　bù liǎo liǎo zhī

【解释】了：完了，结束。问题并没解决，却放在一边不去管它，就算没事了。多含贬义，反映一种不负责任的态度。

了, end, finish. Settle a matter by leaving it unsettled. Mostly it has derogatory meaning reflecting an irresponsible attitude.

【情景1】日本留学生河本跟老师说，他在某饭店因打抱不平打架被罚款了，并说他要求饭店做调查。

【对话1】老师：事情调查得怎么样了？

河本：我向饭店提出过几次要弄清责任，他们也不积极，我看就算**不了了之**了。

老师：怎么能**不了了之**？

河本：人家说事情很复杂，调查起来非常麻烦，我看只能**不了了之**了。

【情景2】外国留学生别佳问老师参观北京胡同的事。

【对话2】别佳：老师，我们还去参观北京胡同吗？

老师：系主任说过一次，又**不了了之**了，可能不去了。

别佳：可别**不了了之**，我们都希望去呢。

不三不四 bù sān bú sì

【解释】形容人不正经，不正派，不像样子。贬义，说人不好。

It is used to describe people immodest, dubious and indecent. A derogatory term, it is mainly used to remark on others being bad.

【情景1】中国学生王家兴提醒外国朋友阿卜杜拉与人交往要注意。

【对话1】王 家 兴：阿卜杜拉，不要跟那些**不三不四**的人交往。

阿卜杜拉：我交往的人没有**不三不四**的。

王 家 兴：我看那个叫阿毛的就**不三不四**。

阿卜杜拉：看他好像**不三不四**的样子，其实他人不错。

【情景2】爱萨回来后埋怨中国朋友耿小力骑车碰了人不道歉。

【对话2】爱　　萨：你骑车碰了人，不道歉，说话还**不三不四**，这样不好！

耿小力：道什么歉？说话凶点儿，他就不敢欺负你，这是经验！

不相上下 bù xiāng shàng xià

【解释】分不出高低好坏，不能确定谁胜谁负。多用来形容水平、程度差不多。

Not able to distinguish the relative superiority or inferiority, nor confirm who wins and who loses. Mostly it is used to describe being almost equally matched level and degree.

【情景1】越南留学生范小华与庄老师谈论期中考试成绩等问题。

【对话1】范小华：老师，我们班成绩比202班高不高？

老　师：两个班成绩**不相上下**。

范小华：口语能比他们好一点儿？

老　师：我看也**不相上下**，说的都相当流利了。

【情景2】看完世界杯女子足球赛转播以后，老师在路上遇见了美国学生莎曼。

【对话2】老师：莎曼，你们美国女足队好厉害呀！

莎曼：中美两国女子足球队的水平**不相上下**啊。

老师：是**不相上下**，所以争夺特别激烈。

不学无术　bù xué wú shù

【解释】学：学习，学问。术：方法，办法，本领。没有学问，没有本领。贬义。多用来批评、讽刺人无知识。

学，to study knowledge. 术，methods, means, skills. Used to describe people without knowledge and skills. A derogatory term, it is mostly used to criticize and lash people.

【情景1】日本某公司要提拔一位科长，本田先生征求雇员林立的意见。

【对话1】本田：林先生，您看谁合适？

　　　　林立：当科长要业务好、人品好，不能**不学无术**。

　　　　本田：**不学无术**？那当然不行！我们公司没有**不学无术**的人。

　　　　林立：都不是**不学无术**的人，就得看能力了。

【情景2】留学生布拉维要去拜见杨教授，征求博士生戴维的意见。

【对话2】布拉维：戴维，我看杨教授那么老了，一定很有学问吧？

　　　　戴　维：别看他那么老，他才**不学无术**呢！

　　　　布拉维：是吗，我看他不像**不学无术**的样子。

　　　　戴　维：**不学无术**不是一眼就看得出来的呀。

不约而同　bù yuē ér tóng

【解释】约：约定。事先没有商量，彼此的看法或行动却完全一致。

约，make an appointment. There is no prior consultation, but people each other have the same opinion or action.

【情景1】同学们刚看了校园橱窗里优秀教师的大照片，费依玛在路上遇见了罗老师。

【对话1】费依玛：我们看见你的大照片，大家**不约而同**地说："我们老师真棒！"

　　　　罗老师：谢谢，我还差得远呢。

【情景2】老师跟大家强调上课不要迟到，问格卓。

【对话2】老师：格卓，早上起得来吗？

　　　　格卓：老师问我，大家**不约而同**地看我。以后我不再迟到了！

层出不穷　céng chū bù qióng

【解释】层：重叠，重复，持续不断。穷：完了（liǎo）。接连不断地出现，没完没了。褒义，多用来说好人好事。

层，superposition, repetition, incessancy. 穷，come to an end. Come out in succession. A commendatory term, it is mostly used to indicate good people and good deeds.

【情景1】外国人参观了朝霞小区后与小区沈主任座谈。

【对话1】外国人：沈主任，你们小区有什么特点？

　　　　沈主任：我们开展了精神文明教育活动，小区里助人为乐的人和事**层出不穷**。

【情景2】汉语写作课上，老师布置留学生写一件难忘的事。

【对话2】老　师：同学们，大家有没有事情可写呀？

　　　　桑尼亚：社会上**层出不穷**的好人好事，我们也遇见过，有事情可写。

车水马龙　　chē shuǐ mǎ lóng

【解释】车子很多，一辆接一辆，像水流一样；马也很多，首尾相接，好像一条龙。形容道路上车子多，往来不断，十分热闹。

A lot of vehicles, one after another as if flowing water ; a lot of horses , from end to end, as if a dragon. The term is used to describe that there are many vehicles on streets coming and going incessantly and noisily.

【情景1】韩国留学生权秀珍从南方旅行回来，与老师谈起了某一城市。

【对话1】老　师：那个城市怎么样？

　　　　权秀珍：小城不大，但很繁华，大街小巷，**车水马龙**，十分热闹。

　　　　老　师：你喜欢城市的**车水马龙**？

　　　　权秀珍：是的，我喜欢**车水马龙**，它象征着繁华。

【情景2】郎华约外国朋友苏珊娜进城玩玩儿，遭到了拒绝。

【对话2】郎　华：苏珊娜，咱们进城玩玩好吗？

　　　　苏珊娜：我不去。

　　　　郎　华：你很少进城，为什么？

　　　　苏珊娜：我从小就喜欢清静，不喜欢城市的喧闹，不喜欢**车水马龙**。

称心如意　　chèn xīn rú yì

【解释】称心：合乎心意。如意：令人满意。符合心愿，感到满意。

称心，tally with one's wish. 如意，satisfactory. After one's own heart, very gratifying and satisfactory.

【情景1】汉语系四年级留学生要去南方进行语言实践，老师谈了活动安排。

【对话1】老师：不知这样安排能不能让大家**称心如意**？

　　　　雷米：我觉得安排得还算合适，我感到**称心如意**了。

　　　　老师：真正收获大才能**称心如意**。

【情景2】日本友好人士中川先生想在北京投资建一所大学，专门培养日语翻译。他看了房屋设计图纸。

【对话2】设计师：这样设计，您觉得怎么样？

　　　　中　川：这房子无论是地段还是整体设计，都让我**称心如意**。

成千上万　　chéng qiān shàng wàn

【解释】形容数量很多，达到了千、万。说人、物都可以。

It is used to describe that the amount is numerous, reaching the number of thousands and ten thousands. It can refer to both people and objects.

【情景1】课堂上，留学生学了课文《我的希望工程》后老师问问题。

【对话1】老　师：开展"希望工程"有什么意义？

　　　　诺维拉："希望工程"救助了**成千上万**失学青少年，使他们重新回到了校园。

【情景2】留学生们到了北京都想买自行车作为交通工具。他们常常谈论自行车。

【对话2】小　高：北京人太多，节日里，聚集在天安门广场上的群众**成千上万**。

米　拉：北京人是多，自行车更叫多。

米歇尔：北京真是自行车王国，街上的自行车**成千上万**。

诚心诚意　chéng xīn chéng yì

【解释】诚：真诚，真实。真心实意。形容十分真诚。多用来说邀请、招待等。

诚，sincere, true and wholehearted. It is mainly used to describe the invitation and entertaining that are very sincere.

【情景1】日本留学生柳田邀请王老师参加她的生日晚会。

【对话1】柳田：王老师，请参加我的生日晚会好吗？我是**诚心诚意**地邀请您。

老师：谢谢，我知道你是**诚心诚意**的，我实在有事。

【情景2】德国学生瑞娜特要回国了，她的中国朋友苗坤送她一件礼物。

【对话2】苗　坤：这点儿礼物带上吧，这是我**诚心诚意**送给你父母的。

瑞娜特：多谢了。

苗　坤：我**诚心诚意**欢迎你再来我家做客。

瑞娜特：我一定再来。我也**诚心诚意**希望你到我家做客。

承前启后　chéng qián qǐ hòu

【解释】承：承接，继承。启：开，开创。继承过去的，开创未来的。多用于学问、事业等方面。

承，carry on, inherit. 启，open, initiate. Inherit the foregone and initiate the future. The term is mostly used in the aspects of learning, career, etc.

【情景1】留学生代莱萨和中国朋友江岩互帮互学，今天她要预习课文。

【对话1】代莱萨：江岩，课文里说"年轻人起着**承前启后**的作用"，什么叫"**承前启后**"？

江　岩：这是个成语，给你《成语词典》。

【情景2】留学生古里吉利在听新闻听力课的录音，他时而向中国朋友王红请教。

【对话2】录音："这是一部成功的理论著作，是一部全新的学说，在社会发展的历史长河中**承前启后**。"

古里吉利：王红，你听这最后一句话，什么"成起去后"？

王　红：是"**承前启后**"，我给你写出来，你看看《成语词典》。

出类拔萃　chū lèi bá cuì

【解释】出：超出，超过。拔：超出，高出。萃：聚集在一起的人或事物。褒义。形容才能品德高于一般人，十分出众。

出，exceed, surpass. 拔，overtop, tower above. 萃，group of people or things. A commendatory term, used to describe someone whose talent and moral character are out of the common run.

【情景1】优秀毕业生的成绩连同照片都在校园橱窗里公布出来了。同学们议论纷纷。

【对话1】霍尔赫：这十位毕业生真是**出类拔萃**，听说前三名可以免试读研究生呢。

　　　　米歇尔：这样**出类拔萃**的学生就是参加考试也准考得上。

　　　　李老师：你们两个也是**出类拔萃**的，两年后我会在这里看见你们的照片。

【情景2】某外国公司的中国雇员在谈论出国进修的事，被旁边的经理听到了。

【对话2】于秀凌：听说公司要选派人到英国进修，不知会选上谁？

　　　　经　理：选谁？当然选**出类拔萃**的了！

川流不息　chuān liú bù xī

【解释】川：河流。息：停止。像河水那样不停地流。多用来形容人、车马、船只等来往不绝。

川, rivers. 息, stop. Flowing unceasingly like rivers. It is mostly used to describe that people, vehicles and boats, etc, come and go in an endless stream.

【情景1】晚饭后，中国学生赵发与外国朋友谢尔盖站在窗前向马路上观望。

【对话1】谢尔盖：我特别喜欢欣赏**川流不息**的车辆和人群。

　　　　赵　发：你那么有情趣！我一看见**川流不息**的车啊，人啊，就觉得头晕！

　　　　谢尔盖：我看见车辆人群**川流不息**觉得特热闹。

【情景2】某地发现了地下热水，好多外国人前去考察，劳克兰先生刚刚考察回来。

【对话2】中国朋友：劳克兰先生，路上车很多吧？

　　　　劳 克 兰：车很多，从早到晚**川流不息**。

吹毛求疵　chuī máo qiú cī

【解释】疵：毛病，缺点。把表皮的毛吹起来寻找毛病。比喻故意挑毛病，找差错。贬义。

疵, defects, shortcomings. To blow the hair up on epidermis in order to find defects underneath. It is used to compare to those who deliberately nick faults, seek errors. A derogatory term.

【情景1】麦哈姆德在一个食品店买牛奶，差点儿跟售货员吵起来。

【对话1】售 货 员：生产日期怎么了？看不清楚？你简直**吹毛求疵**！

　　　　麦哈姆德：什么叫**吹毛求疵**？看不清楚还不能问吗？

【情景2】汉语老师向留学生强调语音语调的重要性。

【对话2】老　师：我说有的同学语音语调有问题，有的同学还觉得我**吹毛求疵**。

　　　　费依玛：老师就得**吹毛求疵**！老师要是马马虎虎，我们能学好吗？

此起彼伏　cǐ qǐ bǐ fú

【解释】此，这，这里。彼，那，那里。伏，低下去。这里起来，那里低下。形容一起一落，连续不断。

此, this, here. 彼, that, there. 伏, descend. As one rises here, another falls there.

The term is used to describe things up and down continuously.

【情景1】语言文化大学体育运动会开过之后，安娜见到了中国朋友宋云。

【对话1】安娜：那天我没去看比赛，怎么样？

宋云：那天热闹极了，看台上掌声、喊声**此起彼伏**。

【情景2】留学生们常常到田边散步，马特遇见一个农民。

农民：你们在田边散步，麦田有什么好看的？

马特：我就喜欢看麦田**此起彼伏**的麦浪。

从容不迫　cóng róng bú pò

【解释】从容：沉着镇定，不慌不忙。迫：急迫。形容非常沉着，不紧张，不着急。

从容，composed and sedate, unhurriedly. 迫, urgent. It is used to describe extremely composed, not nervous and worried.

【情景1】口语考试结束了，田中同学跟老师谈这次考试。

【对话1】田中：老师，我真紧张。

老师：你选题时那么**从容不迫**，看不出你紧张。

田中：还**从容不迫**？我都急出汗了。

【情景2】在赛场外，小金遇见了外国朋友菲利浦。

【对话2】小　金：你去哪？

菲利浦：去比赛呀，我是参赛选手。

小　金：看你那**从容不迫**的样子，我还以为你只是观众呢。

粗心大意　cū xīn dà yì

【解释】粗心：不细心。大意：疏忽，不注意。指做事不细心，不认真，马马虎虎。

粗心，not careful. 大意，neglectful and inattentive. It is used to refer to people being careless, halfhearted and negligent in doing things.

【情景1】考试前老师嘱咐学生不要马虎。

【对话1】老师：好好看看题，上次就有人**粗心大意**，少做了一道题。

学生：平常**粗心大意**，考试还**粗心大意**？

老师：**粗心大意**的人什么时候都**粗心大意**。

【情景2】罗丽陪高田洋子去打电话。

【对话2】罗丽：你怎么老打不通？

高田：是我**粗心大意**，记错了电话号码。

大公无私　dà gōng wú sī

【解释】一心为公，没有私心。褒义，称赞人的话。

Serve the public with heart and soul, no selfish motives. A commendatory term, used to praise people.

【情景1】留学生到电机厂搞语言实践，见工人们都喜欢大张师傅。

【对话1】留学生：你们怎么都喜欢大张师傅？

王师傅：他**大公无私**，所以我们都喜欢他。

【情景2】留学生在报刊阅读课上读了常有义的事迹后，一个个都很感动。

【对话2】老师：罗德，你看懂了吗？

罗德：我完全懂了，我很佩服常有义**大公无私**的精神。

大惊小怪 dà jīng xiǎo guài

【解释】形容对不值得惊奇的事情过分惊讶。含贬义，多用来责备人。

Being excessively surprised over matters that are unworthy surprising. It has derogatory meaning, mostly used to blame people.

【情景1】留学生克拉拉染了一头绿发，走在路上很多人看她。

【对话1】中国朋友：克拉拉，人家都看你呢。

克拉拉：看我因为我漂亮啊，有什么**大惊小怪**的!

【情景2】宋良陪外国朋友罗阳一起坐公共汽车去远郊区游玩，观赏美景。

【对话2】罗阳：宋良你快看哪!

宋良：又怎么了？老是这么**大惊小怪**的!

大同小异 dà tóng xiǎo yì

【解释】同：相同。异：差异，不一样。大部分相同，只有小部分稍有差异。

同, sameness. 异, difference, unlikeliness. The marjority is the same, only a fraction differs slightly.

【情景1】英语系学生丁华陪刚来的英国留学生蒂莫西在校园里散步，并向他介绍情况。

【对话1】丁　华：这几座楼外表颜色很接近，内部结构也**大同小异**。

蒂莫西：建筑样式也**大同小异**。

【情景2】荷兰在京某公司秘书方小姐陪经理夫人买电冰箱。

【对话2】方小姐：这个店里冰箱种类很多，您想买哪种？

夫　人：冰箱都**大同小异**，就随便买一个用吧。

大有可为 dà yǒu kě wéi

【解释】为：做。事情很有发展前途，很值得去做。

为, do. Used to describe something having bright prospect and well worth doing.

【情景1】在日本某公司，门田先生跟中国雇员赵兵聊天。

【对话1】门田：赵兵，你学的是什么专业？

赵兵：我学的是计算机专业。

门田：搞计算机的在我们公司**大有可为**啊!

【情景2】几位外国友人参观某果园，与一位刚来工作的女大学生聊天。

【对话2】友人：小姐，你怎么到这儿来工作了？很多大学生不愿离开城市。

　　　　　小姐：我是学果树栽培的，留在城里干什么？

　　　　　友人：是啊，这里才是你**大有可为**的地方。

当机立断　dāng jī lì duàn

【解释】当：面对，正在……时候。机：时机，机会。立：立即，立刻。断：决断。在紧要关头，抓住时机，毫不犹豫地立刻作出决断。

当，facing, right at a certain moment. 机, opportunity, chance. 立, at once, immediately. 断, resolve, make up one's mind. At crises, grasping chances to make a prompt decision without hesitation.

【情景1】迪阿娜回到宿舍，见中国同屋刘丹有些异样。

【对话1】迪阿娜：出什么事了吗，刘丹？

　　　　　刘　丹：刚才煤气漏气了，我一闻出味儿，**当机立断**关上了阀门，心里有点怕。

【情景2】中国员工耿先生要代表公司去签订一份合同，临走，他又向总经理史密斯请示。

【对话2】耿先生：总经理，到时候还要再跟您商量吗？

　　　　　史密斯：不必了，商机不可错过，该不该签字，你要**当机立断**！

得不偿失　dé bù cháng shī

【解释】得：得到。偿：补偿。失：失去，损失。得到的补偿不了失去的。多用来说得到的好处补偿不了所受的损失。

得, gain. 偿, compensate. 失, losing, damnification. The gain is not enough to compensate the losing. The term is mostly used to describe the fact that the received benefit is not large enough to compensate the damage that has been caused.

【情景】瑞士学生克丽斯婷与中国朋友马清从商场出来，看见了卖彩票的车。

【对话】马　　清：咱俩也买几张彩票吧。

　　　　克丽斯婷：买彩票中不上奖，那就**得不偿失**了！

　　　　马　　清：咳，玩玩嘛，就当捐款了。

得意忘形　dé yì wàng xíng

【解释】形容人得意、高兴得控制不住自己，失去常态。贬义，用来讥讽人。

It describes that people are too elated and happy to control themselves so as to lose their normality. A derogatory term, used to satirize people.

【情景1】佐藤一郎被提升为科长，他高兴地哼着小曲，他的女友、中国姑娘任雪告诫他。

【对话1】任雪：看你高兴的，可不要**得意忘形**啊！

　　　　佐藤：我不会**得意忘形**的！

【情景2】观看了电视发奖仪式以后，留学生柯安娜与孟凡的一段对话。

【对话2】孟　凡：那位得大奖的太**得意忘形**了。

柯安娜：我倒很喜欢看他**得意忘形**的样子。

东奔西走 dōng bēn xī zǒu

【解释】奔：奔走，急跑。走：跑。形容人很辛苦，为办事到处奔忙。

奔，rush about, scurry. 走，run. The phrase means running around, describing peo-ple painstakingly running around in order to handle affairs.

【情景1】安田夫人与中国阿姨聊天。

【对话1】夫人：你先生做什么工作？

阿姨：他是推销员，整天**东奔西走**推销减肥茶。

夫人：他那么**东奔西走**，不用喝减肥茶了。

阿姨：是啊，所以他不胖！

【情景2】法国留学生古隆见到了中国朋友朱立，两人聊了起来。

【对话2】古隆：最近忙什么呢，都累瘦了。

朱立：这些日子我在为找工作**东奔西走**啊。

古隆：像我去年一样，**东奔西走**，跑了两个月。

独立自主 dú lì zì zhǔ

【解释】不受别人支配，自己作主。多指国家、民族、政党、团体等不受外力的控制、支配，由自己行使主权或权利。

Not controlled by the others, but paddle one's own canoe oneself. Mostly it refers to a country, a nation, a party or an organization, etc, not controlled and commanded by out-side forces, but exerting sovereignty and rights themselves.

【情景】某外国公司经理阿库仑不同意与中国某公司搞技术合作，与中方王经理争论起来。

【对话】阿库仑：你们中国人不是讲**独立自主**吗，我们公司也要**独立自主**！

王经理：我们是合作，互不干涉，跟**独立自主**没关系。

阿库仑：**独立自主**是合作的原则，我们再考虑考虑。

对牛弹琴 duì niú tán qín

【解释】琴：一种乐器。"对牛弹琴"讥笑听话的人听不懂对方说的是什么意见。也用来讥笑说话的人不看对象。

琴, a kind of musical instrument. Playing the instrument in front of a cow. The term is used to mock listeners not being able to understand what speakers say, and also used to mock speakers who do not choose right listeners to speak to.

【情景1】菲律宾留学生罗纳多学习中医针灸，他的中国朋友田云海在经济大学学习经济。

【对话1】田云海：我讲的成本核算，你听明白了吗？

罗纳多：我哪懂什么叫成本核算，你别**对牛弹琴**了。

【情景2】钟老师第一次上课就给留学生讲了个成语故事。讲完后见学生不懂，他还生气了。

【对话2】钟老师：二年级学生怎么会听不懂？我真是**对牛弹琴**！

留学生：您还是讲讲简单的句子吧，别**对牛弹琴**了！

阿谀逢迎 ē yú féng yíng

【解释】阿谀：说好听的话讨好人。逢迎：迎合别人的意思。多用来说拍马屁，讨好别人。贬义。

阿谀, insinuating flattery, speaking Orphean words to fawn other. 逢迎, voluntarily cater to others. Using sycophantic flattery to ingratiate others. A derogatory term.

【情景】牛阳阳跟外国朋友若澳聊天，他们谈起了以前认识的一个人。

【对话】若澳：你觉得那个人怎么样？

小牛：那个人专门对领导**阿谀逢迎**！

若澳：听说他当上了总经理助理。

小牛：领导喜欢啊，谁不爱听**阿谀逢迎**的话！

若澳：也不能老说人**阿谀逢迎**，你干吗老看人家不顺眼！

耳闻目睹 ěr wén mù dǔ

【解释】闻：听，听到。目：眼睛。睹：看，看见。亲耳听到，亲眼看到。多用来说听到看到的事情。

闻, listen, hear. 目, eyes. 睹, see. Hear by one's own ears and see by one's own eys. Mostly the term is used to refer to matters that one sees and hears.

【情景1】汉语写作课上，老师布置写作文。

【对话1】老师：今天要同学们写一件你到北京后，在校内外**耳闻目睹**的事情。

学生：老师，听别人说的行吗？

老师：**耳闻目睹**就包括听的呀。

【情景2】德国学生柯安从外面回来，一见到中国朋友就嚷开了。

【对话2】柯安：今天这件事要不是**耳闻目睹**，我简直不能相信。

朋友：又有什么事让你这么奇怪？

发愤图强　　fā fèn tú qiáng

【解释】发愤：下定决心，振奋精神。图：图谋，谋求。强：强大，富强，强盛。下定决心，努力谋求富强。也写做"发奋图强"。褒义。

发愤, resolve one's decision, revivify one's spirit. 图, devise, buck for. 强, powerful, mighty, puissant. Make up one's mind, and strive to buck for the rich and strong. It is also written as 发奋图强. A commendatory term.

【情景1】毛小春父母下岗了，家里生活比较困难。她跟乌克兰朋友尤里娅聊起这事。

【对话1】尤里娅：你祖父不是很有钱吗，不能都都你们？

　　　　毛小春：我父母表示绝不靠别人，他们要**发愤图强**，开创自己的事业。

【情景2】几位外国朋友参观了一个水果加工厂，这是几位年轻人凑在一起办的，经济效益不错。

【对话2】外国朋友：你们怎么会想自己办工厂？

　　　　年　轻　人：我们没有工作，要自力更生，**发奋图强**。

发扬光大　　fā yáng guāng dà

【解释】发扬：发展和提倡。光大：使辉煌盛大。使美好的事物得到发展盛大。多用来说发扬优良传统、好的作风等。褒义。

发扬, develop and advocate. 光大, to make refulgent and grandiose. The phrase means to have nice things developed and improved. Mostly the term refers to carrying forward eximious traditions and good styles, ect. A commendatory term.

【情景】韩国学生金西勉跟中国朋友黄越一起看报，他们同看一篇关于英雄李勇的报道。

【对话】金西勉：报纸上怎么有这么多关于英雄事迹的报道？

　　　　黄　越：为了让人们记住英雄，并把英雄的精神**发扬光大**。

　　　　金西勉：我也认为英雄的精神值得**发扬光大**。

翻来覆去　　fān lái fù qù

【解释】翻：翻动，翻身。覆：转过去或转回来。翻过来又翻过去。形容来回翻身，睡不着觉。也指一次又一次，一再重复。

翻, turn, keel over. 覆, repeat, turn back. Toss and turn. It is used to describe turning over back and forth due to being unable to go to sleep. It also refers to one time after another, repeating over and over again.

【情景1】考试完了，老师跟泰国学生马素华闲聊。

【对话1】老　师：马素华，紧张吗？

　　　　马素华：紧张极了，昨天夜里我躺在床上**翻来覆去**睡不着。

【情景2】孙小姐刚到一家日本公司工作，永井先生跟她讲一些注意问题，她听烦了。

【对话2】永　井：这是公司的规定，谁也不能违反。

　　　　孙小姐：我知道了，这句话，你**翻来覆去**说好几遍了！

繁荣昌盛　fán róng chāng shèng

【解释】繁荣：原指草木枝叶花朵茂盛，引申为经济或事业蓬勃发展。昌盛：兴旺，兴盛。
　　　　形容国家、民族或事业兴旺发达。褒义。

　　　　繁荣, originally it refers to vert, branches and leaves and flowers flourishing. It is extended to mean economy or undertaking in full flourish. 昌盛, thriving, prosperous. It is used to describe a country, a nation or a career flourishing and prosperous. A commendatory term.

【情景1】在国庆招待会上，外国朋友亨达向中国朋友周先生祝贺。

【对话1】亨　达：祝愿中国更加**繁荣昌盛**。

　　　　周先生：谢谢，我们祖国一定会更加**繁荣昌盛**。

【情景2】中外登山爱好者，在一起畅谈体会。

【对话2】布鲁卡：我们的体育事业越来越**繁荣昌盛**。

　　　　李大年：只要大家努力，我们的事业就会更加**繁荣昌盛**。

反复无常　fǎn fù wú cháng

【解释】反复：颠过来倒过去。无常：没有常态，变化不定。一会儿这样，一会儿那样。
　　　　多用来形容人经常翻悔，没有定准。也用来说天气多变。贬义。

　　　　反复, turn over and over, back out. 无常, there is no normality, change frequently, or change inconstantly. For a moment it is this, in the next moment it is that, the change is indefinit. The phrase is mostly used to describe people often back out and having no determination. It is also used to describe the weather that changes a lot. A derogatory term.

【情景1】刚说好去书店，曹玉又改变了主意，他的匈牙利朋友韩克直怪他。

【对话1】韩克：曹玉，怎么样？

　　　　曹玉：我不能去了，刚想起来我有个约会，改天再去吧。

　　　　韩克：你这么一会儿就变了主意，真是**反复无常**!

　　　　曹玉：我可不是**反复无常**的人，真的有约会。

【情景2】雨季到南方旅游的外国游客与导游小姐一起谈天气。

【对话2】游客：小姐，这里每天出门都要带伞吗？

　　　　导游：是的，这里的天气**反复无常**，说下雨就下雨。

　　　　游客：气温也**反复无常**吧？

　　　　导游：**反复无常**，忽冷忽热，大家要注意，别感冒了。

废寝忘食　fèi qǐn wàng shí

【解释】废：废止，停止。寝：睡觉。顾不上睡觉，忘记了吃饭。多形容人专心致志地工
　　　　作或学习，连睡觉吃饭都顾不上了。褒义。

　　　　废, abolish, stop. 寝, sleep. Unable to consider sleeping, forgetting to eat. It is used to describe people who devote to working or studying so hard that even forget to consider sleeping and eating. A commendatory term.

【情景1】 参观完工厂，外国朋友跟工人一起座谈。

【对话1】 朋友：你们为搞这个试验吃了不少苦吧？

工人：为了搞成这项试验，我们早来晚走，**废寝忘食**，干了两个多月。

朋友：我很佩服你们工作起来**废寝忘食**的精神。

【情景2】 土耳其留学生美如坦到于老师家，见老师家桌子上放着饭，老师在写东西。

【对话2】 美如坦：于老师，您这么**废寝忘食**啊。

于老师：编教材的时间紧，不**废寝忘食**不行啊！

奋不顾身　fèn bú gù shēn

【解释】 顾：注意，照管，考虑。奋勇直前，不顾个人安危。褒义。

顾，pay attention to, take care of, consider. Take one's courage, disregard one's own safety. A commendatory term.

【情景】 记者采访一位外国朋友救落水儿童的事。

【对话】 记者：这位外国朋友，当时你怎么看到儿童落水了？

朋友：我听一个孩子在河里喊"救命"，我就**奋不顾身**地跳进了水里。

改邪归正　gǎi xié guī zhèng

【解释】 邪：不正当。归：回，回到。从邪路上回到正路上来。指不再做坏事。

邪：malfeasatn. 归：return, return to. From the evil way to return to the right way. The term is used to describe that somebody does not do wrongdoings any more.

【情景】 英国留学生乔纳森在校时和英语系学生程山是好朋友，程山爱抽烟喝酒。毕业后他们都在北京工作。一天，乔纳森见到了程山。

【对话】 乔纳森：你好，怎么样？还抽烟喝酒吗？

程　山：我已经**改邪归正**了，烟不抽了，酒不喝了。

格格不入　gé gé bú rù

【解释】 格格：抵触，阻碍。彼此抵触，互不相容。多用来说彼此有矛盾，不投合。贬义。

格格，conflict, block. Conflict with each other, and not coordinate with each other. The phrase is mostly used to describe that people conflict with each other, and cannot not get along with each other. A derogatory term.

【情景1】 住在东苑公寓的几位日本夫人常常一起外出活动，只有斋藤夫人单独行动。今天，夫人们相约一起去秀水街。

【对话1】 阿　姨：怎么不约斋藤夫人？

兼平夫人：她这人有点儿怪，跟大家**格格不入**。

【情景2】 某外国公司经理汤姆觉得中方雇员景兰小姐跟大家相处得不太好，找她谈话。

【对话2】 汤姆：景小姐，你怎么总跟大家**格格不入**？

景兰：我没有**格格不入**呀，我喜欢静，不愿与人交往。

各奔前程　*gè bèn qián chéng*

【解释】奔：奔向，投向。程：路程。各人走各人的路，寻找自己的前途。多用来说各自朝着自己的目标努力前进。

奔, rush toward, fling oneself into. 程, route. Each one walks his own path, and searches his own future. The phrase is used to describe that each one strives toward one's own goal.

【情景1】毕业典礼开过了，不少学生准备离校，中外学生在互相告别。

【对话1】许　方：罗密欧，再见了。

罗密欧：再见了，咱们**各奔前程**了。

【情景2】德国留学生甘芬向中国学生马林询问同学们毕业后的情况。

【对话2】甘芬：你们班同学现在的情况怎样?

马林：不太清楚，我们班十六名同学，毕业后都**各奔前程**，很少联系了。

各抒己见　*gè shū jǐ jiàn*

【解释】抒：抒发，表达。见：见解，意见。各人都发表自己的见解。

抒, express, deliver oneself of. 见, view, opinion. Each one expresses his own opinion.

【情景1】中外医学研讨会后，参加研讨的专家在议论研讨会情形。

【对话1】罗迈：会开得不错，专家们**各抒己见**，讨论得十分热烈。

王文：科学的问题，就应该开展研讨，让大家**各抒己见**。

【情景2】学校召开教学讨论会，外国专家约翰也应邀参加了。

【对话2】约翰：召开这种讨论会好，给大家**各抒己见**的机会。

校长：希望大家**各抒己见**，为搞好语言教学献计献策。

根深蒂固　*gēn shēn dì gù*

【解释】蒂：花或瓜果的柄，它与枝茎相连。根部深深地扎在地下，花朵或瓜果牢牢地长在枝茎上。比喻基础牢固，很难动摇或改变。多用来指旧势力、旧习惯、旧意识等不容易去掉。含贬义。

蒂, stalks of flowers or fruits, which are joined with twigs and stalks. Roots are deeply plunged into the earth, and flowers or fruits grow firmly on branches. The phrase is used to describe that the foundation is too firm to be got fluctuated or altered. The term is often used to refer to old force, old habits and old consciousness, etc, which are hard to get rid of. It has derogatory meaning.

【情景1】留学生从南方旅行回来，跟老师谈起了那里的封建迷信活动。

【对话1】那贝哈：那里有人烧纸钱，那纸钱做得像真钱一样。

老　师：那个地区封建迷信思想**根深蒂固**，必须长期开展科学宣传教育工作。

【情景2】日本公司的冈田先生说，他反对夫人参加工作，中国朋友陆岩跟他开玩笑。

【对话2】冈田：女人把家里的事做好就行了。

陆岩：你头脑中有根深蒂固的轻视妇女的旧意识，得换换脑筋了！

供不应求　gōng bú yìng qiú

【解释】供：供应，供给。求：需求，需要。供应的数量满足不了实际的需要。

供，accommodate, serve. 求，demands, needs. The quantity cannot meet the actual demands.

【情景】中外两家公司经理在谈论转产问题。

【对话】外方：你们转产空调，是不是因为市场上空调供不应求？

中方：当时是供不应求，不过那种供不应求的局面很快就改变了。

顾全大局　gù quán dà jú

【解释】顾：照顾，考虑。大局：全局，整体。照顾整体的全局的利益，不使它受到损害。多用来指不让国家、民族或团体的根本利益受损害。

顾，take care of, consider. 大局，overall situation, the whole. To consider the benefit of the whole, and avoid it being damaged. It is mainly used when the fundamental benefits of the country, nation or the group, etc. are concerned.

【情景1】中国员工李琼对公司安排有些意见，他找到了公司经理马丁。

【对话1】李琼：经理，我对这种安排不能理解。

马丁：这样安排出于对全局工作的考虑，希望你能顾全大局。

【情景2】留学生A班星期六的活动改变了时间，学生有意见，问老师。

【对话2】学生：老师，我们的活动为什么改时间？

老师：周六系里有一个统一活动，我们得顾全大局呀。

固执己见　gù zhí jǐ jiàn

【解释】固：顽固。执：持，坚持。见：见解。顽固地坚持自己的意见，不肯改变。贬义。

固，obstinate. 执，hold, insist. 见，opinions. Stubbornly holding one's own opinions and disinclining to change. A derogatory term.

【情景】公司的讨论会已经结束了，中国员工包荣还在与外方员工安德烈争论。

【对话】包　荣：行了行了，你就别固执己见了。

安德烈：谁固执己见？我看你才固执己见，反正问题还没解决！

归根到底　guī gēn dào dǐ

【解释】归：归结，回到。归结到根本上。也说"归根结蒂"。

归，sum up, return to. Go back to the fundamental. The term can also be said as 归根结蒂.

【情景1】某外国在京公司想请一位技术顾问，一直没请到，中外员工在谈论这事。

【对话1】哈比普：我们问过几个人，都说没时间。

李　明：什么没时间，**归根到底**是钱的问题，给钱太少没人干。

【情景2】王梅跟外国朋友安娜去某公园游玩，见园中有人乱扔瓶子，便谈起了这事。

【对话2】王梅：破坏环境的行为，**归根到底**反映了人们的素质不高。

安娜：**归根到底**还是个教育问题。

归心似箭　guī xīn sì jiàn

【解释】归心：回家的心情。似：像。想回家的心情就像射出去的箭一样急。形容回家的心情十分急切。

归心，the mood of going back home. 似，as if. The mood of wishing to go back home is as anxious as a shot arrow. The term is used to describe that the mood of going back home is extremely urgent.

【情景1】期末考试还没有结束，不少留学生告诉老师他们已订好了回国机票。

【对话1】学生：老师，我们**归心似箭**，已经订好了机票。

老师：我理解你们**归心似箭**的心情。

【情景2】王宏遇见了去取机票回来的法国同学彼得。

【对话2】王宏：机票拿到手没有？

彼得：拿来了。离开家两年了，我真**归心似箭**啊！

和蔼可亲　hé ǎi kě qīn

【解释】和蔼：态度温和。亲：亲近，亲切。形容人态度温和，可以亲近。褒义。

和蔼，amiable kind. 亲，be close to, be friends with. The term is used to describe somebody gentle, and easy to get close to.

【情景1】日本留学生伊藤刚下课回来，中国同学徐刚问起了他的老师。

【对话1】徐刚：伊藤，你们口语老师怎么样？

伊藤：我们口语老师脸上总是带着笑容，**和蔼可亲**。

徐刚：谁都喜欢**和蔼可亲**的老师。

【情景2】白水先生要到美国某公司工作，他向一位美国朋友约翰打听该公司情况。

白水：约翰，给我介绍一下这个公司情况吧。

约翰：经理对员工要求很严格，但我们仍然觉得他**和蔼可亲**。

花言巧语　huā yán qiǎo yǔ

【解释】用来骗人的虚假而动听的话。

Mendacious but fair-sounding words used to swindle people.

【情景1】巧珍与外国朋友丽莎谈起了她在公园里遇见的小伙子。

【对话1】巧珍：那个小伙子真多情，他说他会永远爱我。

丽莎：只见过一面，别听他**花言巧语**，这种人不可靠。

【情景2】某公司的中外员工在议论一家餐厅女老板。

60

【对话2】何塞：那个餐厅老板真够热情的。

小秦：她就会**花言巧语**哄人。

画蛇添足　huà shé tiān zú

【解释】画蛇添上脚。这是一个寓言故事，《战国策》一书中说：有一壶酒，几个人喝不够喝，一个人喝还有剩余。有人提出比赛画蛇，先画完的人喝这壶酒。有一个人本来先画完了，可他说："我还能给蛇画上脚。"脚还没画完，另一个人把蛇画完了，说："蛇本来没有脚，你怎么能给它画脚呢！"于是喝了那壶酒。蛇本来没有脚，画蛇添上脚，是不对的。比喻做多余的事，反而不恰当，弄巧成拙。

To add feet when drawing a snake. This is a fable. According to the book *Strategies in the States of Warring*, it says that there is a pot of wine which is not enough for several people, but too much for one person. Someone suggests to have competition of drawing a snake, and the one who finishes the drawing first drinks the pot of wine. One person finishes the first, but he says to himself that, "I can also draw feet for the snake." Before he finishes feet, another person finishes the painting and says, "a snake originally does not have feet, how can you draw feet for it!" whereupon he drinks up that pot of wine. Now that a snake does not have feet, it is not right to add feet when drawing a snake. The fable compares to people doing extra work which is improper and cumbrous.

【情景1】写作课老师在为一位越南留学生面批作文。

【对话1】老　　师：阮氏雅清，你这篇文章结尾部分实在是**画蛇添足**。

阮氏雅清：经老师一讲，我也觉得这部分是**画蛇添足**了。

【情景2】日本S公司白岩先生为合作公司孟经理介绍了公司经营情况。

【对话2】孟经理：您介绍得很好，是否再给我说点儿什么？

白　岩：再说就**画蛇添足**了。

欢天喜地　huān tiān xǐ dì

【解释】形容非常欢喜、高兴。褒义。

The term is used to describe people being very joyful and happy. A commdatory phrase.

【情景1】春节前，某公司下班后正给员工发大虾、水果等东西，这时外国朋友罗迈先生来了。

【对话1】罗　迈：干吗呢，这么**欢天喜地**的？

鲁经理：正给员工发点儿过年的东西。

【情景2】中外员工又谈起了年末的庆功会。

【对话2】乔丹：开庆功会那天，我们**欢天喜地**，个个都很高兴。

卢香：总经理读着获奖者的名字，大家使劲给他们鼓掌。

货真价实　huò zhēn jià shí

【解释】货：货物。价：价格，价钱。货物是真的，价钱是实在的，没有虚假。原是商人用来吸引顾客、招揽生意的用语。引申为实实在在，一点虚假都没有。

货, goods. 价, price, cost. The goods are genuine, and the pirce is fair. There is no falsehood.

【情景1】一位日本夫人在三里屯农贸市场买水果。

【对话1】夫人：你这梨怎么这么贵？

卖主：这是地道的河北大鸭梨，**货真价实**。

【情景2】中外买卖双方在商讨价格。

【对话2】中方买主：价格当然要公平，我们更注重质量，要**货真价实**才行。

外方卖主：这个您放心，保证**货真价实**。

机不可失　jī bù kě shī

【解释】机：时机，机会。失：失去，失掉。机会难得，不可失掉。

机, chance, opportunity. 失, lose, take leave of. The chance is one in a thousand, so do not let slip an opportunity.

【情景1】美国某公司经理找中国员工宁宁谈话。

【对话1】经理：宁宁，公司要派你去美国进修英语，愿不愿意去？**机不可失**呀！

宁宁：我愿意去，确实**机不可失**。

【情景2】小杨与外国朋友卓娅走在五道口商业街上，听到一片吆喝声。

【对话2】卓娅：他们在喊什么，我听不懂？

小杨：这些店都要拆迁，他们在喊"降价甩卖，**机不可失**啊！"

集思广益　jí sī guǎng yì

【解释】集：集中。思：想法，意见，智慧。广：广泛，扩大。益：好处。集中大家的智慧，广泛听取有益的意见，以便取得更好的效果。

集, collect. 思, opinions, ideas, wisdom. 广, abroad, vast. 益, advantage. Draw on the wisdom of the masses, and listen to collective opinions in order to achieve a better effect.

【情景1】为解决技术难题，田中经理召集全体员工开会，中国员工陈林发言。

【对话1】田中：解决这类技术难题，要靠大家**集思广益**。

陈林：大家**集思广益**，一定能找出最好的解决办法来。

【情景2】孙老师在与学生研究汉语节目表演问题。

【对话2】学生：老师，咱们班表演什么节目？

老师：大家一块儿商量一下儿。

学生：老师，我们**集思广益**，一定搞个精彩的节目。

老师：对，**集思广益**这个成语你们用对了。

家常便饭　jiā cháng biàn fàn

【解释】家中平常吃的饭菜。比喻经常见到的、平常的事情。

Ordinary meals prepared at home. The phrase is used to compare to everyday matters, which are seen often.

【情景1】桑兰与中国朋友丁华谈起了上课迟到的事。

【对话1】丁华：你早上起不来床，总迟到，是吧？

桑兰：不好意思，我上课迟到是**家常便饭**。

【情景2】老师跟中村夫人在电话里聊天。

【对话2】老师：中村先生常出差吗？

夫人：常出差，那是**家常便饭**。

家喻户晓　jiā yù hù xiǎo

【解释】喻：明白，了解。晓：知道。家家户户都明白，都知道。

喻，be clear about, be conscious of. 晓，understand. The term is used to describe something known to every household.

【情景1】中外学生大森、洪波一起从校门口经过，看见一个临时停水的通知。

【对话1】大森：停水怎么还在这儿贴通知？

洪波：这种事必须做到**家喻户晓**，让大家都知道啊。

【情景2】小宋与日本朋友细谷谈到了日本影星高仓健。

【对话2】细谷：你也喜欢高仓健？

小宋：喜欢，高仓健在北京可以说**家喻户晓**。

坚持不懈　jiān chí bú xiè

【解释】懈：松懈，懈怠。坚持到底，决不松懈。

懈，slack off, keep a slack hand. Stick it out and not be unremitting by no means.

【情景1】意大利留学生玛加是中国学生葛微的好朋友，问葛微家的情况。

【对话1】玛加：你爸爸怎么样？他在做什么？

葛微：父亲失明以后，一直**坚持不懈**地学习盲文。

【情景2】奥地利留学生弗利茨关心中国朋友贺阳搞的一项试验。

【对话2】弗利茨：贺阳，你那个试验搞得怎么样了？

贺　阳：要想取得成功，还得经过一番**坚持不懈**的努力。

艰苦奋斗　jiān kǔ fèn dòu

【解释】在艰难困苦的环境中，在恶劣的条件下，进行英勇顽强的斗争。褒义。

Carry on valiant and dogged struggle under formidable surroundings and terrible conditions.

【情景1】留学生参观某农村，村长向留学生介绍农民勤劳致富的情况，特别提到了左家兄弟。

【对话1】村　长：左家兄弟二人**艰苦奋斗**了三年，致富了，年收入达20万元。

留学生：他们**艰苦奋斗**，致富了，真了不起！

【情景2】小白刚刚结婚，她的外国朋友米拉来看她。

【对话2】米拉：你的小家不错呀。

小白：见笑了，没什么东西，还得**艰苦奋斗**几年。

艰苦朴素 jiān kǔ pǔ sù

【解释】朴素：勤俭朴实。形容吃苦耐劳，勤俭朴实，认真踏实的作风。褒义。

朴素，industrious, frugal and simple. The term is used to describe people's way of being hardy, industrious, frugal, simple, earnest and surefooted.

【情景1】某外国公司中外员工在谈论他们董事长夫人。

【对话1】马仁：她就是董事长夫人？可真**艰苦朴素**。

斋藤：我认识她多年了，她一直保持这种**艰苦朴素**的作风。

【情景2】于小庆与藤春玉子谈论艰苦朴素的问题。

【对话2】藤　春：我反对铺张浪费，我认为**艰苦朴素**是一种美德。

于小庆：你们外国人也讲究**艰苦朴素**？

见利忘义 jiàn lì wàng yì

【解释】利：利益，好处。义：正义，道义。见了私利就忘了道义。贬义。

利，profit, benefit. 义，moral and justice. Meeting with self-interest, and forgeting moral and justice. A derogatory term.

【情景1】亚库布与郭强看完电影后一同回学校。

【对话1】亚库布：真没想到那个警察竟会为钱出卖朋友。

郭　强：这就叫**见利忘义**，我最恨**见利忘义**的人了。

【情景2】留学生玛利亚与房东一起看电视。电视里播放不法商贩走私造假，被依法惩治的新闻。

【对话2】玛利亚：他们不知那样做法违法吗？

房　东：当然知道，他们是**见利忘义**呀。

见义勇为 jiàn yì yǒng wéi

【解释】义：正义。勇：勇敢。为：做。见到正义的事情，就勇敢地去做。褒义。

义，justice. 勇，courageous. 为，do. When seeing a just deed, then go to do it courageously.

【情景】看完表彰见义勇为好市民的电视新闻以后，中国学生甘丽与俄罗斯留学生伊娃议论起来了。

【对话】甘丽：对**见义勇为**的人就应该好好奖励。

伊娃：哪个国家都提倡**见义勇为**的精神。

甘丽：要是人人都能**见义勇为**，坏人就不敢干坏事了。

伊娃：所以**见义勇为**的精神可贵啊。

骄傲自满 jiāo ào zì mǎn
【解释】自以为了不起，看不起别人。贬义。

Vainglorious, and looking down on others. A derogatory term.

【情景1】下课后老师叫住了加娜同学。
【对话1】老师：加娜，你最近学习有些松劲儿，可不能**骄傲自满**啊！

加娜：我还敢**骄傲自满**？我这几天没来上课是在准备我们国内的考试啊！

【情景2】足球比赛结束后，外国教练鼓励队员。
【对话2】教练：你们这次成绩不错，但不能**骄傲自满**，下次大赛又不远了。

队员：我们决不**骄傲自满**，**骄傲自满**非失败不可。

脚踏实地 jiǎo tà shí dì
【解释】踏：踩。脚踩在坚实的地上。比喻做事认真、踏实，不虚夸。褒义。

踏，step on. Feet step on firm ground. The term is used to compare to people doing work in earnest, steadfastly, and not exaggerately. A commendatory term.

【情景1】某公司经理托马斯跟中国员工安建谈话。
【对话1】托马斯：安先生，我们每个员工都要**脚踏实地**工作，不能马马虎虎。

安 建：我会的，我一定**脚踏实地**工作，不会出差错。

【情景2】徐良与外国朋友阮文清谈起了他们喜欢的领导。
【对话2】徐 良：我觉得干部要**脚踏实地**、认认真真地为群众做好事、实事。

阮文清：我就喜欢能**脚踏实地**干事的领导。

教学相长 jiào xué xiāng zhǎng
【解释】长：长进，提高。教和学两方面互相促进，共同提高。多用来说通过教学，学生学到了知识，有了进步，教师自己也得到了提高。

长, progress, advance. Teaching and learning promote each other and advance together. The term is used mostly to refer that through teaching, students learn knowledge and achieve progress and teachers themselves also gain improvement.

【情景1】课上，老师让留学生们介绍了本国的民俗。
【对话1】老师：我今天了解了你们各个国家的民俗，学到了不少知识，这也是**教学相长**啊。

学生：我们也知道了不少国家的民俗。

【情景2】有的老师上汉语课时常说外语，还问学生对不对，留学生不太满意，向校长反映意见。
【对话2】学生：校长，这是不是**教学相长**？

校长：汉语课老师靠学生练外语不合适，不能这样**教学相长**。

接二连三　jiē èr lián sān

【解释】接：接连，连续。一个接一个，接连不断。

　　接, be successive, be continuous. One after another, without ending.

【情景1】看完了电视新闻，同学们正在议论交通事故，玛丽来了。

【对话1】玛丽：出什么事了？

　　　　李华：由于是大雾天，一条高速公路**接二连三**发生了好几起交通事故。

【情景2】这几天天气忽冷忽热，有些留学生适应不了。

【对话2】学生：老师，咱们班同学怎么**接二连三**都感冒了？

　　　　老师：这几天天气不太正常。

津津有味　jīn jīn yǒu wèi

【解释】津津：有滋味，有趣味。感到特别有滋味，兴趣很浓厚。

　　津津, with relish, with interest. Feeling extremely tasty or having strong interest.

【情景1】李彬见金村惠子在读小说《骆驼祥子》。

【对话1】李彬：金村，你读得那么**津津有味**，都读懂了？

　　　　金村：个别词语不太懂，基本意思读懂了。

【情景2】古巴留学生伊萨旅行回来，向大家介绍旅行见闻。这时，老师来了。

【对话2】老师：伊萨，讲什么呢，那么**津津有味**？

　　　　伊萨：我给他们讲旅途中有趣的事儿呢。

锦上添花　jǐn shàng tiān huā

【解释】锦：有彩色花纹的丝织品。在美丽的锦上再绣上漂亮的花。比喻好上加好，美上加美。

　　锦, silk products with multicolored patterns. To embroider more beautiful flowers on a beautiful enough silk product. The term is used to describe adding good things to a good thing, adding beautiful elements to an already beautiful thing.

【情景1】姚丽在看德国朋友狄亚的作文。

【对话1】姚丽：你这篇作文写得真好！

　　　　狄亚：是老师修改得好。老师修改的那几句真是**锦上添花**。

【情景2】巴西留学生万佳到中国朋友路华家玩儿，路华居住的小区有一处文化娱乐广场。

【对话2】路华：万佳，你看这个娱乐广场修得怎么样？

　　　　万佳：很好，它使小区**锦上添花**。

兢兢业业　jīng jīng yè yè

【解释】兢兢：小心谨慎的样子。业业：畏惧的样子。形容做事小心谨慎，勤勤恳恳，认真负责。

　　兢兢, scrupulous way. 业业, awe-stricken manner. The term describes somebody

66

doing work cautiously, diligently and earnestly.

【情景1】泰国留学生乍都兰买汉语教材，发现好多教材都是宋老师主编的，他与售书的张老师一起称赞宋老师。

【对话1】乍都兰：宋老师主编这么多教材，真了不起！

张老师：宋老师多年来一直**兢兢业业**，编了不少书。

【情景2】参观工厂，工人王新勇为外国朋友卡尔德介绍他们的厂长。

【对话2】王新勇：我们厂长工作**兢兢业业**，早来晚走，几乎没休息过一个星期日。

卡尔德：这样**兢兢业业**的厂长，真是个好厂长。

精打细算 jīng dǎ xì suàn

【解释】精：精细，细密。打：打算，计算，筹划。精细地筹划、计算。

精, subtly, compactly. 打, plan on, count, design. Designing and planning carefully.

【情景1】李江同外国朋友格雷姆去旅行，格雷姆说李江太节省。

【对话1】格雷姆：钱该花就花嘛，干吗那么节省？

李　江：咱们花钱的地方还多着呢，处处都要**精打细算**。

【情景2】某日本公司经理早川先生称赞中国员工高平。

【对话2】早川：你真会**精打细算**，在包装材料上又节省了一笔钱。

高平：都在搞成本核算嘛，不**精打细算**还行？

精益求精 jīng yì qiú jīng

【解释】精：好，完美。益：更加。已经很好了，还要求做得更好。

精, good, perfect. 益, much more. Even when something has already been done perfectly, it is required to make it better and better.

【情景1】方云向新西兰朋友莱斯丽介绍一个钟表修理部。

【对话1】方　云：那个修理部修表技术是一流的，师傅对技术**精益求精**。

莱斯丽：对技术**精益求精**，那太好了。

【情景2】于先生陪外国朋友巴拉特观看杂技演出。

【对话2】巴拉特：中国的杂技是一流的。

于先生：是的，演员对每个动作都**精益求精**。

敬而远之 jìng ér yuǎn zhī

【解释】敬：尊敬。尊敬他，却又远离他，不愿与他接近。

敬, respect. Respecting him, but giving a wide berth to, not willing to be close to him.

【情景】龙大力要到某公司工作，他向英国朋友丁凯了解情况。

【对话】龙大力：你们公司经理怎么样？

丁　凯：经理很能干，就是有点儿傲气，我们对他都**敬而远之**。

举世闻名 jǔ shì wén míng

【解释】举：全。世：世上，世界。全世界都知道。形容非常著名。

举, whole. 世, world. To be known all over the world. The phrase is used to describe somebody or something being extremely famous.

【情景1】导游小姐陪几位外国游客买茶具。

【对话1】导游：中国景德镇的瓷器**举世闻名**。

　　　　游客：是**举世闻名**，我们国家也有，就是太贵。

【情景2】外国朋友托斯尼和中国朋友王加商量去哪儿旅游。

【对话2】托斯尼：咱们去哪儿旅游好呢？

　　　　王　加：去桂林吧，"桂林山水甲天下"，**举世闻名**啊。

举世瞩目 jǔ shì zhǔ mù

【解释】举：全。世：世界。瞩目：注视，用眼看。全世界的人都注视着。多用来说某一重大事件受到全世界的关注。

举, whole. 世, world. 瞩目, fix eyes on, watch by eyes. Being watched by the whole world. The phrase is mostly used upon an important event being paid attention by the whole world.

【情景】杨市长陪同外国朋友一起参观了昆明世界园艺博览会。

【对话】朋友：在昆明举办的世界园艺博览会**举世瞩目**。

　　　　市长：我们能够举办世博会，这跟中国经济取得了**举世瞩目**的成就是分不开的。

举一反三 jǔ yī fǎn sān

【解释】举：提出，拿出。反：反复推理，类推。三：表示多数。拿出已知的一件事或一方面的情况，就能类推知道其他相同的事理。形容善于推理，由一种推知一类。

举, put forward, bring forward. 反, infer again and again, analogize. 三, extended to mean multitude. Draw inferences about other cases from one instance. The phrase describes the ability of being good at reasoning from one to another.

【情景】老师为留学生介绍学习方法。

【对话】老师：学习知识要做到**举一反三**。

　　　　学生：要是能**举一反三**，其他问题就能明白了吗？

聚精会神 jù jīng huì shén

【解释】聚：聚集，集中。会：会合，集中。形容精神、注意力非常集中。

聚, collect, concentrate. 会, assemble, focus. The phrase is used to describe spirit or attention highly focused.

【情景1】同学们都在图书馆学习，个别人随便说话或走动。丽莎和何云小声说他们。

68

【对话1】丽莎：大家都在**聚精会神**地看书，你们不要说话。

何云：不要走来走去。

【情景2】琼斯上课迟到了。

【对话2】老师：琼斯，以后不要迟到了。大家**聚精会神**听讲，你迟到影响别人。

琼斯：对不起，路上堵车，所以迟到了。

口是心非　kǒu shì xīn fēi

【解释】是：对，正确。非：不对，不正确。嘴上说的好，心里想的却是另一套。指嘴上说的和心里想的不一致。贬义。

是，right, correct. 非，not right, not correct. Saying something good by mouth, having another idea in the mind, however. The phrase refers to janus‑faced duplicity. A derogatory term.

【情景】詹姆斯向中国姑娘小芳表达了爱慕之情，小芳有些犹豫。

【对话】小　芳：你说的是真心话吗？

詹姆斯：相信我吧，我不是那种**口是心非**的人。

脍炙人口　kuài zhì rén kǒu

【解释】脍：切得很细的鱼或肉。炙：烤熟的肉。原指脍和炙这样的美味食品，人人都爱吃。后用来比喻好的诗文，人人称赞、传诵。褒义。

脍，thinly chopped fish or meat. 炙，well grilled meat. Originally the phrase refers to food as *kuai* and *zhi* which are so delicious that everybody likes, and later the phrae is used to compare to good poems and articles being praised and widely read. A commendatory term.

【情景】张欣拿了一份《北京青年报》来到外国朋友哈雷的宿舍。

【对话】张欣：哈雷，《北京青年报》上发表了一篇**脍炙人口**的好文章，不知你是否有兴趣读一读？

哈雷：这样**脍炙人口**的好文章怎能没有兴趣呢！

滥竽充数　làn yú chōng shù

【解释】滥：混杂，蒙混。竽：古代一种簧管乐器。充数：凑数。不会吹竽的人混杂在吹竽的乐队里凑数。《韩非子》一书中说，齐宣王喜欢听三百人一起合奏吹竽。南郭先生不会吹竽，也混杂在里边凑数。齐宣王死后，齐泯（mǐn）王即位，他喜欢听独奏，要一个个单独吹给他听，南郭先生混不下去就逃跑了。后来用"滥竽充数"这个成语比喻没有真才实学、没有本事的人混在行家里面充数。也用来比喻次货冒充好货。有时也用来表示自谦。

滥，mixing, fudging. 竽，an ancient reed musical instrument. 充数，make up the number. Those who can't blow the *Yu* mingle in a *Yu*‑blowing band just to make up the amount. In *Han Fei Zi* it says that the emperor Xuan of State Qin preferred to listen to

three hundred people blowing the *Yu* together. Mr. Nanguo, who did not know how to blow the *Yu* is also immingled in the band. After emperor Xuan died, emperor Min of State of Qin enthroned, who would like to listen to solo. He demanded players to blow the *Yu* solely, hence Mr. Nanguo could not muddle along any more, then escaped. Later people use the phrase to compare to those who do not have genuine ability and learn nothing just to make up the number. It is also used to compare to using inferior goods to adulterate high quality goods. Sometimes the phrase is used to show self-abasement.

【情景】应霞参加合唱队练习回来，路上遇见了外国朋友维加。

【对话】维加：你真行啊，参加合唱队了！

　　　　应霞：咳，我只是爱唱歌，跟着**滥竽充数**呗。

　　　　维加：好好学啊，**滥竽充数**可不行！

理所当然　lǐ suǒ dāng rán

【解释】理：道理。当然：应当这样。按道理应该这样。

　　　　理, principle. 当然, ought to be so. According to principles it should be so.

【情景】一次报刊课上，留学生们就赡养老人的问题谈了看法。

【对话】老师：中国人认为孝敬老人是一种传统美德。

　　　　学生：父母抚养子女**理所当然**，子女孝敬老人同样**理所当然**。

理直气壮　lǐ zhí qì zhuàng

【解释】理：道理，理由。直：公正，合理。气壮：气势很盛。理由充分公正，说话就气壮。褒义。

70

理, arguments, reasons. 直, just, in reason. 气壮, vigour is very strong. On the strength of one's being right, speaking is with compelling argument.

【情景1】某公司进了一批外国货，发现部分货物已经发霉变质，便向对方提出索赔。

【对话1】中方：这事的责任完全在你方，我们当然**理直气壮**提出索赔。

外方：货物发霉变质，是你们的责任，与我们无关。

【情景2】也门留学生赛义迪与中国朋友王力吵起来了。

【对话2】赛义迪：你骂人还有理了？说话还那么**理直气壮**！

王　力：我怎么**理直气壮**了？不就说话声音大了点儿吗？

立竿见影　lì gān jiàn yǐng

【解释】拿根竹竿竖立在太阳光下，立刻就能看到它的影子。比喻见效很快。

Having a bamboo pole set up under the sunshine, its shadow can be seen at once. The phrase is used to compare to getting effect instantly.

【情景】中国学生李青和外国留学生奈那德谈学习方法。

【对话】奈那德：你这种学习方法真好，我试了一下儿，取得了**立竿见影**的效果。

李　青：我也是刚学来的方法，效果真好，**立竿见影**。

乱七八糟　luàn qī bā zāo

【解释】形容非常杂乱，没有条理。贬义。

The phrase is used to describe extremely mess - up, no consecution. A derogatory term.

【情景】万澎在翻看外国朋友卡利的作业本。

【对话】万澎：卡利，你的作业怎么写得**乱七八糟**的？

卡利：我也知道**乱七八糟**的，昨天太着急了。

万澎：我一看这**乱七八糟**的字就头疼。

卡利：所以我在重新做呀。你看这个还**乱七八糟**吗。

美中不足　měi zhōng bù zú

【解释】虽然很好很美，但还有不够好不够美的地方。多用来说人或事物总的说来很好，但其中还有不够完美的地方，有些惋惜。

Although very good and very beautiful, there are blemishes. It is mostly used to describe that a person or something is very good in general, but there are some imperfect aspects, which are regretful.

【情景1】留学生去香山看红叶回来，师生一起谈感受。

【对话1】学生：香山景色真美，**美中不足**的是红叶还没有红透。

老师：这真是**美中不足**，再晚几天去就好了。

【情景2】老师跟留学生丁凯谈他的一篇作文。

【对话2】老师：你这篇文章结尾突然了一点儿，显得**美中不足**了。

丁凯：怎么结尾才能弥补**美中不足**呢？

门当户对 mén dāng hù duì

【解释】门、户：指封建时代家族的门第等级。有钱有势之家为"高门"，贫穷卑贱之家为"寒门"，旧时高门和寒门之间是不能通婚的。当：相当。对：相合。指通婚的男女双方家庭的社会地位和经济状况相当，适合通婚结亲。

门、户, the family status and the social rank of a family in feudal time. A plutocratic family was called "high door", a poor and humble family was called "cold door". In old times high door and cold door were not allowed to have intermarriage. 当, correspond. 对, match. The two words refer that social status and economical conditions of a married couple's families are matchable, suitable to be spousal.

【情景】郭兰在与韩国朋友朴美娟谈论婚姻传统观念问题。

【对话】郭　兰：以前中国人找对象特别讲究**门当户对**。

朴美娟：韩国人也一样重视**门当户对**。

郭　兰：不**门当户对**好像就没有共同语言。

朴美娟：所以你也想找**门当户对**的了？

面面俱到 miàn miàn jù dào

【解释】面：方面。俱：全，都。各个方面都照顾到了。有时也指处世圆滑，照顾到方方面面的关系。

面, aspects. 俱, entirely, all. Every aspect of a matter has been thought of. Sometimes it also refers to somebody saponaceous, good at dealing with all kinds of relationships.

【情景1】外国游客到某工厂参观，厂长为客人介绍情况。

【对话1】厂长：时间有限，我就拣主要方面说说，不能**面面俱到**。

游客：不必**面面俱到**，就说主要的吧。

【情景2】某中外合资公司开业庆典邀请的嘉宾有环保、商检、税务、公安等部门的人。

【对话2】来宾：你们请的客人真不少。

经理：我们是**面面俱到**，该请的都请了。

名副其实 míng fù qí shí

【解释】名：名声，名义。副：符合，相称。实：实际。名声和实际相符合。

名, reputation, name; 副, match, correspond. 实, reality. The name matches the reality.

【情景】吕研经过几年的刻苦钻研，掌握了电脑技术。叙利亚朋友奥斯曼很佩服他。

【对话】奥斯曼：小吕，你是**名副其实**的电脑专家了。

吕　研：什么**名副其实**的专家！不敢当，不敢当。

名列前茅 míng liè qián máo

【解释】名：名字，名次。前茅：古代军队前列的军旗，借指最前面的队伍。名字列在最前面。多用来说考试或竞赛成绩最好，名次在最前面。

名，name, place in a competition. 前茅，preceding army flags in an ancient troop, referring to forefront or names listed in the forefront. The phrase is mostly used to refer to someone whose exam or competition score is the best and whose name is listed in the very beginning.

【情景1】中国学生王燕和外国留学生美尔坦在谈电视剧评奖结果。

【对话1】王　　燕：这次评选结果，电视连续剧《还珠格格》**名列前茅**。

美尔坦：《还珠格格》是拍得不错，应该**名列前茅**。

【情景2】留学生优秀毕业生名单连同成绩都公布出来了，老师遇见了越南留学生范爱华。

【对话2】老　　师：范爱华，你的成绩**名列前茅**。

范爱华：我们班有三个同学**名列前茅**。

莫名其妙　mò míng qí miào

【解释】莫：不，没，没有谁。名：说出。妙：奥妙。没有人能说出它的奥妙。多用来形容事情很奇怪，使人不可理解，弄不明白。

莫，not, without, nobody. 名，give mouth to. 妙，arcanum. Nobody can give mouth to the arcanum of the matter. The phrase is mostly used to describe that something is so strange that people are unable to understand or comprehend.

【情景】突尼斯留学生布拉维没有邀请中国朋友孙跃参加他的生日晚会，他怕孙跃不高兴，向他作了解释。

【对话】布拉维：我这样解释，你觉得**莫名其妙**吧！

孙　跃：我明白你的意思，不感到**莫名其妙**了。

目中无人　mù zhōng wú rén

【解释】目：眼睛。眼睛里没有人。形容狂妄自大，看不起任何人。贬义。

目，eyes. Consider everyone beneath one's notice. The phrase is used to describe hubris, looking down on anybody. A derogatory term.

【情景】丹麦留学生费立民获得了学校男子乒乓球单打冠军，他骄傲得不得了。张文向他挑战。

【对话】费立民：哪位还敢跟我打？

张　文：你也太**目中无人了**！好，我跟你打打！

费立民：你不是我的对手。

张　文：你不要**目中无人**。

弄虚作假　nòng xū zuò jiǎ

【解释】弄：玩弄，耍弄。虚：虚假，不真实。作：制作，制造。用说假话或制造假象等手段来蒙骗人。贬义。

弄，tamper, deceive. 虚，mendacity, no verity. 作，make, produce. Cheat people by means of trickery. A derogatory term.

【情景】质量大检查活动以后，检查组长王刚见到了好朋友、日本某工厂铃木厂长。

【对话】王刚：为防止**弄虚作假**，这次检查事先没有通知任何单位。

铃木：任何检查都不能事先通知，通知了就会**弄虚作假**。

平易近人　píng yì jìn rén

【解释】平易：原指道路平坦宽广，后比喻态度和蔼。形容人态度谦虚、和蔼、可亲，使人容易接近。褒义。

平易, originally it refers to roads being flat and wide, and later it is used to compare to amiable attitude. The phrase is used to describe that one's attitude is unobtrusive, kind, towardly, and easy to approach. A commendatory term.

【情景】中国员工金友兰和外国员工卡尔罗谈论公司总经理罗伯特和副总经理苗长柱。

【对话】金友兰：罗伯特先生非常**平易近人**，见人常常主动打招呼。

卡尔罗：我们都喜欢这位**平易近人**的总经理。

金友兰：苗长柱不行，架子特大，太不**平易近人**。

卡尔罗：咳，当官的平易近人的少啊！

萍水相逢　píng shuǐ xiāng féng

【解释】萍：浮萍，浮生在水面上的一种植物。像水中的浮萍那样随水漂泊，聚散不定。比喻不相识的人偶然相遇。

萍, duckweed, a kind of plant floating on water. Like the duckweed drifting in water, not sure when or where to assemble or disperse. The phrase is used to compare to strangers'meetings by accident.

【情景】武田阳子一个月前在去上海的火车上认识了一个中国小伙子，她告诉中国朋友夏兰，她要跟那小伙子结婚了。

【对话】夏兰：你们**萍水相逢**，那个人靠得住吗？

武田：我们虽然**萍水相逢**，可是感情很好啊！

迫不及待　pò bù jí dài

【解释】迫：急迫。待：等待，等候。急迫得不能再等待。

迫, urgent, impatient. 待, wait for, tarry. Too impatient to wait.

【情景1】考试刚刚结束，就有留学生打电话向老师询问成绩。

【对话1】学生：老师，我多少分？

老师：啊？这么**迫不及待**知道成绩！

【情景2】新房子还没交工，马老师已经在准备搬家了，留学生丽达来看她。

【对话2】老师：我恨不得今天就搬进去。

丽达：我理解您**迫不及待**的心情。

七嘴八舌 qī zuǐ bā shé

【解释】七、八：表示多。形容大家你一句，我一句，纷纷发表意见。

七、八, extended to mean too many. The phrase is used to describe the situation that everybody speaks to express their opinions.

【情景1】学校要召开部分留学生座谈会，老师要求学生做准备。

【对话1】老师：这种座谈会比较正规，不能**七嘴八舌**地乱说。

　　　　学生：我觉得**七嘴八舌**更随便。

　　　　老师：那么多人**七嘴八舌**的，主持人听谁的？

【情景2】马达加斯加留学生珍尼刚从城里回来，在为中国朋友魏荣讲见闻。

【对话2】珍尼：一个骑车的人撞了人还蛮不讲理，大家**七嘴八舌**批评他。

　　　　魏荣：大家**七嘴八舌**，那人一定害怕了。

齐心协力 qí xīn xié lì

【解释】协：共同。大家心齐，共同用力。多用来形容思想认识一致，大家共同努力。褒义。

协, together. All people pull together and make concerted effort. The phrase is mostly used to describe people with unanimous thinking working as one. A commendatory term.

【情景】厂长毕克在鼓励技术员小吴要跟大家齐心协力创名牌。

【对话】毕克：创立名优品牌，要靠大家**齐心协力**。

　　　　小吴：我们一定与工人师傅一起**齐心协力**。

奇花异草 qí huā yì cǎo

【解释】珍奇的十分少见的花草。

Rare and seldom seen flowers and grass.

【情景】法国朋友布朗在导游的陪同下参观北京植物园。

【对话】布朗：有这么多**奇花异草**!

　　　　导游：有些**奇花异草**是从外国引来的。

　　　　布朗：我最喜欢观赏**奇花异草**了。

岂有此理 qǐ yǒu cǐ lǐ

【解释】岂：难道，哪里。哪里有这样的道理。多用米对不合理的事表示反对和愤慨。

岂, how, where. Are there any such kind of arguments on earth? The phrase is mostly used to express objection and indignation toward unreasonable matters.

【情景】接到索赔单，日本某公司经理白水太郎气得直嚷，中国员工张棋也很生气。

【对话】白水：他们自己造成的损失却来向我们索赔，真是**岂有此理**!

　　　　张棋：**岂有此理**，我去跟他们交涉!

恰到好处　qià dào hǎo chù

【解释】恰：恰巧，正好。正好达到最合适的地步。多用来形容话说得最恰当，事做得最合适。

恰, happening, on the beam. Just reach the most suitable position. The phrase is mostly used to describe that speaking in the most proper way, and acting in the most appropriate manner.

【情景】法国员工辛格莱与中国员工关林研究房屋装修问题。

【对话】辛莱格：房屋装修不见得越华丽越好，要**恰到好处**。

关　林：怎么样才算**恰到好处**？

恰如其分　qià rú qí fèn

【解释】恰：恰好，正好。分：分寸，适当的限度。形容说话、办事正合分寸。

恰, appropriate, just right. 分, proper limits for speech or action, a certain limits. The phrase is used to describe speaking or acting appropriately.

【情景】中国员工蔡杰被所长批评后很不服气，他与日本朋友伊藤诉委屈。

【对话】蔡杰：怎么能说"故意违约"？批评人用词也得**恰如其分**。

伊藤：我也觉得所长那句话说得不是**恰如其分**，我去找他谈谈。

千方百计　qiān fāng bǎi jì

【解释】方：方法，办法。计：计算，计谋。想尽一切办法，用尽种种计谋。

方, methods, ways. 计, count, scheme. Use all kinds of methods and try every possible means.

【情景1】日本某商场经理早川在与销售部经理中方雇员路非谈工作。

【对话1】早川：我们要**千方百计**了解消费者的心理，并**千方百计**满足消费者的需要。

路非：我一定**千方百计**使消费者满意。

【情景2】《寻找"野人"的踪迹》那篇文章，引起了王文华和泰国朋友姜以书的兴趣。

【对话2】王文华：那些人寻找野人真是**千方百计**。

姜以书：不**千方百计**怎么找得到。

千篇一律　qiān piān yí lǜ

【解释】很多的文章、作品内容相同，格式一样。多用来指写文章、讲话等公式化、格式化，所有人都一样，没有变化。

Most articles or products have stereotyped contents and formats. The phrase is used to describe that the way of writing articles or giving speeches, etc, is formulized and formatted, everyone is the same, there is no variety.

【情景】严老师给留学生布置作文题，日本学生大谷提出了意见。

【对话】大谷：老师，我们怎么**千篇一律**，每次都写记叙文？

老师：虽然写记叙文，题目有变化，不能说**千篇一律**。

大谷：可我觉得内容都**千篇一律**。

老师：每次都要求写新内容，不能**千篇一律**。

前功尽弃　qián gōng jìn qì

【解释】功：功夫，功劳，成绩。尽：都，全部。弃：废弃，抛弃，失去。以前的功劳、成绩全部废弃了。多用来说以前所作的一切努力都白费了。

功，effort, meritorious service, achievement. 尽，all, whole. 弃，abandon, cast away, or disuse. Mostly used to express that all one's previous efforts are wasted.

【情景1】李小明与外国朋友阿米尔一起收看发射卫星的实况转播，卫星就要点火升空了。

【对话1】李小明：现在可是关键时刻，出现一点点差错，就会**前功尽弃**。

阿米尔：无论如何不能让它**前功尽弃**!

【情景2】张力与外国朋友彼德谈起了他家乡的那场水灾。

【对话2】张力：那场大水把我家的实验田冲毁了，爸爸**前功尽弃**。

彼德：也不能说**前功尽弃**，总还积累些经验啊。

前所未有　qián suǒ wèi yǒu

【解释】以前从来没有过。

Never existed before.

【情景1】林岩在与美国朋友托马斯谈论中美女子足球赛。

【对话1】林　岩：这次女子足球赛，两国队员都表现出了**前所未有**的拼搏精神。

托马斯：比赛太精彩了，真是**前所未有**。

【情景2】梁小波带俄罗斯朋友阿辽沙去买彩电。

【对话2】梁小波：彩电价格大战**前所未有**，29遥（29吋遥控）大彩电降到了4000多元!

阿辽沙：那么便宜？这种价格也真是**前所未有**。

取长补短　qǔ cháng bǔ duǎn

【解释】长：长处，优点。短：短处，缺点。吸取别人的长处，来补自己的短处。

长，strong point, merit. 短，demerit, shortcoming. Learn from others' strong points to offset one's weakness.

【情景】某部长陪同外国客人参观工厂。

【对话】客人：多搞一些交流好，多看看人家的长处，**取长补短**。

部长：欢迎为我们提提意见，我们就是为了**取长补短**。

全力以赴　quán lì yǐ fù

【解释】赴：奔赴，投入，参加。把全部力量都投入进去。

赴，attend, dive into or participate. Spare no efforts.

【情景】某外国公司经营中遇到了困难，中国公司帮了很大忙，中国公司于经理与外国公司经理马丁谈话。

【对话】于经理：马丁先生，还需要帮忙的话，我们一定**全力以赴**。

马　丁：谢谢，你们已经**全力以赴**帮助我们摆脱了困难。

于经理：不必客气，大家互相帮助。

马　丁：贵公司有事要帮忙的话，我们一定**全力以赴**。

全心全意　quán xīn quán yì

【解释】一心一意。形容人没有一点儿别的想法，没有一点儿私心杂念。

Whole-heartedly. The phrase is used to describe people without any selfish motives.

【情景1】李青感谢某日本商店售货员幸子精心为他挑选商品。

【对话1】李青：您这样**全心全意**为顾客服务，太谢谢您了。

幸子：我们就是为顾客服务的，我们应该**全心全意**。

【情景2】毕业班留学生安沃尔向指导论文的老师表示感谢。

【对话2】安沃尔：老师，您**全心全意**指导我写论文，太感谢了。

老　师：不用谢，**全心全意**指导学生写好论文，是我的工作。

日积月累　rì jī yuè lěi

【解释】一天天、一月月不断地积累。多用来形容长时间的积累。

Accumulate day after day, month after month. The phrase is mostly used to describe a long period of accumulation.

【情景】中国学生王绪和外国学生伊万谈论记生词的问题。

【对话】伊万：我恨不得一天就记住一本书的生词。

王绪：那怎么可能呢，生词都是**日积月累**起来的。

伊万：我也知道要**日积月累**，就是心里着急。

如饥似渴　rú jī sì kě

【解释】像饿了要吃饭，像渴了要喝水一样。形容要求非常迫切。多用来说学习知识。

Just as wishing to eat when hungry, and wishing to drink when thirsty. The phrase is used to describe the request that is quite exigent and mostly refers to learning knowledge.

【情景】古巴留学生伊希思跟老师谈到了日本留学生大岛的学习精神。

【对话】伊希思：大岛同学在图书馆一学就是一天，学习起来**如饥似渴**。

老　师：他是公司派来的，学了马上就要用，所以才这么**如饥似渴**。

伊希思：我很佩服他**如饥似渴**的学习精神。

三番五次　sān fān wǔ cì

【解释】三、五：表示次数多。番：次，遍。三次五次。形容屡次，多次。

三、五, showing too many times. 番, time. Three times and five times. The phrase is used to describe frequently, times without number.

【情景1】韩国学生朴文轩高兴地告诉李老师，她要搬家了。

【对话1】朴文轩：我**三番五次**向学校提出单住一间宿舍，今天他们终于同意了。

　　　　李老师：好啊，一个人学习方便多了。

【情景2】老师批评了迟到的留学生。

【对话2】老师：我**三番五次**强调不要迟到，格玛，你怎么又迟到了？

　　　　格玛：我早晨起不来，所以**三番五次**迟到。

三心二意　sān xīn èr yì

【解释】心里既想这样，又想那样。形容拿不定主意。也形容心不专一。

　　　　Be of two minds. The phrase is used to describe people unable to make up their mind or half-hearted.

【情景1】英国留学生古波想去拉萨旅行，一听朋友介绍那里的高山反应，又犹豫了。

【对话1】古波：我是**三心二意**，不太想去了，怕受不了。

　　　　张林：用不着**三心二意**，其实高山反应没有什么可怕的。

【情景2】中国朋友周力批评麦克对女朋友阿梅的态度。

【对话2】周力：阿梅可拿你当知心朋友，你对人家不能**三心二意**。

　　　　麦克：我没对她**三心二意**，我的心意她最清楚。

三言两语　sān yán liǎng yǔ

【解释】两三句话。多用来表示只有很少的几句话。

　　　　In a few words. The phrase is used to describe there are only a few words spoken.

【情景1】老师把作文退给了留学生伊萨。

【对话1】老师：你就写这么**三言两语**，能叫一篇文章吗？

　　　　伊萨：您不是说要简单点儿吗？**三言两语**不很简单吗？

【情景2】某外国公司经理主持召开中外员工全体会议。

【对话2】经理：我们开个短会，碰碰情况，每个人**三言两语**。

　　　　员工：**三言两语**怎么能把问题说清楚？

深入浅出　shēn rù qiǎn chū

【解释】指文章或讲话的内容很深刻，使用的语言却浅显易懂。

　　　　Used to describe that the language in an article or a speech is easy to read or understand although its content is profound.

【情景】中国学生王友和外国学生丽莎在一起谈论老师讲课的情况。

【对话】丽莎：我喜欢听万老师讲课，多么难的词语，她一讲都变得简单容易了。

　　　　王友：这就叫**深入浅出**。

　　　　丽莎：这样**深入浅出**好，大家一听就明白了。

神通广大　　shén tōng guǎng dà

【解释】神通：原是佛教用语，指无所不能的法术、法力，后用来指神奇高妙的本领。法术广大无边，本领特别高强。多用来形容人非常有本领，什么事都能办成。

神通, originally a Buddhist term referring to omnipotent magic art or power, later referring to miraculous and ingenious skills. Mostly used to describe somebody or something whose magic power is immeasurable, and whose ability is specially excellent.

【情景】马丁来找中国朋友万德帮他弄几张足球票。

【对话】马丁：听说你**神通广大**，帮我弄几张足球票。

万德：我可没那么**神通广大**，我有**神通广大**的朋友，试试看吧。

生动活泼　　shēng dòng huó pō

【解释】自然而有活力，一点儿也不呆板。

Natural and vigorous, not pedestrian at all.

【情景1】系主任主持召开部分留学生座谈会。

【对话1】主任：你们最喜欢哪位老师的课？

学生：李老师，她上课特别**生动活泼**。

【情景2】中国学生陈红和外国朋友伊藤谈论电视节目主持人。

【对话2】陈红：我喜欢凤凰台的节目，**生动活泼**，主持人也个个有朝气。

伊藤：人家主持节目**生动活泼**，不拘束。

十全十美　　shí quán shí měi

【解释】形容非常完美，没有一点儿缺陷。

Being perfect in every way, there is no flaw at all.

【情景】泰国留学生姜爱南对男朋友不太满意，她找中国朋友王怀玉商量。

【对话】王怀玉：差不多就行了，哪有**十全十美**的人！

姜爱南：我希望他能**十全十美**。

王怀玉：什么人也不可能**十全十美**呀！

实事求是　　shí shì qiú shì

【解释】实：实际。是：对，正确。原指依靠事实，求得正确的看法。后用来指从实际情况出发，做调查研究，正确处理问题，既不夸大，也不缩小。褒义。

实, fact. 是, right, the true. Originally referring to seeking a right opinion by relying on fact. Later used to refer to starting from the fact, doing researches and dealing with the problem rightly, neither exaggerating nor understating.

【情景1】王彩云与外国朋友伊林娜谈起了广告。

【对话1】王彩云：任何广告宣传都要**实事求是**。

伊林娜：广告不能搞欺骗，**实事求是**是广告的生命。

【情景2】美尔塔与中国朋友丁向南谈起了一部电视连续剧。

【对话2】美尔塔：**实事求是**地说，你觉得《还珠格格》怎么样？

丁向南：我说话向来**实事求是**，我非常喜欢。

拾金不昧　shí jīn bú mèi

【解释】拾：拾到，拣到。金：金子，金钱，泛指贵重物品。昧：隐藏。拾到金钱或贵重物品不隐藏起来，并设法归还失主。

拾, pick up. 金, gold, money, referring to valuables in general. 昧, hide. Not pocket the money or valuables one picks up but try to return to its owner.

【情景】一位出租汽车司机想尽办法归还了外国客人沙曼忘在车上的皮包，沙曼很感动，与中国朋友袁玉谈论这事。

【对话】沙曼：**拾金不昧**是一种美德，这位司机真好。

袁玉：这种**拾金不昧**的人和事很多。

束手无策　shù shǒu wú cè

【解释】束：缚，捆，绑。策：计策，办法。好像绑住了手一样，一点办法也没有。

束, tie, bundle, bind. 策, tact, measure. Be at a loss what to do as if one's hands have been bound.

【情景】赵明与外国朋友狄佩谈论邻居发生的事。

【对话】赵明：煤气管道突然漏气，两位老人**束手无策**，幸亏邻居给维修站打了电话。

狄佩：遇到突然发生的情况，谁都容易**束手无策**。

思前想后　sī qián xiǎng hòu

【解释】又想过去，又想将来，前前后后反复地考虑。形容前前后后想得很多。

Think of not only the past but also the future, consider repeatedly. Describing the state of thinking too much.

【情景】长谷川与女朋友分手后常常感到后悔，他又与中国朋友谈起了这事。

【对话】长谷川：夜里我常常睡不好，**思前想后**，觉得对不起她。

朋　友：都分手了，你还**思前想后**，想她干什么？

似是而非　sì shì ér fēi

【解释】似：像，好像。是：对。非：错，不对。好像是对的，实际上是不对的。

似, seem, look like. 是, true. 非, wrong, not true. Seeming true but no so in fact.

【情景】老师找到留学生瑞那特。

【对话】老　师：瑞那特，你的论文有问题，一些观点**似是而非**。

瑞那特：哪些观点**似是而非**，请帮我指出来。

老　师：你讲的那些道理有的也**似是而非**，不能说服人。

瑞那特：我没觉得有什么**似是而非**，我觉得都对。

素不相识 sù bù xiāng shí

【解释】素：平素，平时，向来。识：认识。平时不认识。

素, ordinarily, usually. 识, recognize. Not be acquainted with each other.

【情景1】乔丹和中国朋友李宝谈论一位不认识的人。

【对话1】乔丹：我刚才在门口遇到一位**素不相识**的同学，他开口就说认识我。

李宝：**素不相识**的人怎么会说认识你？你们真的**素不相识**？

【情景2】玛丽从外地回来，在门口遇见了中国朋友唐华。

【对话2】唐华：这么大的行李，你怎么拿回来的？

玛丽：下火车后是一位**素不相识**的北京人帮我叫的出租车。

随机应变 suí jī yìng biàn

【解释】机：时机，机会，情况。应变：应付突然变化的情况。随着情况的变化，灵活应付变化的情况。

机, chance, opportunity. 应变, cope with sudden changes. Act agilely according to the changing situations.

【情景】藤野先生与中国朋友王宁在谈论刚看完的乒乓球比赛。

【对话】藤野：乒乓球比赛，运动员要特别善于**随机应变**。

王宁：我觉得孔令辉就特别有**随机应变**的能力。

损人利己 sǔn rén lì jǐ

【解释】损：损害，损坏。损害别人的利益，使自己得到好处。

损, harm, damage. Get profits by doing harm to others.

【情景】田中老板在教育员工，中国员工汤仁觉得老板说得好。

【对话】老板：咱们不能为赚钱而干**损人利己**的事。

汤仁：对，**损人利己**是不道德、不文明的行为。

滔滔不绝 tāo tāo bù jué

【解释】滔滔：大水滚滚流动。像大水滚滚流动，接连不断。多用来形容人话多。

滔滔, roll on. Roll on and on in full spate. Mainly used to describe somebody who talks too much.

【情景】杨克安跟外国朋友舒蒂奇谈起了在电视里常露面的卡尔罗。

【对话】杨克安：卡尔罗能**滔滔不绝**地向人介绍北京的旅游景点，简直是个"北京通"。

舒蒂奇：我跟他聊过，他话多，**滔滔不绝**！

讨价还价 tǎo jià huán jià

【解释】讨：要，索取。原指买卖双方要价还价，争议价格。也比喻在接受工作时讲条件，提要求。

讨, ask for, demand. Primarily refering to bargaining over the price. Also likened to demanding the precondition before accepting job.

【情景1】毛林见外国朋友丽达要出去买东西，好心地关照她。

【对话1】毛林：丽达，你知道吗？在集贸市场上买东西可以**讨价还价**。

丽达：讨价还价？没问题，我最会**讨价还价**了。

【情景2】平泽先生告诉中国朋友王安，他要去外地工作了。

【对话2】王安：公司派你去外地工作，你可以跟经理提要求，**讨价还价**。

平泽：跟经理**讨价还讨**？这绝对不行！

甜言蜜语 tián yán mì yǔ

【解释】说的话像蜂蜜那样甜。多用来形容为讨好或哄骗别人而说的非常动听的话。

Fine -sounding words are sweet like honey. Mainly used to describe the moving words spoken to flatter or coax others.

【情景】母亲反对女儿秀丽与外国人雷姆交往，雷姆找到了秀丽的母亲。

【对话】雷姆：伯母，我从来不会**甜言蜜语**，我是真心爱秀丽。

母亲：我也没说你**甜言蜜语**，我只告诉女儿不要轻信别人的**甜言蜜语**。

雷姆：我真的不是那种**甜言蜜语**的人。

同甘共苦 tóng gān gòng kǔ

【解释】甘：甜。共同享受幸福，共同承担痛苦。形容同欢乐，共患难。

甘，sweet. Enjoy happiness and undertake suffering together. Describing people sharing comforts and hardships.

【情景1】日本公司总经理桥本先生找部门经理中国员工冯伟谈话。

【对话1】桥本：冯先生，你负责这个项目，得与大家**同甘共苦**。

冯伟：我一定与大家**同甘共苦**，您放心吧。

【情景2】外国记者采访青年志愿者。

【对话2】记　者：你们到贫困落后地区，能同当地群众**同甘共苦**吗？

志愿者：我们都做好了思想准备，当然**同甘共苦**。

投机倒把 tóu jī dǎo bǎ

【解释】投机：抓住时机，谋求私利。倒把：倒手转卖，获取利益。利用时机，进行非法倒卖，谋求暴利。

投机，seize a chance and seek private interests. 倒把，sell what one has bought and make profits. Make use of a chance to resell at a profit illegally and profiteer.

【情景】甘朋找到一家外国公司谈一笔钢材生意，外国公司董事长斯罗德接待了他。

【对话】甘　朋：有人趁国家钢材短缺，**投机倒把**，我可不干投机倒把的事。

斯罗德：这我相信，你是国家干部，怎么能**投机倒把**呢？

吞吞吐吐　tūn tūn tǔ tǔ

【解释】有话想说，但又不痛痛快快地说出来。多因不好意思或有所顾虑等。

Having some words to say, but not speak out forthrightly, mainly because of scruple or feeling embarrassed.

【情景】田力找到外国朋友乔纳森，有事又不好意思说。

【对话】田　力：我有件事，不好意思跟你说。

乔纳森：有话痛痛快快说，别**吞吞吐吐**的!

万事如意　wàn shì rú yì

【解释】如意：符合心意。一切事情都很顺利，符合自己的心意。多用于祝福人。

如意，accord with one's intention. Everything is smooth, and everything accords with one's intention. Mainly used to bless others.

【情景】朱林与日本朋友金子聊天，她们谈起了祝愿的话。

【对话】朱林：人们都知道谁也不能**万事如意**，但还是愿意得到这种祝愿。

金子：那么我祝你**万事如意**。

朱林：谢谢你的美好祝愿，我真的希望能**万事如意**。

金子：让我们都**万事如意**!

微不足道　wēi bù zú dào

【解释】微：小。道：说。微小得不值得说。常用于表示谦虚。

微，little. 道，speak. Be too little to be spoken. Usually used to express one's modesty.

【情景1】方主任接受了外国朋友弗利茨给希望工程的捐款。

【对话1】方主任：感谢您为希望工程捐款，救助失学儿童。

弗利茨：不客气，一点儿心意，**微不足道**。

【情景2】小马又跟人吵起来了，她的外国朋友丽莎批评她。

【对话2】丽莎：别为一点儿**微不足道**的小事吵吵嚷嚷的，这样会影响团结。

小马：谁说是**微不足道**的小事？他欺负人!

惟利是图　wéi lì shì tú

【解释】惟：只。图：贪图，谋求。只贪图利，别的什么都不顾。

惟，only. 图，covet, seek. Be bent solely on profit and regardless of anything else.

【情景】范老板与日本朋友佐藤老板闲聊。

【对话】范老板：有人说商人的本性就是**惟利是图**，这样说不太合适吧？

佐　藤：反正没利可图的事你不会干吧？

范老板：可是像制造假酒这种**惟利是图**的事，我可干不出来。

佐　藤：那些人心都黑了，他们才真的**惟利是图**。

温故知新　wēn gù zhī xīn

【解释】温：温习，复习。故：旧的，过去的。温习旧的学过的知识，又获得新的理解和
　　　　体会。也用来指回顾历史，吸取经验教训，更好地认识现在。

　　　　温，review，revise. 故，old，past。Review the old and learnt knowledge and ac-
　　quire new understanding and experience. Also used to refer to retrospecting the history and
　　drawing the experience and lesson in order to understand the present better.

【情景】日本留学生安田洋子跟老师谈她的假期安排。

【对话】洋子：旅行回来我要把这一年学过的几本教材都复习一下儿。

　　　　老师：这很好，**温故知新**嘛。

　　　　洋子：什么是**温故知新**？

　　　　老师：**温故知新**是个成语。

无可奈何　wú kě nài hé

【解释】奈何：怎么办。"无可奈何"意思是没有办法。多用来指没有办法可想，没有办法
　　　　解决。

　　　　奈何，how to do. "无可奈何" means having no alternative. Mainly used to refer to
　　the situation of having no measure to think and take to solve the problem.

【情景1】迪安回来晚了，中国朋友杨红问她怎么了。

【对话1】杨红：你怎么回来这么晚？

　　　　迪安：我的自行车坏了，路上又找不到人修，真让人**无可奈何**。

【情景2】田中由美子跟中国朋友去买书，不料那天书店关门。

【对话2】田中：你看，今天书店盘点，**无可奈何**，咱们回去吧。

　　　　朋友：又遇上关门，真让人**无可奈何**！

无能为力　wú néng wéi lì

【解释】"无能为力"意思是使不上劲。多用来指没有能力而无法帮助；也用来指有能力却
　　　　用不上。

　　　　"无能为力" means being unable to exert one's strength. Mainly used to refer to not
　　having ability to help others. Also used to refer to having ability but not be able to make use
　　of it.

【情景1】从农村来的学生赵青跟外国朋友阿里谈起了他的弟弟。

【对话1】阿里：你弟弟怎么没上大学？

　　　　赵青：上大学花费太大，我爸爸**无能为力**啊。

【情景2】中外学生王雨和约翰从电视里看到一起登山事故。

【对话2】王雨：救援的人怎么上不去？

　　　　约翰：山太高，雪天路滑，救援人员也是**无能为力**呀。

无微不至　wú wēi bú zhì

【解释】微：小，细微。至：到。没有一点儿细微的地方不照顾到。形容关心、照顾人细心周到。

微，little. 至，arrive. Haven't a little aspect which haven't been considered. Describing people taking care of or attending others meticulously.

【情景】某外国公司员工格雷姆病好要出院了，他向中国医生表示感谢。

【对话】格雷姆：李医生，感谢这么多天你们对我**无微不至**的照顾。
　　　　李医生：这是我们应该做的。

喜闻乐见　xǐ wén lè jiàn

【解释】闻：听。"喜闻乐见"即喜欢听，乐意看。形容非常受欢迎。多用来说文学作品、文艺节目等。

闻，listen. "喜闻乐见" means liking to listen and see. Describing something being welcomed very much. Mainly used to refer to literary works and programs of entertainment.

【情景】孙晓梅与外国朋友莫尼卡谈论春节晚会的节目。

【对话】孙晓梅：你觉得今年春节晚会的节目怎么样？
　　　　莫尼卡：是群众**喜闻乐见**的节目，生动活泼。

显而易见　xiǎn ér yì jiàn

【解释】显：明显。易：容易。明显而且容易看见。形容事情很明显，很容易看清楚。多用来揭露人的目的。

显，take on. 易，easy。Be apparent and easy to see. Describing something that is very apparent and easy to see clearly. Mainly used to disclose others' intention.

【情景】日本留学生门田光雄与中国朋友安来到一个山区旅游，一天发现有人带着猎枪，天还不亮就钻进了树林里。

【对话】门田：那伙人是干什么的？
　　　　安来：**显而易见**，他们是去偷猎野生动物。

相提并论　xiāng tí bìng lùn

【解释】提：提出，拿出来。并：并列，一起。论：评论，讨论。把两者并列提出来进行评论。多用否定，如"不能～""不要～"等。

提，put forward. 并，stand side by side, be juxtaposed. 论：review, discuss. Juxtapose the two to metion and comment in the same breath.

【情景】高明和外国朋友莫尼卡看了电视里有关取缔非法行医的报道。

【对话】莫尼卡：街上不是也有人出来给人看病吗？
　　　　高　明：他们是义诊，不是非法行医，两者不能**相提并论**。

想方设法 xiǎng fāng shè fǎ

【解释】想尽各种办法。

Do everything possible.

【情景1】外国客人乔森旅游时在火车上丢了提包，他找到了乘务员。

【对话1】乔　森：我的提包里有重要的东西，请您**想方设法**帮我找到。

　　　　乘务员：我们一定**想方设法**帮您找。

【情景2】留学生参观果园后，与果农座谈。

【对话2】学生：你们得**想方设法**给水果找销路。

　　　　果农：今年水果大丰收，我们一直在**想方设法**为水果找销路。

小心翼翼 xiǎo xīn yì yì

【解释】翼翼：恭敬谨慎的样子。原指恭敬严肃。后用来形容说话、做事非常小心谨慎，
　　　　丝毫不敢疏忽出错。

翼翼，cautious manner. Originally referring to being respectful and serious. Later
　　used to describe speaking or doing something very carefully.

【情景】外国朋友卡德尔骑车摔伤被送进了医院，中国朋友赵明去看他。

【对话】赵　明：你的伤怎么样了？

　　　　卡德尔：护士小姐**小心翼翼**地为我洗净伤口，上了药，还打了一针。

心平气和 xīn píng qì hé

【解释】心情平静，态度温和。

Even-tempered and good-humoured.

【情景】王老板与日本某公司老板阿部谈判时，阿部竟吵了起来。

【对话】王老板：咱们在商量价格，你要**心平气和**嘛。

　　　　阿　部：我要**心平气和**! 你故意压价，我怎么能**心平气和**?

　　　　王老板：不**心平气和**，咱们什么问题也没法谈!

欣欣向荣 xīn xīn xiàng róng

【解释】欣欣：茂盛，形容草木长得茂密旺盛的样子。荣：草木茂盛。既形容草木茂盛，
　　　　也用来比喻事业蓬勃发展，兴旺发达。

欣欣，thrive, describing the luxuriant appearance of grasses and trees. 荣：flourish.
　　Mainly used to describing luxuriant grasses and trees. Also used to linken the flourishing
　　and thriving causes.

【情景1】外国朋友参观了山区果园，农民王虎在为客人作介绍。

【对话1】王虎：这里原是荒山，如今栽上了果树，一片**欣欣向荣**。

　　　　朋友：满山果树，真是**欣欣向荣**。

【情景2】中国员工万先生与松井先生一起从深圳出差回来。

【对话2】万　先　生：深圳是一个新兴的城市，**欣欣向荣**。
　　　　　　松井先生：的确，到处是一派**欣欣向荣**的景象。

新陈代谢　xīn chén dài xiè

【解释】陈：旧。代：代替，更换。谢：凋谢，衰败。原指生物体不断用新物质代替旧物质的过程。后来指新事物代替旧事物。

陈, old. 代, supersede, replace. 谢, die down, ruin。Primarily referring to the process of organism superseding the old meterials by the new ones. Later used to refer to superseding the old by the newly emerging things.

【情景1】宋涛与外国朋友洛亚在操场上，一面锻炼，一面闲谈。

【对话1】宋涛：人体什么时间**新陈代谢**的速度最快？
　　　　洛亚：激烈运动的时候**新陈代谢**最快吧？

【情景2】外国某公司经理杜伦先生离任了，换上了一位年轻经理。中国员工许林见到了杜伦。

【对话2】许林：杜先生，您怎么不干了？
　　　　杜伦：公司领导班子也要**新陈代谢**嘛。

兴高采烈　xìng gāo cǎi liè

【解释】兴：兴致，兴趣。采：精神，情绪。烈：热烈，旺盛。原指诗文志趣高尚，文采浓烈。后用来指人的兴致很高，情绪热烈。形容人情绪高涨，非常欢乐、兴奋的样子。

兴, mood of enjoyment, interest. 采, spirit, mood. 烈, ardent, vigorous. Primarily referring to poems or writings whose aspiration is noble and literary grace is dense. Later used to refer to one's high interest and ardent mood. Describing one's appearance with rising-high mood and extreme happiness and excitement.

【情景】张建跟外国朋友一起看完足球比赛后，还在议论。

【对话】张建：每次踢进球，场内观众都**兴高采烈**。
　　　　朋友：不要说场内，连看电视转播的人都**兴高采烈**。

循序渐进　xún xù jiàn jìn

【解释】循：遵循，依照，按照。序：次序，顺序。渐：逐渐。依照顺序一步一步逐渐前进。

循, follow, comply with. 序, order, sequence. 渐, gradually. Follow in order and go forward gradually.

【情景1】谢岩看了一下日本留学生大泽的课本，觉得太容易。

【对话1】谢岩：你们学习这么简单的东西啊？
　　　　大泽：学习得**循序渐进**，当然要从简单容易的开始啊。

【情景2】美国老师让王主任看看他的电脑培训班的教学计划。

【对话2】老师：您看看这计划怎么样？我是按**循序渐进**的原则编排的。

主任：不错，内容由浅入深，**循序渐进**。

鸦雀无声　yā què wú shēng

【解释】鸦：乌鸦。雀：麻雀，泛指鸟雀。乌鸦鸟雀的叫声都没有了。形容非常静，一点儿声音都没有。

鸦，crow, and 雀, sparrow, referring to birds in general. Not a crow nor a sparrow can be heard. Describing the situation being very silent, without a little noise.

【情景】上课铃响了，喧闹的校园立刻静了下来，中国学生魏华和外国留学生卡罗琳一起去图书馆。

【对话】卡罗琳：这会儿校园真安静。

魏　华：图书馆阅览室里**鸦雀无声**，我喜欢在那儿看书。

洋洋得意　yáng yáng dé yì

【解释】也写做"扬扬得意"。洋洋：同"扬扬"，得意的样子。形容非常得意。

Also written as "扬扬得意". 洋洋, be equal to "扬扬", manner of pleased with oneself. Describing people being very pleased with oneself.

【情景】孙明与外国朋友狄容一起参加一个电视颁奖大会。

【对话】孙明：你看张导演，一副**洋洋得意**的样子。

狄容：他知道自己获得了金奖，所以**洋洋得意**。

夜以继日　yè yǐ jì rì

【解释】继：继续，连续，接着。"夜以继日"就是日夜不停。多用来形容白天黑夜不停地学习或工作等。

继，continue, go on, follow. "夜以继日" means running day and night. Mainly used to describe studying or working around the clock.

【情景】杨阿姨在跟日本夫人曾原直子聊天。

【对话】杨阿姨：这几天，您的先生总是**夜以继日**地工作，看来很忙。

夫　人：每年年末，员工们都很忙，常常**夜以继日**地工作。

依依不舍　yī yī bù shě

【解释】依依：非常留恋，不愿意分开。舍：舍得，舍弃。形容非常留恋，舍不得离开。

依依, very reluctant to part. 舍, be willing to part with, give up. Describing people being very reluctant to part.

【情景1】永井先生在北京的日本广播公司工作期满要回国了，中国朋友王力送他。

【对话1】永井：感谢您对我的关照，我真有些**依依不舍**啊。

王力：我也是怀着**依依不舍**的心情来跟您告别的。

【情景2】韩国留学生安富贵去机场送朋友回来，遇见了小王。

【对话2】安富贵：他上了飞机还在**依依不舍**地向我挥手。

小　王：你们俩**依依不舍**的感情，真让我羡慕。

一概而论　yí gài ér lùn

【解释】概：用升、斗量粮食时，用来刮平的工具。一概：一律，同一个标准。论：说，评论，看待。用同一个标准来评论、对待。指对人、事、物等不作分析，不加区别，同样看待。多用否定，如"不要～"、"不能～"等。

概, a tool used to scrape flat the container like *sheng* and *dou* when measuring grains. 一概, without exception, with a single standard。论, speak, comment, treat. Use a single standard to comment, treat. Referring to treating as the same regardless of different matters. Mainly used in the negative sentence, such as "don't treat as the same", "couldn't treat as the same ".

【情景1】留学生伊达跟老师聊天。

【对话1】伊达：老师，我们国家的学生是不是学习都不太努力？

老师：不能**一概而论**，也有努力的。

【情景2】黄红与韩国朋友崔山佑在街上看见个卖药的。

【对话2】黄　红：凡是在街上卖药的，我敢肯定，都是骗人的。

崔山佑：不能**一概而论**，也会有好人。

一路平安　yí lù píng ān

【解释】一路：整个路程，全部行程。一路上平安顺利。多为送行时对出行人说的祝福的话。

一路, entire route, whole journey. Be safe and smooth along with the whole journey. Mainly used to bless a traveler.

【情景1】郑祥要开车带外国朋友马特去京郊山区玩儿。

【对话1】马特：坐你的车，我最大的愿望就是能**一路平安**。

郑祥：放心吧，保证你**一路平安**。

【情景2】王华送马达加斯加朋友詹妮回国。

【对话2】王华：再见了，祝你**一路平安**。

詹妮：再见！多保重，也祝你**一路平安**。

一路顺风　yí lù shùn fēng

【解释】一路：整个路程。一路顺利，旅途平安。多用于送行时对出行人说的祝福的话。

一路, whole route. Be smooth along with the whole route and have a pleasant journey. Mainly used to bless a traveler.

【情景1】中外朋友于宁、雷米去旅行回来。

【对话1】于宁：我们这几天真是**一路顺风**，玩得很开心。

雷米：没刮风，没下雨，**一路顺风**回来了，玩得不错。

【情景2】光明公寓的安阿姨送日本夫人带孩子回国。

【对话2】阿姨：再见，祝你们**一路顺风**。

夫人：阿姨，回去吧，也祝你**一路顺风**。

一技之长　yí jì zhī cháng

【解释】技：技术，技能，技艺，本领。长：专长，特长。有某种技术特长。

技，technology, technical ability, skill, capability. 长，speciality, special skill. Proficiency in a particular field.

【情景】欧阳先生多才多艺，他说是父母注重对他的培养，俄罗斯朋友辽沙完全同意。

【对话】欧阳：我父母很重视孩子的艺术修养，不是要培养我的**一技之长**。

辽沙：我也不主张培养孩子什么**一技之长**。

欧阳：我小时学琴学画，人家还以为我学个**一技之长**，将来靠它吃饭呢。

辽沙：有的人真就靠**一技之长**吃饭！

一目了然　yí mù liǎo rán

【解释】目：眼睛。了然：清楚、明白的样子。一眼就看得清清楚楚、明明白白。

目，eye. 了然，appearance of clearness and obviousness. Be clear and obvious at a glance.

【情景】留学生阿里在翻看新教材——《中级汉语教程》，朋友陈丰来了。

【对话】陈丰：你们的新教材怎么样？

阿里：它把每课的重点词语、主要语法点都编进了目录，**一目了然**。

陈丰：我看看。是不错，**一目了然**。

一视同仁　yí shì tóng rén

【解释】同样看待，不分亲疏厚薄。

Treat equally without discrimination.

【情景1】留学生依玛对口语老师有意见，找到了系主任赵明。

【对话1】依玛：老师有偏见，对待学生不**一视同仁**。

主任：我找老师谈谈，让他**一视同仁**。

【情景2】麦哈姆与中国顾客一起排队交款，他要求服务员照顾他。

【对话2】麦哈姆：小姐，能不能照顾一下？

服务员：对不起，我必须对大家**一视同仁**。

麦哈姆：**一视同仁**是对的，但我有特殊情况。

以身作则　yǐ shēn zuò zé

【解释】以：用，拿。则：准则，表率，榜样。用自己的实际行动给别人作出榜样。

以，use，take．则，rule，model，example．Use one's own action to set an example for others．

【情景】留学生 A 班推选马丁当班长。

【对话】老师：大家推选马丁当班长，很好。马丁，你要**以身作则**啊！

马丁：大家信任我，我一定**以身作则**，当好班长。

一帆风顺　yì fān fēng shùn

【解释】帆：船帆。顺：顺风，顺利。挂起船帆，顺风行驶，非常顺利。多用来说明做事或远行非常顺利。

帆，sail．顺，have a tailwind，go smoothly．Hoist the sails，navigate with a tailwind and go smoothly．Mainly used to compare to doing things or travelling smoothly．

【情景1】留学生去旅行，老师送他们。

【对话1】老师：祝你们一路平安，**一帆风顺**。

学生：祝老师身体健康，工作顺利。

【情景2】阿尔及利亚留学生法依萨要参加一个招聘面试，中国朋友刘媛见到了她。

【对话2】刘　媛：今天去面试，祝你**一帆风顺**。

法依萨：谢谢。我一定能过关。

一干二净　yì gān èr jìng

【解释】干干净净。形容非常洁净；也形容全无，一点儿不剩。

Clean and clear．Describing places being very clean．Also describing the situations having nothing left．

【情景】留学生班迪来到中国朋友应杰的房间。

【对话】班迪：你把房间打扫得**一干二净**，看样子是准备招待客人。

应杰：是啊，这不是你来了！

班迪：你学过法语吗？

应杰：几年前学过一点儿，现在早忘得**一干二净**了。

一丝不苟　yì sī bù gǒu

【解释】苟：苟且，马虎。就连最细微的地方也不马虎。形容人做事认真负责，非常仔细。

苟，drift along，careless．Be scrupulous about every detail．Describing somebody who does things very seriously and carefully．

【情景1】胡华与外国朋友雷阳谈起了他们的老朋友李江。

【对话1】胡华：李江工作极其认真，**一丝不苟**。

雷阳：我了解他，他干什么都**一丝不苟**。

【情景2】外方厂长约翰特别重视产品质量，对质量检查人员要求也很严格。

【对话2】约　翰：产品质量检查必须严格，**一丝不苟**。

　　　　检验员：我们一定**一丝不苟**。

一无是处　yì wú shì chù

【解释】是：对，正确。处：地方。没有一点儿对的地方。

　　　　是，true，right. 处，place. Without a single redeeming feature.

【情景】留学生米歇尔汉语基础差，又不努力，还常在中国朋友王静面前怪自己进步慢。

【对话】米歇尔：我笨，我学习方法也不好，反正我**一无是处**。

　　　　王　静：别这么说，没有人说你**一无是处**。

　　　　米歇尔：老师好像觉得我**一无是处**。

　　　　王　静：不会，老师希望你努点儿力。

一无所有　yì wú suǒ yǒu

【解释】什么财富都没有。

　　　　Own no fortune in the world.

【情景1】任小强是生气从家里出来的，他来找外国朋友马丁帮忙。

【对话1】任小强：除了身上穿的，我是**一无所有**。

　　　　马　丁：你怎么能**一无所有**？从家出来为什么不带点儿钱？

【情景2】解说员在向来参观的外国客人介绍他们的县长。

【对话2】解说员：他当了十几年县长，家里除了一台12吋的电视，其他**一无所有**。

　　　　客　人：他真是又清贫又廉洁！这样**一无所有**的县长真有吗？

一心一意　yì xīn yí yì

【解释】专心专意。形容心思专一，只有一个心眼儿，没有别的念头。

　　　　Heart and soul. Describing doing something wholeheartedly without other thoughts.

【情景1】外国朋友卓娅向高强打听中国著名运动员李丹的情况。

【对话1】卓娅：听说李丹现在**一心一意**做买卖，是吗？

　　　　高强：她在**一心一意**经营她的服装公司。

【情景2】秦杰在跟外国朋友贝立聊天。

【对话2】贝立：你**一心一意**看书，什么都不做，想考什么学校？

　　　　秦杰：我**一心一意**想考北京大学中文系，将来搞文学创作。

一言一行　yì yán yì xíng

【解释】言：话。行：行动。每一句话，每一个行动。泛指人的言行。

　　　　言，word. 行，action. Every word and every action. Referring to one's words and

deeds in general.

【情景】留学生理查德对某年轻教师有些看法，觉得他说话太随便。他跟系主任谈话时提到了这事。

【对话】理查德：教师的**一言一行**都在影响着学生。

主　任：所以教师在学生面前必须注意自己的**一言一行**。

理查德：当领导的也是这样。

主　任：对，领导的**一言一行**群众看得清清楚楚。

一知半解　yì zhī bàn jiě

【解释】知：知道。解：理解。知道得不多，理解得也不透彻。

知，know. 解，understand. Have a smattering knowledge and a shallow understanding.

【情景】外方代表威廉在与厂长于江进行商务谈判。

【对话】威廉：您是厂长，对这机器的性能怎么能**一知半解**呢!

于江：我刚来不久，真的**一知半解**，让技术员给你们介绍吧。

异口同声　yì kǒu tóng shēng

【解释】不同的人说出同样的话。形容大家同时说出相同的见解和看法。

Different people say the same words. Describing that people speak with one ovice.

【情景】看完比赛后，高大勇从体育馆出来，在人群中看到了外国朋友乔治。

【对话】高大勇：嘿，乔治，你也爱看中国女排的比赛?

乔　治：是啊，我跟大家**异口同声**地给中国女排加油呢!

引人注目　yǐn rén zhù mù

【解释】引：吸引，引起。注目：注视，注意看。引起人们的注视。

引，attract, cause. 注目，watch, look at carefully. Be noticeable and spectacular.

【情景】留学生丽莎表演完汉语节目一下台遇见了中国朋友焦云。

【对话】丽莎：焦云，我的表演是不是**引人注目**?

焦云：你那火红的长筒袜格外**引人注目**!

丽莎：啊? 是袜子**引人注目**?

焦云：**引人注目**的还有你的超短裙!

犹豫不决　yóu yù bù jué

【解释】犹豫：拿不定主意。"犹豫不决"意思是拿不定主意，不能作出决定。

犹豫，hesitate. "犹豫不决" means that somebody is in two minds and couldn't make a decision.

【情景1】老师统计离校留学生名单，韩国学生金大力一时定不下来。

【对话1】老　师：金大力，你不要**犹豫不决**了。

金大力：我还在**犹豫不决**，一时定不下来。

94

【情景2】司马玉荣陪外国朋友海力去买录音机，海力挑了半天，不知买哪种好。

【对话2】玉荣：你到底要哪种，不要**犹豫不决**了。

海力：我不知哪种好，所以**犹豫不决**。

有备无患　yǒu bèi wú huàn

【解释】备：准备，防备。患：祸患，灾祸。事先有准备，就可以免除祸患。

备，prepare，prevent。患，trouble，disaster。Preparedness averts peril.

【情景1】方樱到外国朋友丽莎的住处找她，两人约好去公园玩儿。

【对话1】丽莎：带把伞吧，**有备无患**。

方樱：天阴得这么厉害，带把伞，**有备无患**。

【情景2】放假了，留学生哈比第二天要外出旅行，他向老师道别。

【对话2】老师：哈比，出去旅行要把证件带全了，**有备无患**。

哈比：好的，**有备无患**，不知什么时候就用着了。

有目共睹　yǒu mù gòng dǔ

【解释】目：眼睛。睹：看，看见。有眼睛的都能看见。形容非常明显，人人都看得见。

目，eye。睹，watch，see。Be obvious to all who have eyes. Describing something being very apparent and could be seen by all.

【情景1】中外朋友乔彬和田中谈起了中国实行改革开放以来，经济建设的情况。

【对话1】田中：中国的经济建设取得了**有目共睹**的成绩。

乔彬：这的确是**有目共睹**。

【情景2】留学生布里特学习不认真，考试成绩不好，他找到了老师。

【对话2】布里特：老师，我学习认真，**有目共睹**。

老　师：你认真不认真，的确**有目共睹**。认真，怎么没考好？

有口无心　yǒu kǒu wú xīn

【解释】嘴上随便说说，并不是有意的。多用来劝人，不要在意或不必重视。

Be sharp-tongued but not malicious. Mainly used to persuade somebody not to take something to heart.

【情景1】蒋威明听了安德烈的话后很不高兴，安德烈来劝蒋威明。

【对话1】安德烈：我是**有口无心**，你不要生气了。

蒋威明：你**有口无心**？我那样说，你生不生气？

【情景2】马丁高兴地告诉中国朋友宫云龙，某公司经理说，要他毕业后去那儿工作。

【对话2】宫云龙：我看他是**有口无心**，随便说说而已。

马　丁：我看他不像**有口无心**的样子。

95

有声有色　yǒu shēng yǒu sè

【解释】又有声音，又有色彩。形容说话或表演非常生动，十分精彩。

　　Be full of sound and colour. Describing speaking or performance very lively and splendid.

【情景】2006 班师生谈起了昨天的留学生演讲比赛，他们班日本学生田中一郎参赛了。

【对话】丽娜：昨天田中一郎讲得太好了，**有声有色**。

　　老师：他口语不错，平常说话就**有声有色**。

再接再厉　zài jiē zài lì

【解释】接：接触，交战。厉：同"砺（lì）"，磨快，引申为猛烈，奋勉。原指公鸡相斗，每次相斗前先把嘴磨锋利。后来比喻继续努力奋斗，一次比一次英勇顽强。

　　接，meet, exchange fire. 厉，is equal to "砺（lì）", whet, extented to mean act fiercely or vigorously. Primarily referring to a cock that whet its beak before fight. Later used to be lkened to somebody who struggles hard continuously and is more and more courageous than ever.

【情景1】留学生 2006 班老师公布完了考试成绩。

【对话1】老师：考得都不错，希望大家**再接再厉**，争取更好的成绩。

　　学生：我们一定**再接再厉**，努力学习。

【情景2】中国员工董为民在年终考评时成绩不错，受到了经理的表扬。

【对话2】经　理：董先生表现得很出色，希望今后**再接再厉**！

　　董为民：我一定**再接再厉**，取得更好成绩。

斩钉截铁　zhǎn dīng jié tiě

【解释】斩：砍。截：切断，割断。形容人说话办事坚决果断，毫不犹豫。褒义。

　　斩，chop. 截，cut off, sever. Describing somebody who handles affairs resolutely, without hesitation. A commendatory term.

【情景】高阳与外国朋友谢尔盖买了假货后去商场退货，回来后还在谈论这件事。

【对话】高　阳：看来经理的态度很坚决，说话**斩钉截铁**，要追查假货。

　　谢尔盖：看他那**斩钉截铁**的态度，好像他不知道有假货。

朝气蓬勃　zhāo qì péng bó

【解释】朝气：早晨的气象，比喻人富有活力，努力进取。蓬勃：旺盛的样子。形容人精神振奋，生气勃勃，积极进取。褒义。

　　朝气，morning atmosphere, likened to being full of vigor and enterprising hard. 蓬勃，appearance of vigorousness. Describing an insprising-hearted and vigorous person who enterprises actively. A commendatory term.

【情景】老师带留学生一起出去玩儿。

96

【对话】老师：我真羡慕你们**朝气蓬勃**的年轻人啊！

学生：您说我们**朝气蓬勃**，您也很有朝气，不老啊！

老师：我老了，你们青年人**朝气蓬勃**，好像早晨八九点钟的太阳嘛！

朝三暮四　zhāo sān mù sì

【解释】朝：早晨。暮：晚上。早晨三个，晚上四个。《庄子》一书中说，有个养猴子的人，他对众猴子说："早晨给三个橡子吃，晚上给四个。"猴子听了都很生气。养猴子的人又说："那么早晨给四个，晚上给三个。"这回众猴子都很高兴。这句成语原义是指聪明人善于使用手段愚弄人。后来比喻反复无常。多用于责备爱情不专一。贬义。

朝，morning. 暮，evening. Three in the morning and four in the evening. According to *Zhuangzi*, it goes as follows. Somebody who raises monkeys says to them one day："Give you three acorns in the morning and four acorns in the evening." The monkeys are angry. Then the person says again："Give you four acorns in the morning and three in the evening." The monkeys become very happy. The primary meaning of this idiom is：a clever person is good at applying means to hoax others. Later likened to being capricious. Mainly used to blame people being inconstant in love. A derogatory term.

【情景1】听说望远公司跟外国公司要搞合作，埃尔达与中国员工白兰议论这事。

【对话1】白　兰：望远公司老板**朝三暮四**，说不定明天又去跟别的公司合作了。

埃尔达：那怎么叫**朝三暮四**？人家就不能跟别人合作了！

【情景2】周林以为突尼斯朋友爱萨拉又换了个女朋友。

【对话2】周　林：你怎么**朝三暮四**的？你的女朋友有五六个了吧！

爱萨拉：我可不是**朝三暮四**的人，那些都是普通朋友。

针锋相对　zhēn fēng xiāng duì

【解释】针锋：针尖。针尖对着针尖。用来比喻在争辩或斗争中，双方的论点、策略、行动等尖锐地对立。也用来比喻针对对方的论点、策略、行动等进行反击。

针锋，pinpoint. The points of needles are opposed to each other. Used to be likened to a fight or debate in which arguments, strategies or actions of the two sides are sharply oppointed. Also used to liken to attacking the opposite in the light of its opinion, strategies or actions.

【情景】讨论会就要开始了，赵月遇见了外国朋友珍妮。

【对话】赵月：你要发言吗？你不要跟我**针锋相对**。

珍妮：你的观点不对，我就要与你**针锋相对**。

争先恐后　zhēng xiān kǒng hòu

【解释】争着走在前面，惟恐落在后头。多用来形容人的积极表现。褒义。

Strive to be the first to do something. Mainly used to describe one's active behavior.

A commendatory term.

【情景1】讨论会后，郑红遇见了外国朋友朴昌秀。

【对话1】郑　红：你们的讨论会开得怎么样？

朴昌秀：开得非常热烈，大家**争先恐后**发表自己的见解。

【情景2】张北地震后的一天，外国朋友安娜遇见了家住张北的田力。

【对话2】安娜：你们那儿情况怎么样？同学们都**争先恐后**捐款捐物。

田力：还好，各地都在捐款捐物，**争先恐后**支援我们灾区。

指手画脚　zhǐ shǒu huà jiǎo

【解释】原指说话时一边说一边作手势动作。现在多用来形容人傲慢，对别人妄加批评、指点，任意发号施令。贬义。

Primarily refering to a kind of action, talking volubly with animated gestures. Now used to describe somebody who is arrogant, and makes indiscreet remarks or critisms and issuing orders arbitrarily. A derogatory term.

【情景】留学生赛娅在练习画中国画儿，中国朋友常亮看见了。

【对话】常亮：你这个地方画得不好，那个地方颜色太浓。

赛娅：你别**指手画脚**，你画画看！

置之不理　zhì zhī bù lǐ

【解释】置：放置。放置在一边不加理睬。

置, put. Put aside and ignore.

【情景】留学生反映一些学校教学管理方面问题后的一次课堂上。

【对话】学生：领导对我们的意见怎么**置之不理**？

老师：我听说学校正在开会研究，不会**置之不理**的。

众所周知　zhòng suǒ zhōu zhī

【解释】众：众人，大家。周：都，全部。大家都知道。

众, everybody, all. 周, all, whole. As everyone knows.

【情景1】留学生瓦尔德因为缺课太多被取消了考试资格。他找到了老师。

【对话2】瓦尔德：缺课多就取消考试资格，为什么？

老　师：学校有这样的规定，是**众所周知**的。

瓦尔德：**众所周知**？我怎么不知道？

【情景2】留学生海曼骑车带人，交警批评他，他还不服。

【对话2】海曼：我怎么错了？骑车为什么不能带人？

交警：**众所周知**，这是中国交通法规规定的。

海曼：**众所周知**？我可不知道。

诸如此类　zhū rú cǐ lèi

【解释】诸：众，多。如：像。此：这。类：类似。很多与此相类似的。多用来说所举的例子不止一个，还有很多。

诸, all, many. 如, like. 此, this. 类, seem. Things like that. Mainly used to refer to a lot of other examples besides a given one.

【情景1】课堂上，留学生在结合本国交通情况谈北京的交通问题。

【对话1】老师：北京司机违规严重，像无证驾驶、酒后开车，**诸如此类**，很多。
　　　　学生：**诸如此类**的问题我们国家也有。

【情景2】厂长与留学生座谈，介绍情况。

【对话2】厂长：以前工人迟到、早退、上班干私活，**诸如此类**问题，屡禁不止。
　　　　学生：**诸如此类**的问题现在解决了吗？

助人为乐　zhù rén wéi lè

【解释】把帮助别人当作快乐的事。常用来称赞人。褒义。

Take pleasure in helping others. Usually used to praise others. A commendatory term.

【情景】德国游客狄佩旅游途中病了，姚进把他送到了医院，并帮他办了各种手续。

【对话】狄佩：谢谢你帮了我的大忙，你真是**助人为乐**。
　　　姚进：别客气，谁都有遇到困难的时候，你也会**助人为乐**的。

自高自大　zì gāo zì dà

【解释】自以为了不起，骄傲自满，看不起人。贬义。

Be self-important and arrogant. A derogatory term.

【情景】留学生佩尼考了个全班最高分，他显得看不起别人，中国朋友批评了他。

【对话】朋友：你成绩好也不能**自高自大**！
　　　佩尼：我怎么**自高自大**了？
　　　朋友：从你的话里听出来了，你这个人就是好**自高自大**！
　　　佩尼：好，好，我以后说话注意点儿，免得人家说我**自高自大**。
　　　朋友：一个人如果**自高自大**，看不起别人，就会被别人看不起。

自力更生　zì lì gēng shēng

【解释】自力：自己的力量。更生：重新获得生命，比喻重新振兴起来。依靠自己的力量使事业兴旺发达起来。多用来鼓励人不靠别人，自己努力把事情办好。

自力, oneself. 更生, acquire life again, likened to springing up again. Making causes thrive through one's own efforts. Mainly used to encourage someone to do something better independently.

【情景】贝立随同中国朋友到一个受灾农村访问。

【对话】村长：各地都在支援我们，但我们还要**自力更生**。

贝立：这次水灾造成的损失很大，我很敬佩你们**自力更生**的精神。

自始至终 zì shǐ zhì zhōng

【解释】自：从。至：到。从开始到结束。多用来说情况一直不变，一贯如此。

自，from. 至，to. From beginning to end. Mainly used to refer to something that hasn't changed ever since.

【情景1】两个公司在进行商务谈判，田中经理给中国员工王先生打电话问情况。

【对话1】田　中：你要**自始至终**坚持原则，不能让步。现在怎么样了？

王先生：我**自始至终**坚持原则，现在正谈价格问题。

【情景2】冯敏在路上遇见了外国朋友克拉。

【对话2】冯敏：克拉，你感冒得很厉害，好些吗？

克拉：病了十多天，不过**自始至终**都没有发烧。

自私自利 zì sī zì lì

【解释】只考虑自己的利益，不考虑别人的利益。多用来说人私心重。贬义。

Consider only one's own interests regardless of others'. Mainly used to refer to a selfish person. A derogatory term.

【情景】宋小丽说她跟妈妈吵架了，外国朋友苏珊娜劝她。

【对话】苏珊娜：小丽，怎么会跟妈妈生气？

宋小丽：妈妈说我**自私自利**!

苏珊娜：那么你是不是**自私自利**?

宋小丽：我一点也不**自私自利**。

自相矛盾   zì xiāng máo dùn

【解释】矛盾：古代的两种武器。矛，长矛，是用来进攻的；盾，盾牌，是用来防御的。《韩非子》一书中说，有个卖矛和盾的人，说他的盾非常坚固，任何东西都不能刺穿；他又说他的矛非常锋利，任何东西都能刺穿。有人问他："用你的矛刺你的盾，会怎么样呢？"那个人回答不出来。后来就用"自相矛盾"比喻自己说话或做事前后不一致，互相抵触。贬义。

矛盾，two kinds of ancient weapons. 矛, spear, lance; 盾, shield, used for defence. According to *Hanfeizi*, it goes as follows. One man who sells lances and shields says that his shields are very solid and can defence anything, then says that his lances are piercing and can penetrate anything. Another man asks: "what will be the result if you use one of your lances to penetrate one of your shields?" The seller couldn't answer. Later "自相矛盾" is used to be likened to contradictory words or actions. A derogatory term.

【情景】某公司经理田中让中国员工石梅写一份新产品介绍材料。

【对话】田中：写材料用语要恰当，不要**自相矛盾**。

石梅：好，我先写一份草稿，您再看看有没有**自相矛盾**的地方。

座无虚席   zuò wú xū xí

【解释】座：座位。虚：空。席：席位，座位。座位没有空着的。形容人很多，座位上坐满了人。

座, seat. 虚, empty. 席, seat, pew. All seats are occupied. Describing the situation there being a lot of people and having no vacant seats.

【情景】老师向留学生询问他们听讲座的情况。

【对话】老师：听讲座的人多吗？是**座无虚席**吗？

麦克：多极了，我去听过三次，每次都**座无虚席**。

俗　　语

矮子里选将军　ǎizi li xuǎn jiāngjūn

【解释】矮子：身材矮小的人。从矮子里边选出将军来。比喻从普通的、甚至次的里边选出好的。说自己时表示谦虚；说别人时有看不起的意味儿。也说"矬子里拔将军"，"矬子"同"矮子"。

矮子，dwarf. Pick a general from among the dwarfs. Likened to choosing the best person available. Expressing modesty when used to refer to oneself, but expresses looking down upon somebody when used to refer to him or her. Also spoken as "矬子里拔将军".

【情景1】桂松听说日本朋友田中参加了高尔夫球比赛，称赞他了不起。

【对话1】桂松：田中先生，好棒啊，能代表公司去比赛！

田中：棒什么，我这是**矮子里选将军**。

【情景2】留学生巴克立的一篇作文得了奖。

【对话2】老　师：我们班这次作文写得都不太好，只有巴克立获了奖。

巴克立：我是**矬子里拔将军**了。

八字没一撇　bā zì méi yì piě

【解释】"八"字还没写完一撇。比喻事情刚刚开始，还没有眉目。

Not even the first stroke of the character 八 is in sight. Likened to something just beginning and there isn't the slightest sign of success yet.

【情景1】邓利成很关心中国朋友宋常义开电器修理部的事，又问他情况。

【对话1】邓利成：你说要自己开个电器修理部，准备得怎么样了？

宋常义：**八字还没一撇**呢，我刚申请下来执照。

【情景2】常胜去看外国朋友约翰。

【对话2】常胜：听说你找了个女朋友，能带来看看吗？

约翰：**八字没一撇**的事，只见了一次面，还不知人家姑娘的意见呢。

百闻不如一见　bǎi wén bù rú yí jiàn

【解释】听人说上一百次也不如亲眼看一次。强调亲眼看到了才更信服或印象深。

It is better to see once than hear a hundred times. Emphasizing that what one sees by oneself is more convincible and impressive.

【情景1】巴西留学生木威游览长城回来，遇见了中国朋友刘力。

【对话1】刘力：你觉得长城怎么样？

102

木威：太雄伟了，真是**百闻不如一见**啊！

【情景2】刚来到中国的艾迪先生与中国朋友何丰一起出去办事。

【对话2】何丰：北京街上的自行车真多。

艾迪：早听说北京是自行车王国，真是**百闻不如一见**。

饱汉不知饿汉饥　bǎo hàn bù zhī è hàn jī

【解释】吃饱饭的人不知道挨饿的人饿得难受。比喻得到满足的人体会不到没得到满足的人是什么心情。多用来责怪或抱怨人不关心别人的疾苦。

The well-fed doesn't understand how the starving suffers. Likened to that the satisfied doesn't experience the mood of the unsatisfied. Mainly used to blame or complain about somebody who doesn't take care of others'sufferings.

【情景1】卡罗琳跟中国朋友方兰谈论考试复习的事。

【对话1】方　兰：老师说考试前要领我们复习两次，用得着吗？

卡罗琳：你真**饱汉不知饿汉饥**。我是外国人，当然用得着了！

【情景2】劳可兰跟中国员工马梅说起了班车的事。

【对话2】劳可兰：咱们这大厦，出租车有的是，开什么班车！

马　梅：你别**饱汉不知饿汉饥**，你自己有车，谁有钱天天上下班坐出租车！

背着抱着一般沉　bēizhe bàozhe yìbān chén

【解释】背着东西和抱着东西都是相同的重量。比喻做法不同，实质一样。多用来说采取不同方式、手段，但负担一样，不必计较。

The weight is the same whether you carry on your back or hold it in your arm. Likened to that the essence is the same even if the ways of doing are different. Mainly used to refer to that the burden is the same even if you take different measures, and so you needn't mind.

【情景1】老师告诉留学生每年增加二百美元学费，为语言实习活动用。

【对话1】老师：这样组织语言实习活动就不用再交费了。

学生：行啊，反正**背着抱着一般沉**。

【情景2】秘书沈小姐问沃尔特经理如何纳税。

【对话2】沈小姐：可以按月交，也可以按年交，都是收入的5%。

沃尔特：反正**背着抱着一般沉**，按年交吧。

比上不足，比下有余　bǐ shàng bù zú, bǐ xià yǒu yú

【解释】跟上等的比，不如人家；跟下等的比，比人家强。说明虽不算太好，也不算坏，处于中间状态，可以满足。

Fall short of the best but better than the worst. Indicating that someone should be satisfactory if he or she is in the middle state, neither too good nor too bad.

【情景1】蒙哥利的中国妻子小雅是个知道满足的人，他反对丈夫拼命挣钱。

【对话1】丈夫：咱们的生活还不算太富裕，还没多少积蓄，我得多工作。

妻子：咱们**比上不足，比下有余**呀，你不要拼命了。

【情景2】中国员工谷忠与布拉维谈论交易会的成交情况。

【对话2】布拉维：咱们公司谈成了几笔生意？

谷　忠：签了合同的有三笔，有两笔还在谈。

布拉维：不错，**比上不足，比下有余**。

冰冻三尺，非一日之寒　bīng dòng sān chǐ, fēi yí rì zhī hán

【解释】三尺厚的冰，不是一天寒冷冻成的。比喻事物的形成和发展总有个过程，不会是偶然的。多用来说矛盾的形成，也说成绩的取得。

It takes more than one cold day for the river to freeze three feet deep. Likened to that the thing has been brewing for quite some time, not accidental. Mainly used to refer to the formation of contradictory or achievement.

【情景】铃木先生与夫人发生了争吵，还说要离婚，中国朋友白云松劝他。

【对话】白云松：为一点小事吵得这么厉害，不值得。

铃　木：我们多年存在矛盾，用中国一句俗话说就是**冰冻三尺，非一日之寒**啊！

病从口入，祸从口出　bìng cóng kǒu rù, huò cóng kǒu chū

【解释】疾病常因为不注意饮食卫生而发生，灾祸多因为说话不谨慎而引起。常用来提醒人注意饮食卫生或劝人说话注意。

Illness usually finds its way in by the unhealthy food and drink, and disaster usually finds its way in by the incautious words. Often used to remind others of the hygiene of food and drink or persuade them to talk cautiously.

【情景1】爱德华与中国朋友项涛谈论街头小吃。

【对话1】爱德华：项涛，你吃过街头小吃吗？

项　涛：没有。我看街头小吃不太卫生，我不敢随便吃。

爱德华：我听过中国一句俗话**病从口入，祸从口出**，我看还是不吃好。

【情景2】乌克兰学生孟布不理解崔可宁为什么那么不顺利，他问中国朋友徐明。

【对话2】孟布：崔可宁怎么遇到那么多麻烦，事事不顺利？

徐明：他爱乱说。中国有句俗话**病从口入，祸从口出**。他得罪人了。

病急乱投医　bìng jí luàn tóu yī

【解释】病势沉重危急，往往到处求医问药。也比喻情况紧急，没有顾忌，到处求人想办法、帮忙。

Turn to any doctor one can find when critically ill. Also likened to turn to anyone one can find without scruple when in a desperate situation.

【情景1】中国员工秦朗向日本朋友古川先生推荐一位医生。

【对话1】秦朗：通县有位老中医，治疗腰腿疼病效果不错。

古川：**病急乱投医**，那就请他来看看。

【情景2】中国员工汤全问中岛经理，向哪家银行贷款好。

【对话2】汤全：我们向哪家银行贷款？

中岛：现在是**病急乱投医**，哪家都行。

不怕不识货，就怕货比货　bú pà bù shí huò, jiù pà huò bǐ huò

【解释】识货：能鉴别（jiànbié）货物好坏。不怕不能鉴别货物好坏，只要把货物放到一块儿比较一下，就能分辨出好坏了。比喻一经比较就能看出人或物的高低优劣。多用来说东西差别大。

识货，know all about the goods. Be not afraid of the incapability of discriminating the goods, if all the goods are put together, good and bad ones can be discriminated. Likened to that one can see the advantages and disadvantages of somebody or something through comparing. Mainly used to indicate the wide difference.

【情景1】李大牛在向外国客人贝代古推销丝绸。

【对话1】李大牛：你看这丝绸，质地柔软，颜色鲜艳，这是地道的杭州丝绸。

贝代古：是啊，**不怕不识货，就怕货比货**，一比就看出不同了。

【情景2】肖生与外国朋友在买葡萄酒。

【对话2】肖生：真是**不怕不识货，就怕货比货**，这两种酒就是不一样。

朋友：可不是。我也记住这句话了，**不怕不识货，就怕货比货**啊！

不撞南墙不回头　bú zhuàng nán qiáng bù huí tóu

【解释】撞南墙：撞到南边墙上，这里比喻受挫折。回头：指悔悟。不撞到南墙上就不知道回过头来。比喻不受挫折不知道悔悟。多用来说人固执，不听劝告。

撞南墙，run into the south wall, here referring to meeting frustration. 回头，refers to being repentant. Would not repent if not bump against the south wall. Likened to someone who does not repent until he or she meets frustration. Mainly used to refer to someone who is stubborn and doesn't follow others' advices.

【情景】齐雷与外国朋友阿加劝赵立不要去找经理，赵立不听。

【对话】齐雷：这个赵立呀，我们劝了半天，一点儿都听不进去。

阿加：他是**不撞南墙不回头**，让他找去！

赵立：我这个人就这么个性格，**不撞南墙不回头**！

不打不成交　bù dǎ bù chéng jiāo

【解释】不打架，不发生矛盾冲突，就不会有交情而成为朋友。常在个人、单位部门因产生过矛盾反而成为朋友时说。

From an exchange of fights and conflicts friendship grows. Usually used to refer to this kind of situation in which individuals or departments that have had contradictories becomes friends eventually.

【情景1】中外员工崔宏和朴映善谈起了 M、N 两个工厂合作的事。

【对话1】崔　宏：这两个厂曾经为进口机床的事争来吵去，闹了半年多。

朴映善：**不打不成交**啊！现在两厂竞成了合作伙伴。

【情景2】郭秋问日本朋友下田先生跟他的中国夫人是怎么认识的。

【对话2】郭秋：我知道你们都在语言大学学习过，有人介绍吗？

下田：没人介绍，我们是**不打不成交**。

郭秋：你们打过架？

下田：一次，我们骑车撞在了一起，后来就交上了朋友。

不能吊死在一棵树上　bù néng diàosǐ zài yì kē shù shang

【解释】吊：上吊，一种用绳子套住脖子自杀的办法。不能只靠一棵大树而吊死自己。比喻不能被一种行不通的办法难倒，还要想别的办法，找别的门路。

吊，hang oneself, a kind of suicide by putting a rope a round one's neck. One can't hang by the neck in one tree. Likened to that one can't be daunted by one impracticable measure, and he or she should try other means and find other ways.

【情景1】黄成与外国朋友乔治谈他的生意。

【对话1】黄成：最近生意不太好，上个月基本没赚钱。

乔治：不赚钱就经营点儿别的，不能**吊死在一棵树上**。

【情景2】苏里问中国朋友杨庆调动工作的事。

【对话2】苏里：你再找找别人，不能**吊死**在他这**一棵树上**。

杨庆：处长答应给我帮忙，反正我不能**吊死在一棵树上**。

常说口里顺，常做手不笨　cháng shuō kǒu li shùn, cháng zuò shǒu bú bèn

【解释】口里顺：顺口，说话流畅。经常说，就说顺口了，经常做，手就灵巧。用来强调要多干多练。

口里顺, say smoothly. The more words one says, the more smoothly one says. The more things one does, the more dexterous one's hands are. Used to emphasize that more doings and exercises are necessary.

【情景1】日本角田先生总嫌自己的汉语说得不好，中国朋友郑方经常鼓励他。

【对话1】郑方：角田先生，你的汉语不错啊！

角田：我说得太慢，不流利。

郑方：俗话说**常说口里顺，常做手不笨**。你得经常练说呀！

【情景2】范小玲见外国朋友詹妮在织毛衣。

【对话2】范小玲：詹妮，你也会织毛衣？

詹妮：刚学会。俗话说**常说口里顺，常做手不笨**。我还得多练习。

常在河边站，哪能不湿鞋　cháng zài hé biān zhàn, nǎ néng bù shī xié

【解释】经常在河边站着，哪能不弄湿鞋呢？比喻经常处在某种环境中，难免受到它的影响。多指沾染上坏习气、坏作风等。也说"久在河边站，哪有不湿鞋的"。

Often standing beside a river, how can one keep his or her shoes dry? Likened to the phenomenon that one can't avoid the influnce coming from the circumstance one is in? Mainly used to refer to someone tainting with bad habit, style, etc. Also spoken as "久在河边站，哪有不湿鞋的".

【情景1】边瑜跟外国朋友巴拉坦谈起了李红爸爸犯经济错误的事。

【对话1】边　瑜：听说他爸爸干了几十年会计，净跟钱打交道了。

　　　　巴拉坦：唉，**常在河边站，哪能不湿鞋**？

【情景2】小崔看完电视就与外国朋友议论起来了。

【对话2】小崔：王文义真是一位模范警察，人送礼他不要，送钱他不收。

　　　　朋友：人说**久在河边站，哪有不湿鞋的**，他就是不湿鞋！

车到山前必有路　chē dào shān qián bì yǒu lù

【解释】车子走到山脚下，肯定会找到路继续往前走。比喻事到临近，总会有办法解决的。常用来表示对前景有一种信心；有时带有一种消极等待情绪。

The cart will find its way around the hill when it gets there. Likened to that things will eventually sort themselves out. Usually used to refer to people being sure of the future. Sometimes the saying may be used with a bitter passive motion of waiting.

【情景1】中国员工殷明与外国朋友蒂普聊起了上高中三年级的儿子。

【对话1】殷明：我那儿子成绩一直不太好，你说，考不上大学怎么办？

　　　　蒂普：甭着那急，**车到山前必有路**！

【情景2】老师听说马尔克是本科学生，可他只选了18学时的课。

【对话2】老　师：马尔克，本科生选课不足20学时不能升三年级，你知道吗？

　　　　马尔克：知道。**车到山前必有路**！

撑死胆大的，饿死胆小的　chēng sǐ dǎn dà de, è sǐ dǎn xiǎo de

【解释】胆子大的人什么都敢干，就能捞到好处；胆子小的老实人无法得到好处。多用来指法纪混乱，不本分的人胆大妄为，获利发财。也用来鼓励人大胆干。

A person can gain profits if he or she is audacious while a timid person can't gain any profits. Mainly used to refer to that there are always loopholes in the law and discipline, and an audacious person can often gain profits from it. Also used to encourage others to do something courageously.

【情景】外国朋友费立民与中国朋友金裕合作开公司，他老嫌金裕胆子小。

【对话】费立民：怕这怕那怎么行！俗话说**撑死胆大的，饿死胆小的**！

107

金　裕：你总说**撑死胆大的，饿死胆小的**，可咱们不能干违法的事啊!

成事不足，败事有余　chéng shì bù zú, bài shì yǒu yú

【解释】不能把事情办好，只能把事情搞槽。常用来责怪人、埋怨人。

Unable to accomplish anything but liable to spoil everything. Usually used to blame or complain about somebody.

【情景1】长谷川跟中国朋友林颖都怪小周过早把没有把握的事说出去了。

【对话1】林　颖：我嘱咐小周多少遍，他到底说出去了。

长谷川：这小周，真是**成事不足，败事有余**!

【情景2】日本公司经理让中国员工石力去办一件事。

【对话2】经理：石先生，这件事就交给你去办吧。

石力：让我去办您放心吗? 办不好，你不骂我**成事不足，败事有余**?

经理：办好了，我就不骂你**成事不足，败事有余**了。

吃不了，兜着走　chī bu liǎo, dōuzhe zǒu

【解释】东西吃不了，剩下的就放在衣襟（ jīn ）里兜着带走。比喻惹出了事或造成了不良后果必须承受。常用来警告甚至威胁人做事考虑后果。

Take away the remains that one haven't eaten by putting them in clothes. Likened to undertaking the trouble that one has caused. Usually used to advise, even bully somebody to act cautiously. Also used to remind somebody of practicing strict economy and taking away the remains that one haven't eaten.

【情景】老板向外国员工米莱娜小姐强调，值班时间不能离开，不能去逛街。

【对话】米莱娜：老板，我去街上，不过想买点东西。

老　板：干什么都不行! 不能离开，出了事，你**吃不了，兜着走**!

吃人家的嘴软，拿人家的手短　chī rénjiā de zuǐ ruǎn, ná rénjiā de shǒu duǎn

【解释】吃了人家的东西，收了人家的礼物，遇事往往不能坚持原则，不得不祖护人家。多用来劝人不要吃拿人家东西，特别是领导干部。

Those who eat others' food and accept others' gift usually can't insist on principles and have to be partial to them. Mainly used to persuade somebody, especially leaders, not to eat or accept others' presents.

【情景1】阿姨告诉日本夫人，有人来送礼了。

【对话1】阿姨：上午来了一位客人，还拿来两瓶茅台酒要放在这儿，我没敢收。

夫人：不能收，先生是经理，**吃人家的嘴软，拿人家的手短**。

【情景2】段雨跟外国朋友说起了齐处长的事。

【对话2】段雨：齐处长这件事处理得不公平，他有意偏向老朱。

朋友：老朱请他吃了几次饭，他是**吃人家的嘴软，拿人家的手短**!

吃水不忘打井人　chī shuǐ bú wàng dǎ jǐng rén

【解释】比喻不忘本。多用来表示对有恩于己的人不忘记。

　　Do not forget those who dug the well when drinking the water from it. Likened to not forgetting one's class origin. Mainly used to express the feeling of not forgetting those that bestow favours to one.

【情景】路娜跟中国朋友贾梅谈毕业以后想做什么工作。

【对话】路娜：贾梅，你毕业后准备做什么工作？

　　　　贾梅：我要回山区做教师，教家乡穷孩子文化知识。

　　　　路娜：做教师为什么要回家乡？

　　　　贾梅：我上学花的都是家乡父老的血汗钱，**吃水不忘打井人**啊！

吃一堑，长一智　chī yí qiàn，zhǎng yí zhì

【解释】吃：遭受。堑：水沟，比喻挫折。受一次挫折，增长一分见识。多在遭受失败、挫折以后总结教训时说。

　　吃，suffer. 堑，ditch, likened to frustration. A fall into the pit, a gain in your wit. Mainly used when summarizing lessons after frustration.

【情景1】黑泽告诉中国朋友宋玉，他去海南岛旅行，护照和钱包一起丢了。

【对话1】宋玉：你怎么能把证件跟钱放在一块儿呢？

　　　　黑泽：**吃一堑，长一智**，我下次一定注意。

【情景2】中国员工林然与柯雷姆谈托运蜜橘的事。

【对话2】林　然：上次包装不行，加上通风条件差，蜜橘烂了几十箱。

　　　　柯雷姆：**吃一堑，长一智**！这次得特别注意包装材料的透气性。

重打锣鼓另开张　chóng dǎ luó gǔ lìng kāi zhāng

【解释】比喻重新开始，另作打算。常用来劝人不要怕失败，振作精神，从头做起。

　　Likened to starting again and having another plan. Usually used to persuade somebody to raise spirit, forget the failure and start from the beginning.

【情景1】徐民告诉外国朋友宋提，他们的小厂由于连年亏损，被某厂兼并了。

【对话1】宋提：兼并了也好，从今以后，鼓足劲儿，**重打锣鼓另开张**！

　　　　徐民：好，振作起来，**重打锣鼓另开张**！

【情景2】家住农村的何顺告诉外国朋友乍都兰，他家的鱼塘被一场暴雨全冲垮了。

【对话2】乍都兰：你得帮家里想想办法，**重打锣鼓另开张**！

　　　　何　顺：我鼓励他们别灰心，叫他们**重打锣鼓另开张**！

丑媳妇总得见公婆　chǒu xífu zǒng děi jiàn gōng pó

【解释】丑：模样难看。媳妇长得难看也要跟公公婆婆见面。比喻无论如何，总要与人见面，让人知道；也比喻怕见人也得见。说别人时是开玩笑。

丑，ugly-looking. An ugly daughter-in-law will have to face her parents-in-law sooner or later. Likened to that something must be showed to others in spite of its faults and short-comings. Also likened to being afraid of being seen by others. It is used as a joke when addressing the others.

【情景1】邢洁遇见了日本朋友井上。

【对话1】邢洁：井上，你女朋友从日本来了，怎么不让我们看看？

井上：明天请你吃饭就看到了，**丑媳妇总得见公婆**呀!

【情景2】尹芳与外国朋友阿利谈一个设计。

【对话2】尹芳：那个设计搞出来了吧？

阿利：搞是搞出来了，只是不太好。不过**丑媳妇总得见公婆**。

尹芳：明天拿出来让大家提提意见。

初生牛犊不怕虎　chū shēng niúdú bú pà hǔ

【解释】刚出生的小牛不知害怕老虎。比喻年轻人敢想敢干，什么都不怕。也比喻缺少经验，不知危险，做事鲁莽。多用来称赞人大胆敢干，有时有贬义，说人狂妄，不自量力。

Newborn calves aren't afraid of tigers. Liken to that young people are fearless. Also liken to young people acting rashly because of lack of experience, and being unaware of danger. Mainly used to praise one's courage. Sometimes referring to one's wild arrogance and overrating his or her own abilities, with derogatory meaning.

【情景1】中外两位经理王先生和柳冈先生谈起了公司员工。

【对话1】王经理：几位年轻员工有一股**初生牛犊不怕虎**的劲儿，敢想敢干。

柳　冈：他们是**初生牛犊不怕虎**，但对困难估计不足，会失败的。

【情景2】胡平与外国朋友艾伦议论起了刚到公司来的硕士生王卫。

【对话2】胡平：王卫真是**初生牛犊不怕虎**，连经理也顶撞。

艾伦：他**初生牛犊不怕虎**，容易吃亏啊。

春捂秋冻　chūn wǔ qiū dòng

【解释】春天要捂，不要过早脱掉冬装；秋天要冻，不要早早穿上冬装。这样能适应天气变化，对健康有好处。

In spring, don't take off winter clothes too early; in autumn, don't put on winter clothes too early. By doing so, one can adapt oneself to the changes of climate and keep healthy.

【情景1】孙秀娥见外国朋友高田穿得太多，觉得奇怪。

【对话1】孙秀娥：高田，你不热吗，还穿厚毛衣？

高　田：春天热一点儿好，你没听过**春捂秋冻**这句俗话吗？

【情景2】佟君与泰国朋友黄爱南在外面散步。

【对话2】黄爱南：北京秋天很凉，你还穿这件薄衣服，真要**春捂秋冻**啊！

佟　君：秋天少穿点儿好，中国俗语**春捂秋冻**，就是这个意思。

此地无银三百两　cǐ dì wú yín sānbǎi liǎng

【解释】这儿没有三百两银子。民间故事说，有个人在地里埋了三百两银子，怕被人偷走，就在地上立了一个牌子，上面写着：此地无银三百两。邻居王二看到牌子上的字以后，就把银子偷走了，也在牌子上写了几个字：隔壁王二不曾偷。结果被人知道了。比喻本来要隐瞒掩盖，结果反而更加暴露了。

No three hundred taels silver buried here. A folktale goes as follows, A man buried three hundred taels silver and was afraid of being stolen, so he set up a plate that wrote "No three hundred taels silver buried here". His neighbour saw it, stole the silver and wrote on the plate: "No stealing by the neighbour Wang Er." The stealer was found. Liken to a guilty person who gives himself or herself away by conspicuously protesting his or her innocence.

【情景1】韩国同学李玉英跟中国朋友林荣说她的信被人拆开的事。

【对话1】李玉英：她今天特意跟我说没看我的信，这不是**此地无银三百两**吗？

林　荣：真是**此地无银三百两**！把信拆开了，怎能不看？

【情景2】外国员工崔贞淑想去跟人说说，那件事不是他们干的，被大家拦住了。

【对话2】经　理：崔小姐，人家又没直接问咱们，你去解释不是**此地无银三百两**吗！

崔贞淑：我去澄清是非，这怎么叫**此地无银三百两**呢！

聪明一世，糊涂一时　cōngmíng yí shì, hútu yì shí

【解释】聪明了一辈子，却一时糊涂了。是说聪明人也有一时糊涂做错事的时候。常用来怪人办了不该办的事。

Clever all one's life but stupid this once. This adage says that even a clever person may do something stupidly. Usually used to blame somebody for doing something unnecessarily.

【情景1】下平夫人在街头算命花了好多钱，回来跟阿姨说这事。

【对话1】夫人：我从来不信算命的，今天上了当，真是**聪明一世，糊涂一时**！

阿姨：算命是骗人！您真是**聪明一世，糊涂一时**啊！

【情景2】中外员工在议论公司经理被骗的事。

【对话2】马特：经理真是**聪明一世，糊涂一时**，怎么让小姑娘骗了？

张力：这不是**聪明一世，糊涂一时**！那人就不正派！

打是亲，骂是爱　dǎ shì qīn, mà shì ài

【解释】打他，骂他，是因为亲他，爱他。多用来说批评、责备、打骂人，是对他关心爱护，不能埋怨。

Beat is affection and scold is love. Mainly used to explain that criticism, accusation or even beat is a love for somebody, not something to be complained.

111

【情景】克拉克跟中国朋友金锁聊起了父母打骂孩子的事。

【对话】金　锁：**打是亲，骂是爱**。我能理解父母的心。

　　　　克拉克：确实**打是亲，骂是爱**。谁不希望自己的孩子成材！

打肿脸充胖子　dǎ zhǒng liǎn chōng pàngzi

【解释】充：冒充，充当。把脸打肿了充当胖子。比喻故意装出有本事、有实力的样子。多用来埋怨人爱面子、讲排场，不考虑自己的实力。含贬义。

充，imitate. Slap one's face until it is swollen in an effort to look imposing. Likened to people putting on an appearance of having faculty and power. Mainly used to complain about somebody who concerns about face-saving and going in for ostentation regardless of real abilities.

【情景1】郑浩与外国朋友赵永说起了朋友结婚大操大办的事。

【对话1】郑浩：他**打肿脸充胖子**，花了一万多元，租喜车、请人摄像。

　　　　赵永：为了排场，**打肿脸充胖子**，不值得。

【情景2】杨军请外国朋友斑石一起去饭店吃饭。

【对话2】斑石：请我吃饭？你学费都交不上，别**打肿脸充胖子**了！

　　　　杨军：我打工赚了点儿钱，不是**打肿脸充胖子**。

大事化小，小事化了　dà shì huà xiǎo, xiǎo shì huà liǎo

【解释】把大事变成小事，把小事变成没事。比喻缩小矛盾，消除矛盾，或对错误、问题不加追究。多用来说人处理问题时回避矛盾，含贬义；也用来调解矛盾，劝人不必太认真。

Turn big problems into small ones and small ones into no problem at all. Likened to reducing and eliminating contradictions or not investigating errors and problems. Mainly used to refer to avoid contradictions while dealing with problems, with derogatory meaning. Also used to resolve contradictions and persuade somebody not being very serious.

【情景】早川先生当着中国朋友鲁原的面责怪他的经理。

【对话】早川：我们经理最能当好人，**大事化小，小事化了**。

　　　　鲁原：你们经理是怎样**大事化小，小事化了**的？

当一天和尚撞一天钟　dāng yì tiān héshang zhuàng yì tiān zhōng

【解释】只要当一天和尚，就敲一天钟。比喻做事不认真，马马虎虎，过一天算一天。含贬义。

Go on tolling the bell as long as one is a Buddhist monk. Likened to somebody not doing things seriously and carefully, taking a passive attitude towards one's work. A derogatory expression.

【情景】留学生安富跟临时工小吴谈了起来。

【对话】安富：小吴，你有什么打算？不能**当一天和尚撞一天钟**。

小吴：打算？人家要我就干，不要我就走，只好**当一天和尚撞一天钟**。

当着真人不说假话　dāngzhe zhēnrén bù shuō jiǎ huà

【解释】当：面对着。真人：道教所说的修行得道的人。比喻在内行或知情人面前不说谎。
　　　　用来表明说的是实话。也说"真人面前不说假话"。

　　　　当，face to face. 真人，person who obtain Tao through practising Taoism. Likened
　　　　to not telling a lie before an expert or an insider. Used to show that one's words are real.
　　　　Also spoken as "真人面前不说假话".

【情景1】施德见到了做买卖的中国朋友乔山，两人谈了起来。

【对话1】施德：乔山，**当着真人不说假话**，这一趟买卖赚不少吧？

　　　　乔山：我是**真人面前不说假话**，赚了三四千元吧。

【情景2】万佳让中国朋友李凌看她的一篇文章。

【对话2】李凌：这篇文章是你自己写的？

　　　　万佳：**真人面前不说假话**，一位中国朋友都我修改了。

端谁的碗，服谁的管　duān shuí de wǎn, fú shuí de guǎn

【解释】给谁干活，拿谁的工钱，就得服从谁的领导，听谁的话。

　　　　Whoever you are working for and takes money from, you should obey them and follow
　　　　their orders.

【情景1】包云觉得外国朋友水田老板对小汤的工作时间安排得不太合适。

【对话1】包云：老板，你这样安排小汤的工作时间，不太合适吧？

老板：他在我这里干，**端谁的碗，服谁的管**，有什么不合适的！

【情景2】丘兰去看在中国某饭店打工的外国朋友马素贞，见老板正在训斥别人。

【对话2】丘 兰：你们老板真爱训人，你们听他的？

马素贞：**端谁的碗，服谁的管**，怎能不听？

多个朋友多条路 duō gè péngyou duō tiáo lù

【解释】多交一个朋友就多一条出路。说明多交朋友有好处。

The more friends, the more way out. Indicating it is good to make more friends.

【情景】阿卜杜拉在中国学习汉语，也交了不少朋友，他跟老师说这事。

【对话】阿卜杜拉：我的朋友有中国的，也有别的国家的。俗话说**多个朋友多条路**。

老 师：是啊，**多个朋友多条路**。多交些朋友好啊！

多一事不如少一事 duō yí shì bù rú shǎo yí shì

【解释】多做或多管一件事，不如少做或少管一件事，可以少一些麻烦。多用来说人办事不负责，怕麻烦。也表示自己不爱管或不该管闲事。

To do or interfere more things isn't better than to do or interfere less things. Mainly used to describe somebody who works irresponsibly and fears troubles. Also used to show that one dislikes interfering or shouldn't manage others' business.

【情景1】陈利见外国朋友金钟元在学生宿舍使用电炉。

【对话1】陈 利：你们用电炉，楼里师傅不知道吗？怎么不管？

金钟元：唉，**多一事不如少一事**。谁管？

【情景2】留学生金明冬说他有些问题，要向学校反映，中国朋友阿雨阻止他。

【对话2】阿 雨：反映什么，**多一事不如少一事**。

金明冬：你也有**多一事不如少一事**的想法？不反映总改不了。

二虎相斗，必有一伤 èr hǔ xiāng dòu, bì yǒu yì shāng

【解释】两只老虎打架，必然有一只受伤。比喻争斗双方必然有一方失败、受损失。多用于调整矛盾。也用于坐视旁观，从中取利。也说"两虎相斗，必有一伤"。

There must be a wounded tiger if two tigers fight with each other. Likened to that there must be a wounded if two opponents fight with each other. Mainly used to refer to resolving conflicts. Also used to refer to people looking on with folded arms and gain profits.

【情景1】M、N两个公司发生了矛盾，高局长找到M公司董事长库玛进行和解。

【对话1】高局长：我们本来是合作伙伴，如今**二虎相斗，必有一伤**，对谁都不利。

库 玛：**二虎相斗，必有一伤**，这我懂，但总不能让我们受损失吧。

【情景2】孙津与外国朋友克拉贝一起看摔跤比赛。

【对话2】克拉贝：两位都是摔跤高手，今天**两虎相斗，必有一伤**。

114

孙　津：是啊，**两虎相斗，必有一伤**。看看他们谁赢谁输。

饭来张口，衣来伸手　fàn lái zhāng kǒu, yī lái shēn shǒu

【解释】饭拿来了就张嘴吃，衣服送来了就伸手穿。形容人什么家务事都不干，生活上完全依靠别人。含贬义。

Have only to open one's mouth to be fed and hold out one's hands to be dressed. Describing somebody leading an easy life, with everything provided. A derogatory term.

【情景】老师跟留学生们聊天。

【对话】老　师：日本和韩国男人是不是都不干家务，在家里**饭来张口，衣来伸手**？

清　水：如今日本男人很少有**饭来张口，衣来伸手**的，一般都干点儿家务活。

朴炫珠：韩国男人**饭来张口，衣来伸手**的也不多了。

防君子不防小人　fáng jūnzǐ bù fáng xiǎorén

【解释】只能防备有自觉性的人，对要干坏事的人防也防不了。多指锁头等安全措施作用不大。

It is easy to take precautions against those who are conscientious but difficult against those who do bad things. Mainly used to describe that lock, etc. has a little part in security.

【情景】留学生赵惠美和老师一起去老师家，老师家的防盗门没锁。

【对话】赵惠美：老师，您的防盗门怎么不锁？

老　师：这门是**防君子不防小人**的。

赵惠美：虽说**防君子不防小人**，但还是锁上好。

肥水不落外人田　féi shuǐ bú luò wài fén tián

【解释】不能让肥水流进别人的田地里。比喻好处不能让给关系疏远的人或外单位。

Don't let rich water flow into others' fields. Likened to not letting outsiders gain profits.

【情景1】乔依娜说要把本公司罗小姐介绍给某公司一位先生，哈雷姆先生不高兴了。

【对话1】哈雷姆：乔依娜，**肥水不落外人田**，为什么不介绍给本公司的人？

乔依娜：我是**肥水不落外人田**呀！那人是我哥哥。

【情景2】公司要"淘汰"一辆轿车，皮特想买下来自己用，老板不卖给他。

【对话2】皮特：老板，俗话说**肥水不落外人田**。你怎么不卖给我？

老板：是啊，**肥水不落外人田**！这车卖给罗秘书了。

赶早不赶晚　gǎn zǎo bù gǎn wǎn

【解释】趁时间还早，赶快办，别晚了。可以劝人也可以表示自己要抓紧时间早行动，以便在时间上留有余地。

Catch as early as possible before it is too late. Can be used to persuade somebody to act earlier so as to have a free time.

【情景1】中国员工陆羽跟商社社长商量发货的事。

【对话1】陆羽：咱们提前发货吧，**赶早不赶晚**，免得赶上节日，耽误时间。

社长：好，**赶早不赶晚**，马上发货。

【情景2】高东送外国朋友娜热特去火车站。

【对话2】高　东：我担心堵车，咱们**赶早不赶晚**，早走一会儿，别赶不上火车。

娜热特：好，那就五点半出发吧。

隔行如隔山　gé háng rú gé shān

【解释】不同行业之间好像隔着一座大山一样。比喻各行业间彼此不了解情况。多用来说自己不懂其他行业情况。

There seems to have a huge mountain among different vocations. Likened to people unable to understand the business of others. Mainly used to refer to that one doesn't know anything about others' vocations except one's own.

【情景】韩女士与外国朋友莱克玛谈女儿工作的事。

【对话】韩女士：女儿是搞服装设计的，**隔行如隔山**，我一点儿都帮不上忙。

莱克玛：你是大夫，**隔行如隔山**，这不奇怪。

公说公有理，婆说婆有理　gōng shuō gōng yǒu lǐ, pó shuō pó yǒu lǐ

【解释】公公说公公有理，婆婆说婆婆有理。比喻都说自己对。常用来说在争执中都说自己有理，互不相让。含贬义。

Father-in-law says he is right and mother-in-law says she is right. Likened to that each says he or she is right. Usually used to refer to that both parties claim to be in the right and don't give away. A derogatory expression.

【情景1】办公室里有两个人在争论，韩国朋友金度夕悄悄问中国员工洪娟谁是谁非。

【对话1】金度夕：他们俩**公说公有理，婆说婆有理**，你说他们俩谁对？

洪　娟：**公说公有理，婆说婆有理**，我也听不出谁对谁错。

【情景2】尼维尔问中国朋友马向阳某件事的处理情况。

【对话2】马向阳：双方**公说公有理，婆说婆有理**，都指责对方。

尼维尔：他们**公说公有理，婆说婆有理**，这不奇怪，最后结果怎样？

功夫不负苦心人　gōngfu bú fù kǔ xīn rén

【解释】苦心人：指辛辛苦苦把精力用在某一事业上的人。功夫不会白下的，一定会有成果。常用来感叹人经过努力终于获得了成功。也可用来鼓励人坚持不懈努力。

苦心人, a person who works hard for a cause. If you work at it hard enough, you will surely succeed. Usually used to sigh with feeling that someone succeeds eventually after a lot of hard work. Also used to persuade somebody to go on working.

【情景1】德弗斯问中国朋友吕岩父亲的健康情况。

116

【对话1】吕　岩：我父亲出院后一直坚持锻炼，**功夫不负苦心人**，现在他身体很好。

德弗斯：上帝保佑，真是**功夫不负苦心人**啊！

【情景2】经理鼓励中国员工杨青。

【对话2】经理：你来公司不久，业务不熟，别太着急，**功夫不负苦心人**，努力吧。

杨青：我相信**功夫不负苦心人**的，我一定努力！

恭敬不如从命　gōngjìng bù rú cóng mìng

【解释】恭敬谦让不如服从。是客套话，多在接受好处时说。

It would be better to obey than to be respectful. This is a polite expession mainly used when accepting something.

【情景1】外国员工奥蒂送礼给姚经理。

【对话1】奥　蒂：一点儿小意思，请经理收下。

姚经理：那我就**恭敬不如从命**了。

奥　蒂：**恭敬不如从命**是什么意思？

【情景2】方先生劝外国朋友韩楷模接受邀请。

【对话2】方先生：韩楷模先生，人家诚心邀请，**恭敬不如从命**嘛。

韩楷模：好，**恭敬不如从命**，我答应了。

贵人多忘事　guìrén duō wàng shì

【解释】尊贵的人往往容易忘记小事。客套话，说人忘事了。不说自己。

It is often easy for a noble man to forget petty things. This is a polite expression which refer to that someone has forgotten something. Not used to refer to oneself.

【情景1】外国客商麦克到春望公司办事，黄先生接待了他。

【对话1】麦克：您贵姓？

小黄：我姓黄，我们在昆明世博会上见过面。

麦克：瞧我这记性，怎么给忘了！

小黄：您是**贵人多忘事**啊。

【情景2】普利瓦让丁小姐打电话问某公司老板一件事，老板说不记得了。

【对话2】丁小姐：人家是**贵人多忘事**！说不记得了。

普利瓦：他怎么会不记得了？**贵人多忘事**，他算什么贵人？

过了这个村，就没这个店了　guò le zhège cūn, jiù méi zhège diàn le

【解释】店：客店，旅店。走过这个村子，就找不到这样的旅店了。比喻一旦错过就没有这样的机会了。多用来劝人不要放过机会。

店, serai, hotel. If you pass over this village, you wouldn't find another serai. Likened to that there won't another chance if one loses this one.

【情景1】中国朋友方艾告诉外国留学生米莱娜，学校寒假组织去桂林旅行，让她报名参加。

【对话1】方　艾：你可考虑好，**过了这个村，就没这个店了**。

　　　　米莱娜：怎么能说**过了这个村，就没这个店了**呢，还有明年呢？

【情景2】外国留学生毕克见路边清仓大甩卖，便过去看。

【对话2】售货员：快买吧，**过了这个村，就没这个店了**！

　　　　毕　克：我买这个书包，太便宜了，真是**过了这个村，就没这个店了**。

行行出状元　*háng háng chū zhuàngyuan*

【解释】行：行业。状元：科举时代进士考试取得第一名的人，后来比喻在本行业中成绩最好的人。比喻各行各业都有专家、能手。也说"三百六十行，行行出状元"。

行，profession. 状元，Number One Scholar, title conferred on the one who comes first in the highest imperial examination, later likened to the very best in one's profession. Likened to that there must be experts or master hands in each profession. Also spoken as "三百六十行，行行出状元".

【情景】孟秋与外国朋友索伦在看报。

【对话】孟秋：嘿，清洁工、售票员都成了名人！

　　　索伦：他们怎么就不能成为名人？**行行出状元**嘛！

　　　孟秋：**行行出状元**？这是中国的一句俗话，你也懂？

　　　索伦：我一位中国朋友的爸爸常常用**三百六十行，行行出状元**这句话鼓励他。

好钢用在刀刃上　*hǎo gāng yòng zài dāorèn shang*

【解释】刀刃上用好钢，刀才会锋利。多用来说要合理使用人力、物力、财力。也说"有钢使在刀刃上"。

Only if good steel is used on blade of a knife, the knife can be sharp. Mainly used to refer to making a good use of manpower, material and financial resources. Also spoken as "有钢使在刀刃上".

【情景1】某外国公司招聘了一批年轻、高学历、有工作经验的中国员工，经理跟他们谈话。

【对话1】经理：你们都是技术骨干，**好钢用在刀刃上**，得把你们安排在重要部门。

　　　　员工：我们服从安排。

【情景2】周宁送给外国朋友米歇尔一盒营养品"忘不了"，让他考试前吃。

【对话2】周　宁：你把它吃了，能增强记忆力，这叫**有钢使在刀刃上**！

　　　　米歇尔：你说**有钢使在刀刃上**，这是营养品，不是钢啊！哈哈！

好汉不吃眼前亏　*hǎohàn bù chī yǎn qián kuī*

【解释】聪明人不能眼看自己吃亏。多指在情况不利时，要暂时忍让，免得吃亏挨打。也说"光棍不吃眼前亏"。

A wise person will not fight when the odds are obviously against him. Mainly used to persuade sb. to give away in unfavourable conditions so as not to immediately get the worst of it. Also spoken as "光棍不吃眼前亏".

【情景1】赛义迪对交警纠正违规不服，朋友张力劝阻他。

【对话1】张　力：评什么理？**好汉不吃眼前亏**，快走吧。

赛义迪：什么**好汉不吃眼前亏**？他凭什么罚我？

【情景2】韩笑不敢跟人家争吵，拉着外国朋友若澳就走。

【对话2】若澳：你是胆小鬼？还是**光棍不吃眼前亏**？

韩笑：当然**光棍不吃眼前亏**！他们人多，打起来，咱俩要吃亏的。

好借好还，再借不难　hǎo jiè hǎo huán, zài jiè bù nán

【解释】好好借来，好好还回去，再借就不困难。用来说借东西要讲信用，及时归还。在还人家钱、物时说。也说"有借有还，再借不难"。

To borrow easily and to return timely, then to reborrow won't be difficult. Used to refer to that a person who has borrowed something should keep his or her words and return it timely. Also spoken as "有借有还，再借不难".

【情景1】赵军来还日本朋友长谷川词典。

【对话1】赵　军：还您词典，俗话说**好借好还，再借不难**。

长谷川：好，好，**好借好还，再借不难**。

【情景2】经理想拖些日子还银行贷款，中国员工老关觉得不合适。

【对话2】老关：经理，俗话说**有借有还，再借不难**。还贷款不能拖。

经理：你说的对，**有借有还，再借不难**，那就按时还吧。

好酒不怕巷子深　hǎo jiǔ bú pà xiàngzi shēn

【解释】巷子：较窄的街道，小胡同。只要酒好，即使在小胡同里卖，买的人也会多。比喻货物好，在哪儿生意都会兴隆。

巷子，narrow street, small alley. As long as the wine is fine, many customers will come even if the small alley selling the wine is deep. Likened to that fine goods will be sold well wherever the seller is.

【情景1】某韩国饭店的几位厨师都能做几个地道的特色菜，只是饭店地段不太好。

【对话1】服务员：咱们店要是在繁华地段就好了。

老　板：俗话说**好酒不怕巷子深**。出了名就好了。

【情景2】导游小姐李梅告诉外国朋友，那种名牌产品是个乡镇小厂生产的。

【对话2】游客：一个小厂，产品竟驰名海内外！

李梅：这叫**好酒不怕巷子深**！

游客：**好酒不怕巷子深**是什么意思？

好了伤疤忘了疼　hǎo le shāngbā wàng le téng

【解释】伤好了，就忘了伤口的疼痛了。比喻忘记了教训或忘本。多用来怪人不吸取教训。

Forget sufferings after the wound is recovered. Likened to forgetting lessons or one's origin. Mainly used to blame someone for not drawing a lesson.

【情景1】徐兵跟外国朋友埃尔达说，爸爸生病那阵子天天做气功，病一好就不做气功了。

【对话1】徐　兵：妈妈现在常说爸爸**好了伤疤忘了疼**。

　　　　埃尔达：为什么说他**好了伤疤忘了疼**？

　　　　徐　兵：他现在病好了，不做气功了。

【情景2】阿珠简直热得受不了了，晚上她邀外国朋友范华到外面乘凉。

【对话2】阿珠：怎么这么热，我真希望冷点儿，越冷越好！

　　　　范华：你是**好了伤疤忘了疼**！你忘了，冬天冻得直咳嗽！

好心成了驴肝肺　hǎo xīn chéng le lǘ gān fèi

【解释】好好的心脏却被当成驴的肝和肺。比喻出于一片好心却落了埋怨。是抱怨人的话。

Take somebody's goodwill for ill intent. Likened to somebody being complained in spite of his or her goodwill. This is a word used to complain.

【情景1】张书劝小于不要逞强，注意身体，小于却说他嫉妒，他生气地对麦克说这事。

【对话1】张书：哼，我真是**好心成了驴肝肺**！

　　　　麦克：你别生小于的气了，他没理解你的好意，怎么会**好心成了驴肝肺**呢？

【情景2】王义见外国朋友阿伦又渴又饿，就切了个凉西瓜给他吃。

【对话2】阿伦：你知道我不能吃凉的，你给我凉西瓜吃，让我坏肚子。

　　　　王义：看你说的，我是**好心成了驴肝肺**了！

恨铁不成钢　hèn tiě bù chéng gāng

【解释】恨不得铁变成钢。比喻怨恨人不争气，表示极希望人成材。多用在孩子和下属人员身上。

Wish that iron could turn into steel at once. Likened to people setting a high demand on somebody in the hope that he will improve. Mainly used when mentioning one's children or subordinates.

【情景1】留学生德代与老师聊起了教育方法问题。

【对话1】德代：我明白父母责备我、骂我都是为我好，他们是**恨铁不成钢**啊！

　　　　老师：老师批评你也一样是**恨铁不成钢**啊。

【情景2】曹兴告诉日本朋友田中，他刚来公司时，经理老说他没闯劲儿，说他不钻研业务。

【对话2】田中：他是**恨铁不成钢**，他把你当个人才，寄托的希望很大啊。

　　　　曹兴：后来我明白了，他对我是**恨铁不成钢**。

横挑鼻子竖挑眼　héng tiāo bízi shù tiāo yǎn

【解释】横着挑剔鼻子的毛病，竖着挑剔眼睛的毛病。比喻百般挑剔。多用来怪人爱挑毛病，含贬义。

Find fault in a petty manner and pick holes in something. Likened to somebody being very hypercritical. Mainly used to blame others for being nit-picking, with derogatory meaning.

【情景1】中国员工陶光与外国朋友贾路丁聊天。

【对话1】陶　光：我干活儿老板就看着不顺眼，整天**横挑鼻子竖挑眼**。

　　　　贾路丁：你不必太在意，老板**横挑鼻子竖挑眼**是怕质量出问题。

【情景2】王小姐与外国朋友亨达谈起了她的丈夫。

【对话2】王小姐：家里事他什么也不干，一回家就**横挑鼻子竖挑眼**。

　　　　亨　达：他什么都不干还**横挑鼻子竖挑眼**？

红花还得绿叶扶　hóng huā hái děi lǜ yè fú

【解释】红花美丽，更需要绿叶的衬托。比喻人本事再大，能力再强，也需要有人帮助。多用来强调人取得成绩靠大家帮助。

Red flowers must have green leaves as a foil. Likened to that a person should be set off by others even if he or she has big faculty and strong ability. Mainly used to emphasize that it is important to gain others' help for success.

【情景1】中国员工李大年工作特别出色，经理表扬他，他很谦虚。

【对话1】李大年：这不是我一个人的成绩，俗话说**红花还得绿叶扶**啊。

　　　　经　理：那是，**红花还得绿叶扶**，你不用谦虚了。

【情景2】老板让中国雇员牛小山一个人承担某项任务，小牛说怕不行。

【对话2】牛小山：我一个人恐怕不行，**红花还得绿叶扶**啊！

　　　　老　板：是啊，**红花还得绿叶扶**。你不用担心，有我呢！

葫芦里卖的什么药　húlu li mài de shénme yào

【解释】葫芦里装些什么药卖。比喻打的什么主意，搞的什么名堂。多用来表示对人的行为不理解。

What does he sell in his bottle gourd? Likened to the things lies behind. Mainly used to refer to not understanding others' actions.

【情景1】中国员工陆阳把材料交给了沃尔特。

【对话1】陆　杨：你准备这些材料干什么？**葫芦里卖的什么药**啊？

　　　　沃尔特：这你甭管，**葫芦里卖的什么药**，到时候你就知道了。

【情景2】某公司今天开会，会前老板搬来几个纸箱子，大家都觉得奇怪，纷纷议论。

【对话2】谢小姐：老板今天要募捐吗？这**葫芦里卖的什么药**？

　　　　小　岛：不像募捐，不知他**葫芦里卖的什么药**。

　　　　矢　山：你们不知道，老板让咱们为几种商品投票。

换汤不换药　huàn tāng bú huàn yào

【解释】熬药的水换了，药没换。比喻只改换了名称或形式，实质没有改变。含贬义。

The same medicine decocted in the same water, the same old stuff with a different label. Likened to a change in form but not in essence, with derogatory meaning.

【情景】于连跟外国朋友宋容山去商店买东西，他们抱怨一些商家。

【对话】于　连：这商品**换汤不换药**，换换包装就涨钱。

　　　　宋容山：现在哪个商家不这样，**换汤不换药**，能赚钱就行。

皇帝女儿不愁嫁　huángdì nǚ'ér bù chóu jià

【解释】皇帝的女儿不愁嫁不出去。比喻货物珍贵，总会有人要，不担心卖不出去。多含贬义，用来批评某些厂家或企业骄傲自大。

Emperor's daughter doesn't worry about marriage. Likened to that precious goods will be surely sold out. Generally with derogatory meaning, used to criticize some factories or enterprises that are cocky.

【情景1】中外两位董事长在分析产品积压的原因。

【对话1】赵先生：有些领导认为，**皇帝女儿不愁嫁**，盲目生产。

　　　　罗　迈：现在是市场经济，再不能有**皇帝女儿不愁嫁**的思想。

【情景2】芳子夫人去买丝绸，她讲了半天，老板也不让价。

【对话2】老板：我的东西好，俗话说**皇帝女儿不愁嫁**。价格不能降。

　　　　芳子：你们这是积压品，什么**皇帝女儿不愁嫁**呀！

活人不能叫尿憋死　huó rén bù néng jiào niào biē sǐ

【解释】活人不能有尿不尿，让尿给憋死。比喻不能被小事难住或被某些规定限制住。多用来说明处理事情要有灵活性，为自己找路子。

122

The live shouldn't be held back by his or her urine to death. Likened to that one shouldn't puzzled by trivial things or limited by some rules. Mainly used to explain that one should deal with affairs flexibly.

【情景1】小杨听说外国朋友法替要进城办事，又担心赶不上末班车回校。

【对话1】小杨：赶不上末班车就坐出租车回来。

　　　　法替：放心吧，**活人不能叫尿憋死**！

【情景2】贾欢知道铁路上规定一人带的行李不能超过四十斤，他拿两个行李，超重了，不知怎么办好。

【对话2】星野：**活人不能叫尿憋死**，你进站时求人都你拿一个嘛！

　　　　贾欢：还是星野脑瓜灵活！对，**活人不能叫尿憋死**！

货高招远客　huò gāo zhāo yuǎn kè

【解释】货物好，能招来远方的客人。说明货物好，销路就好。多用来告诫人生产产品要讲求质量，也可用来夸赞某产品。

Good goods can attract guests from distant places, which means that good goods have good markets. Mainly used to admonish that products should have high quality, also used to praise that some product is good.

【情景1】公司在讨论如何为产品扩大销路，中国员工鲁南强调质量。

【对话1】鲁南：东西好，自然受欢迎，还愁它没销路？

　　　　大森：鲁先生的话有道理，俗话说得好，**货高招远客**嘛。

【情景2】售货员洋子小姐听说于大妈特地从外地跑到这儿买东西，很感动。

【对话2】洋　子：大妈，您跑这么远买东西啊！

　　　　于大妈：这儿的东西好，**货高招远客**！

　　　　洋　子：的确**货高招远客**，来这里买东西的人真不少。

机不可失，时不再来　jī bù kě shī, shí bú zài lái

【解释】机会不能失掉，时间过去了不会再回来。说明机会难得，不可错过。多用来劝人抓住某一机会。

Don't let slip an opportunity because it may never come again. Indicating that a chance doesn't come easily, and one should catch it. Mainly used to persuade somebody to catch the chance.

【情景1】留学生黄嫒嫒说毕业以前无论如何得学会开车，一工作就没空儿学了。

【对话1】老　师：你快去报名吧，学校正在办司机培训班，**机不可失，时不再来**呀。

　　　　黄嫒嫒：这个机会太好了！对我来说，真是**机不可失，时不再来**。

【情景2】胡兰找到一个工作，外国朋友艾娅问她满意不满意。

【对话2】艾娅：你不满意为什么还去应聘呀？

　　　　胡兰：大家都说**机不可失，时不再来**，我怕错过机会，就去了。

鸡蛋里挑骨头　jīdàn li tiāo gǔtou

【解释】在鸡蛋里寻找骨头。比喻故意挑毛病，多用来指责人过分挑剔。含贬义。

Look for a bone in an egg. Likened to looking for a flaw where there is none to be found. Mainly used to censure someone for being too nit-picking.

【情景1】吉田与中国员工李业去南方采购橘子。

【对话1】李业：我看橘子不错，你不要**鸡蛋里挑骨头**了。

吉田：买家嘛，就得**鸡蛋里挑骨头**。

【情景2】卢雨告诉外国朋友贾贝拉，说李老师不满意他问问题时的语气。

【对话2】贾贝拉：我是虚心向他请教，他还**鸡蛋里挑骨头**。

卢　雨：他不过随便说说，并没有挑你的毛病，谈不上**鸡蛋里挑骨头**!

吉人自有天相　jí rén zì yǒu tiān xiàng

【解释】吉人：行善的人，命运好的人。相：帮助，保佑。好人自然会有天来保佑。说人有好运气，遇到危险也能平安无事，不必担心。

吉人，locky person, propitious person. 相，help, bless. The good has naturally the blessing from God, which means that a lucky person can be safe even when meeting danger.

【情景1】外国留学生何玫瑰住在朱婶家，这天，朱叔出门很晚还没回来，朱婶很担心。

【对话1】朱　婶：他到现在还不回来，真让人担心。

何玫瑰：朱婶放心，**吉人自有天相**，朱叔不会有事的。

【情景2】周华问日本朋友松户先生，经常出差坐飞机，担不担心安全问题。

【对话2】松户：我已经习惯了，也不想那么多了。

周华：您**吉人自有天相**啊。

既在矮檐下，怎敢不低头　jì zài ǎi yán xià, zěn gǎn bù dī tóu

【解释】既然站在低矮的屋檐下面，怎么敢不低头呢。比喻处在别人的权势之下，只好屈从忍耐。多用来说忍耐是无可奈何的。也说"人在矮檐下，怎敢不低头"。

If you stand under the low eaves, how dare you not to lower your head? Likened to being under one's power and having to forbear. Mainly used to refer to having no alternative but forbearance. Also spoken as "人在矮檐下，怎敢不低头"

【情景1】中国员工焦林见乔治经理一点儿不发火，他都急了。

【对话1】焦林：经理，要是我听他这番话，非跟他干起来不可!

乔治：人家是咱上级领导，直接管咱，**既在矮檐下，怎敢不低头**啊!

【情景2】外国朋友罗杰劝彭威认个错。

【对话2】彭威：我没错，他们是仗势欺人!

罗杰：彭先生，我都听说过**人在矮檐下，怎敢不低头**，你不懂?

家家有本难念的经　jiā jiā yǒu běn nán niàn de jīng

【解释】比喻每个家庭都有自己的难处。常用来劝慰人遇到难事想开一点儿。也说"家家
　　　都有难唱曲"。

　　　Every household has its own difficulty. Usually used to persuade somebody to take dif-
　　　ficult things easy. Also spoken as "家家都有难唱曲".

【情景1】耿师傅孩子没考上大学，妻子又下岗了，心情不好，泰国留学生张明焕劝他。

【对话1】耿师傅：我家这几个人，净让人着急，我都愁死了。

　　　　　张明焕：唉，**家家有本难念的经**，愁也不是办法。

【情景2】中国员工戴云跟外国员工德斯谈起了所长。

【对话2】戴云：我看所长很舒心，孩子在读博士，自己有房有车，多好。

　　　　　德斯：那也不好说，**家家都有难唱曲**呀！

家有千口，主事一人　jiā yǒu qiān kǒu, zhǔ shì yì rén

【解释】主事，负责全面事务。家有再多的人口，主持事情、说话算数的人只能是一个。
　　　多用来说事情要由主管人员决定。

　　　主事，manage affairs. There is just one who can preside over the whole family in
　　　spite of its many members. Mainly used to indicate that business should be decided by a
　　　governor.

【情景1】方旭说不过某公司一群人，他指名找经理罗杰斯。

【对话1】方旭：**家有千口，主事一人**，我跟你们经理说。

　　　　　麦克：好，叫你们经理来说。

【情景2】校长告诉外教小川先生，大家的意见不一致。

【对话2】小川：我不管别人什么意见，**家有千口，主事一人**，我只听校长的意见。

　　　　　校长：虽说**家有千口，主事一人**，大家意见不一致，我也难办啊。

江山易改，本性难移　jiāngshān yì gǎi, běnxìng nán yí

【解释】移：改变。江山的面貌容易改变，人的性格却很难改变。常用来感叹人改不掉坏
　　　习性，含贬义。

　　　移，change. It is easy to change rivers and mountains but hard to change a person's
　　　nature. Usually used to sigh with feeling that one can't change some bad habits, with
　　　derogatory meaning.

【情景1】郑祥跟韩国朋友崔忠元谈起了他邻居的儿子。

【对话1】崔忠元：他为打架伤人住了半年监狱，现在还敢动手打人？

　　　　　郑　祥：真是**江山易改，本性难移**！

【情景2】听说外语系一个学生偷了东西，袁青和外国朋友李赫议论这事。

【对话2】李赫：他这毛病，老师教育，家长管，就是不改。

　　　　　袁青：这就是俗话说的**江山易改，本性难移**呀。

脚正不怕鞋歪 *jiǎo zhèng bú pà xié wāi*

【解释】脚长得端正，鞋歪也不怕。比喻自己行为端正不怕别人议论指责。可说自己不在乎，或劝人不要在意别人的闲话。也说"身正不怕影儿歪"。

As long as your feet are upright, you won't be afraid of that shoes are crooked. Likened to people whose action is correct aren't afraid of others' remarks. Can be used to indicate that one doesn't care about something or used to persuade somebody not to take care of others' complaints. Also spoken as "身正不怕影儿歪".

【情景1】杨辰要揭发经理的经济问题，外国朋友阿里劝阻他。

【对话1】阿里：杨辰，你是会计，人家会说你也不干净的。

　　　　杨华：让他们说去，我**脚正不怕鞋歪**！

【情景2】中国员工顾全听见一些闲话很生气，公司经理河本劝他。

【对话2】河本：顾全，那些闲话不要听，中国有句俗话**身正不怕影儿歪**！

　　　　顾全：经理，虽然**身正不怕影儿歪**，但人言可畏呀！

近水楼台先得月 *jìn shuǐ lóu tái xiān dé yuè*

【解释】靠近水的楼台先得到月光。比喻因为近便而先得到好处。多用来批评靠关系办事的不良风气。

A waterfront pavilion gets the moonlight first. Likened to the advantage of being in a favourable position. Mainly used to criticize the bad general mood of depending on human relations to handle affairs.

【情景1】尼里多听说秘书黄小姐弄到一批货，有些惊讶。

【对话1】尼里多：华光这批货数量特少，你怎么弄到了？

　　　　黄小姐：别忘了，我爱人可是华光代理商啊！

　　　　尼里多：啊，你是**近水楼台先得月**啊！

【情景2】梁存和外国朋友米奇议论东远公司贷款的事，说东远靠关系。

【对话2】米奇：东远公司在银行有熟人，他们**近水楼台先得月**。

　　　　梁存：不像话，不能**近水楼台先得月**！

近朱者赤，近墨者黑 *jìn zhū zhě chì, jìn mò zhě hēi*

【解释】接近红色的就红，接近黑色的就黑。比喻接近好人可使人学好，接近坏人可使人变坏。用来强调周围的人对人的影响，多说青少年。

A person who stays near vermilion gets stained red and a person who stays near ink gets stained black. Likened to that one takes on the colour of one's company. Used to emphasize the influence of people nearby, especially on the youth.

【情景1】艾尔达与中国朋友甘梅谈起了吸烟喝酒的问题。

【对话1】艾尔达：我吸烟喝酒是跟一位老同学学会的，当时我觉得很好玩。

　　　　甘　梅：那有什么好玩？

　　　　艾尔达：后来我交了男朋友，他烟酒不动，我也烟酒不动了。

甘　梅：这就叫**近朱者赤，近墨者黑**，你找了一个好老公。

【情景2】老师问留学生李京烈，金荣加最近怎么老缺课。

【对话2】老　师：金荣加原来还挺努力呀，现在为什么老缺课？

　　　　李京烈：看看他现在老跟谁在一起？这就叫**近朱者赤，近墨者黑**！

井水不犯河水　jǐngshuǐ bú fàn héshuǐ

【解释】井里的水干扰不着河里的水。比喻互不相干。多用来表示与对方互不妨碍，互相不要干涉。也说"江水不犯河水"、"河水不犯井水"。

Well water doesn't intrude into river water. Likened to that I'll mind my own business and you mind yours. Also spoken as "江水不犯河水"、"河水不犯井水".

【情景1】董家雨跟外国朋友谢力克吵了起来。

【对话1】董家雨：你读你的课文，我念我的英语，咱们**井水不犯河水**。

　　　　谢力克：好，咱们**井水不犯河水**，谁也别管谁！

【情景2】大姜问日本朋友松本，跟楼上那个油墨公司什么关系。

【对话2】大姜：你们两个公司都是经营油墨的，是什么关系？

　　　　松本：我们虽然都经营油墨，但是两个公司**河水不犯井水**，没什么关系。

敬酒不吃吃罚酒　jìng jiǔ bù chī chī fá jiǔ

【解释】比喻好好劝说不听，非让人强迫才行。多用来威胁人不听劝告，将要吃苦头，受责罚。

Refuse a toast only to drink a forfeit. Mainly used to bully somebody whether to obey admonition or to suffer for it.

【情景1】朴东远老板对中国雇工李林不满意。

【对话1】老板：李林，这利害关系我都给你讲清楚了，你可别**敬酒不吃吃罚酒**！

　　　　李林：我不在乎，你看着办吧。

【情景2】克毕克劝中国朋友冯平好好讲道理，别跟人发火。

【对话2】克毕克：哎，再耐心点儿嘛，别发火。

　　　　冯　平：我还少跟他讲道理呀？他是**敬酒不吃吃罚酒**，不能对他客气！

久病成良医　jiǔ bìng chéng liáng yī

【解释】长期生病，在治疗过程中学到了医术，可以成为一名很好的医生。多用来说人懂些医术是因为常常生病或长期患病。

Prolonged illness makes a doctor of a patient. Mainly used to describe that someone becomes a good doctor after being sick for a long time.

【情景1】留学生依瓦多听说卢老师得了糖尿病，关心地向老师介绍治疗方法。

【对话1】依瓦多：别担心，我给你说说糖尿病怎么治疗，怎么注意饮食。

　　　　卢老师：你学过医？当过医生？

　　　　依瓦多：我父亲是老糖尿病，我也因血糖高没少吃药，可以说**久病成良医**吧。

127

酒后吐真言 jiǔ hòu tǔ zhēn yán

【解释】人喝醉了酒讲出来的都是真话，更可信。

Wine in, truth out. Emphasizing that the words after drink are more believable.

【情景1】中外朋友一起喝酒、聊天。

【对话1】张力：别听伊万瞎说，他喝醉了。

马丁：醉了说的才是真话，俗话说**酒后吐真言**嘛!

【情景2】中外员工一起喝酒、聊天。

【对话2】山本：我不敢喝酒，一喝就醉，担心**酒后吐真言**。

赵清：我最希望你**酒后吐真言**，说点儿真心话。

旧的不去，新的不来 jiù de bú qù, xīn de bù lái

【解释】不失去旧的，就得不到新的。多在东西丢失或遭到意外破损时说，表示不在乎。

The new thing doesn't come if the old one doesn't go. Mainly used when losing something or meeting some accidental damages, to pretend to "care nothing".

【情景1】爱萨娜的自行车丢了，他跟中国朋友王洪说这事。

【对话1】爱萨娜：那还是我刚来中国时买的呢，挺好骑的。

王洪：丢就丢了吧，**旧的不去，新的不来**。

【情景2】中国员工叶小姐把暖瓶打碎了。

【对话2】叶小姐：老板，我不小心把暖瓶打碎了。

老板：没关系，**旧的不去，新的不来**。

君子动口不动手 jūnzǐ dòng kǒu bú dòng shǒu

【解释】动口：讲道理。动手：打人。发生争执时要讲道理，不要动手打人。

动口, state the reason. 动手, raise a hand to strike. One should state the reason instead of raising a hand to strike somebody while conflicting with him or her.

【情景1】左哈拉告诉中国朋友小辉，她跟农贸市场的小贩吵架了。

【对话1】小辉：小贩敢欺负人，看我不打扁他!

左哈拉：**君子动口不动手**，你怎么净讲打人!

小辉：说是**君子动口不动手**，有的人就该打!

【情景2】哈比卜骑车撞了中国学生苏海，哈比卜怕苏海打他。

【对话2】哈比卜：对不起，我不小心撞了你。

苏海：你不用怕，**君子动口不动手**，我不会打你。

看人下菜碟 kàn rén xià cài dié

【解释】根据客人的情况为客人安排吃的东西。比喻看人行事，含贬义。多用来埋怨人对自己不公平或有些歧视。

Decide on the dishes according to the guest. Liken to treating a person according to his social standing, with derogatory meaning. Mainly used to complain about being treated unequally or discriminately.

【情景1】王选从电教室借的录音机是旧的，他不高兴地对外国朋友贝立说这事。

【对话1】王选：老师净**看人下菜碟**，我去借录音机，他借我旧的，班长去就借新的。

贝立：看你毛手毛脚，怕你给弄坏了，那不叫**看人下菜碟**。

【情景2】阿姨和中川夫人一起去农贸市场买菜，卖菜小贩不让她们挑。

【对话2】夫人：为什么不让挑？刚才那个人怎么挑了？

阿姨：你怎么**看人下菜碟**呀？

靠山吃山，靠水吃水 kào shān chī shān, kào shuǐ chī shuǐ

【解释】靠近山就依靠山生活，靠近水就依靠水生活。强调利用近便有利条件谋生。多指搞农副养殖业等。也说"靠山吃山，靠海吃海"。

Those living on a mountain live off the mountain and those living near the water live off the water. This folk adage emphasizes people taking advantage of favourable conditions to make a living. Mainly used to go in for agriculture, breeding aquatics, etc. Also spoken as "靠山吃山，靠海吃海".

【情景1】外国朋友与卖菜的农民谈了起来。

【对话1】朋友：你们就光种菜？

农民：不。俗话说**靠山吃山，靠水吃水**，我们山区竹木多，还搞点儿副业。

【情景2】许巧与外国朋友艾莲娜谈起了自己家乡的变化。

【对话2】许　巧：我们村守着湖，就靠湖赚钱，比如养鱼、养虾。

艾莲娜：这就叫**靠山吃山，靠海吃海**吧？

来得早不如来得巧 lái de zǎo bù rú lái de qiǎo

【解释】来早了，不如来得凑巧。多用来说来得凑巧，正赶上某一个机会。

To come early isn't as good as to come opportunely. Mainly used to refer to coming opportunely to catch a good chance.

【情景1】奥丽娅告诉中国朋友曲珍，她已报名学习胡琴。

【对话1】曲　珍：学校今年刚开了个艺术系，叫你赶上了。

奥丽娅：这就叫**来得早不如来得巧**哇!

【情景2】外国游客桑娅急急忙忙跑进小吃店，要买油饼。

【对话2】桑娅：我来晚了吧？还有油饼吗？

店主：**来得早不如来得巧**，正好油饼刚炸出来。

癞蛤蟆想吃天鹅肉 làiháma xiǎng chī tiān'é ròu

【解释】比喻想得太美，根本达不到目的。含贬义，讥笑人的话。多用来说某男人想得到某女人是非分之想。

Likened to people thinking too perfectly to attain one's goal, with derogatory mean-

129

ing. This is a word of ridicule. Mainly used to describe a man who wants to court a woman.

【情景1】中外朋友鲁朋和乔森谈起了找对象的事，互相开玩笑。

【对话1】鲁朋：你要找公关小姐？别**癞蛤蟆想吃天鹅肉**了。

乔森：**癞蛤蟆想吃天鹅肉**？过两天领来一个给你看看。

【情景2】丈夫在公司工作不顺心，回来向中国妻子说了。

【对话2】妻子：干脆咱自己开个公司，你当老板！

丈夫：你真是**癞蛤蟆想吃天鹅肉**。开公司，那么容易？

浪子回头金不换　làngzǐ huí tóu jīn bú huàn

【解释】不务正业的人一旦改好了十分宝贵。常用来称赞人的转变，也用来劝人改过自新。

A prodigal who returns is more precious than gold. Usually used to praise one's change, also used to persuade somebody to correct errors and make a fresh start.

【情景1】石成跟外国朋友谈到了弟弟因酗酒打人被关进监狱，后来学好了的事。

【对话1】朋友：你弟弟真是**浪子回头金不换**！

石成：他自己也常开玩笑说："我是**浪子回头金不换**！"

老虎还有打盹的时候　lǎohǔ hái yǒu dǎ dǔn de shíhou

【解释】打盹：指小睡一会儿。老虎有时候也打打盹。比喻再强的人也难免有时疏忽。常用来说原谅人一时疏忽出现的过错。

打盹，doze for a while. A tiger dozes sometimes. Likened to that even the strongest person may be careless sometimes. Usually used to excuse somebody who has made a mistake because of carelessness.

【情景1】德非斯出了错，老板骂他，中国员工董勤出面劝说。

【对话1】董勤：您别骂他了，他办事一向很认真，**老虎还有打盹的时候**啊！

老板：什么**老虎还有打盹的时候**？我就不许他"打盹"！

【情景2】中外员工们在议论某产品的质量问题。

【对话2】麦克：流水生产线上很难道道工序不出错儿，**老虎还有打盹的时候**呢！

赵江：可不是，**老虎还有打盹的时候**！谁敢保证一点儿不出错。

老将出马，一个顶俩　lǎo jiàng chūmǎ, yí ge dǐng liǎ

【解释】老将：指年纪大、资历深、经验丰富的人。顶：相当于，抵得上。年纪大、有经验的人办法多，做事一个人抵得上两个人。多用来称赞或主张老年人出面办事。

老将，veteran, a person who is old and has rich experience. 顶：match. When a veteran goes into action, he can do the job of two. Mainly used to praise or propose that the old should appear personally.

【情景1】中外员工朱立和克拉贝一齐称赞老员工郭兴。

【对话1】 朱　立：郭先生，您真行，您一出面，什么问题都解决了！

克拉贝：**老将出马，一个顶俩啊！**

【情景2】经理让刘先生去办一件事，刘先生怕办不好，提出让丸山先生去。

【对话2】刘先生：丸山先生去吧，他**老将出马，一个顶俩**。

经　理：丸山先生要去重庆出差，还是你去吧。

礼多人不怪　lǐ duō rén bú guài

【解释】多讲究礼貌，别人不会责怪。有时也指送礼不会让人讨厌。

Others wouldn't blame a person who is too courteous. Sometimes referring to that giving somebody a gift wouldn't let others be disgusted.

【情景1】罗青与希拉立在市场买东西，罗青觉得希拉立说话不礼貌，让他给人道歉。

【对话1】罗　青：你赶紧去给人家道个歉，说声"对不起"。

希拉立：他好像没生我的气。

罗　青：不管人家生气没生气，你都该去道个歉，这叫**礼多人不怪**。

【情景2】蔡林带日本朋友桦岛去求人办事。

【对话2】桦岛：咱们这么两手空空的不合适吧？

蔡林：中国人也是讲究送礼的，咱们带点儿东西吧，**礼多人不怪**。

礼轻人意重　lǐ qīng rényì zhòng

【解释】礼物虽然不多或不贵重，却表现了很深的情意。多在打算送礼或收完礼物后说，一般不与送礼人或收礼人当面说。也说"礼轻情意重"。

The gift is trifling but the feeling is profound. Mainly used when planning to give a gift or after accepting a gift, generally not used when the giver or the accepter is present.

【情景1】方略告诉外国朋友维多多，一个小学生寄给他一包葵花子。

【对话1】维多多：葵花子？不值几个钱的东西。

方　略：那是他亲手种的，**礼轻人意重**啊！

维多多：他是感谢你资助他读书，的确**礼轻人意重**啊！

【情景2】老师招待留学生们喝咖啡。

【对话2】老　师：这瓶雀巢咖啡是一位美国学生从美国带来的，还有一瓶咖啡伴侣。

留学生：那么老远带来的，这就叫**礼轻情意重**吧？

老　师：对。不过这礼也不轻，真的太"重"了！

临上轿现扎耳朵眼儿　lín shàng jiào xiàn zhā ěrduoyǎnr

【解释】耳朵眼儿：为了戴耳环在耳朵上穿的孔。姑娘出嫁快要上轿了，才忙着扎耳朵眼儿。比喻事情来了才急忙应付。多用来怪人事先不做好准备工作。也说"现上轿现扎耳朵眼儿"。

耳朵眼儿, ear hole pricked for wearing earrings. A girl who is going to be married is busy pricking holes in her ears. Likened to being busy with something only when it comes.

Mainly used to blame somebody for not making preparations ahead. Also spoken as "现上轿现扎耳朵眼儿".

【情景1】要去考试了，艾伦急忙求中国朋友杜兵帮他削铅笔。

【对话1】艾伦：快，今天考试，都我削铅笔，我要迟到了！

杜兵：你早干什么了？**临上轿现扎耳朵眼儿**！

【情景2】中国员工剑桥要去天津进行商务谈判。

【对话2】所长：材料都准备齐了吧？别像上次似的，**现上轿现扎耳朵眼儿**。

剑桥：准备好了，不会**现上轿现扎耳朵眼儿**。

临阵磨枪，不快也光　lín zhèn mó qiāng, bú kuài yě guāng

【解释】临上战场才把枪头磨一磨，即使不锋利，也会光亮。比喻事前不做准备，匆忙上阵。也比喻临近考试突击复习，也能起一定作用。

Sharpen one's spear only before going into battle, and even if it isn't sharp, it can be shiny. Likened to going into battle in a hurry without preparation. Also likened to that doing a rush job of reviewing before examination can play certain roles.

【情景】考试那天七点钟沃尔特和巴巴拉就要去教室，中国朋友洪波不让他们去那么早。

【对话】洪　波：八点才考呢，你们再背背生词。

沃尔特：好。**临阵磨枪，不快也光**。

巴巴拉：我只顾复习词语了，课文还没看呢。

洪　波：你大致看看吧，**临阵磨枪，不快也光**，总会有些印象。

留得青山在，不怕没柴烧　liú de qīng shān zài, bú pà méi chái shāo

【解释】只要青山还在，就不担心没有柴火烧。比喻只要存活下来或保存一定的力量，将来就可以有作为。多用来安慰人，说明希望在未来。

As long as the green mountains are there, one need not worry about firewood. Likened to that one will do a lot in the future as long as he or she lives on or preserves certain strength.

【情景1】运动员阿西加因为训练中受伤而不能参赛，中国朋友张伟安慰他。

【对话1】阿西加：我这一受伤，今年的奥运会就没法参加了。

张　伟：哎，**留得青山在，不怕没柴烧**。养好伤，以后参加比赛的机会多着呢。

【情景2】水灾过后，留学生去灾区访问。

【对话2】学生：这次水灾给你们造成的损失不小啊。

村长：好在人畜都没有伤亡。**留得青山在，不怕没柴烧**，我们正搞生产自救，抢种秋粮。

驴唇不对马嘴　lǘ chún bú duì mǎ zuǐ

【解释】驴的嘴唇和马嘴对不上。比喻两方面不相符合，贬义。也说"牛头不对马嘴"。

Donkeys' lips don't match horses' jaws. Likened to something being incongruous.

A derogatory team. Also spoken as "牛头不对马嘴".

【情景1】中国员工焦蒙问大岛先生，谁动了他的材料。

【对话1】大岛：你的材料李先生给改了一下儿。

　　　　焦蒙：他也不前后好好看看，弄得**驴唇不对马嘴**！

【情景2】莱斯利觉得那位小姐回答得完全不对，很生气。

【对话2】莱斯利：你别说了，**牛头不对马嘴**。

　　　　小　姐：我怎么**牛头不对马嘴**了？

萝卜快了不洗泥　luóbo kuài le bù xǐ ní

【解释】萝卜卖得快，连泥也不洗掉就卖。比喻产品畅销就不讲求质量了。多用来批评不注重质量的行为，含贬义。

　　　　Radish is sold so quickly that there is no time for the mud on it to be cleaned. Likened to that one doesn't pay attention to the quality of his or her products in good demand. Mainly used to criticize this kind of action that doesn't pay attention to quality, with derogatory meaning,

【情景】日本技术人员到某厂做技术指导，与厂长谈产品质量问题。

【对话】厂　长：有些人眼睛只盯着利润，"钱"字当头，**萝卜快了不洗泥**。

　　　　技术员：我们不能**萝卜快了不洗泥**，要在质量上下功夫。

买卖不成仁义在　mǎimai bù chéng rényì zài

【解释】生意虽然没做成，但是彼此的交情还是存在的，不要伤了感情。多在生意没做成时用来说双方要讲情谊。

　　　　There is still friendship even if buying and selling fail. Mainly used to persuade people paying attention to friendly feelings when the business has no result.

【情景1】李君与某外国公司凯文先生刚刚谈完生意。

【对话1】李君：咱们彼此的想法还有些距离，以后打交道的时候还多着呢。

　　　　凯文：是啊，生意谈成谈不成我们都是朋友，**买卖不成仁义在**嘛。

【情景2】经理觉得中国员工小章对客户说话太伤和气。

【对话2】经理：中国不是有句话叫**买卖不成仁义在**吗？

　　　　小章：我明白，可我实在受不了他那挑剔劲儿了。

买卖成交一句话　mǎimai chéngjiāo yí jù huà

【解释】买卖成交在于双方一句决定性的话，都要讲信用，不能再反悔。

　　　　Buying and selling are decided by a crucial word of both sides. Mainly used to emphasize that we all should keep our word and shouldn't go back on one's word.

【情景1】安田谈判回来又要打电话修改意见，中国员工曲光说了他。

【对话1】安田：我觉得价钱要低了。

曲光：你已经答应卖给人家了，**买卖成交一句话**，不能反悔，要讲信用。

【情景2】中外买卖双方争执起来了。

【对话2】卖方：你说要，我才给你留的，这也是**买卖成交一句话**，你怎么能不要呢？

　　　　买方：我也没说一定不要，这不是在跟你商量吗？

买卖俩心眼儿　mǎi mài liǎ xīnyǎnr

【解释】买方和卖方心情不同：一个想少花钱，一个想多赚钱。多用来强调卖主不会为买主打算。

　　　　Buyer and seller have different opinions: one wants to spend less money, the other wants to make more profit. Mainly used to emphasize that a seller does not consider the interests of buyers.

【情景】宋梅跟外国朋友阿西娜出去买水果。

【对话】宋　梅：农贸市场里边的水果还是贵，外边有推车卖的，便宜得多。

　　　　阿西娜：分量足不足？反正**买卖俩心眼儿**，哪个商贩也不会让你得便宜。

买卖买卖，和气生财　mǎimai mǎimai, héqi shēng cái

【解释】做买卖对人要和气，生意才能好，才能发财。这是劝戒做生意人的话。

　　　　If you want to make a deal, you should be polite, and so that you will have a good business and get rich. This is a word used to persuade businessmen.

【情景1】商场经理嘱咐中国员工对顾客要热情，无论如何不能跟顾客发火。

【对话1】经理：咱们是生意人，应该记住**买卖买卖，和气生财**。

　　　　员工：您放心，我知道**买卖买卖，和气生财**。

【情景2】内斯沙在农贸市场遇到一位不耐心不懂礼貌的商贩。

【对话2】内斯沙：小兄弟，**买卖买卖，和气生财**，像你这么说话，谁还买你的东西！

　　　　商　贩：啊，对不起了。

买主买主，衣食父母　mǎizhǔ mǎizhǔ, yī shí fùmǔ

【解释】买主是商家穿衣吃饭的资金来源，做买卖的人全靠买主生活。多用来强调要拉住买主，不能得罪。

　　　　Buyers are the resources of businessmen's life, and the latter depends on the former. Mainly used to emphasize that a seller should hold buyers and shouldn't offend them.

【情景1】中外两位老板一起去进货。

【对话1】中方：有货就有钱赚。

　　　　外方：不见得，有货没有买主你赚谁的钱？俗话说**买主买主，衣食父母**。

【情景2】经理卡达非对中国员工特别强调要与客户搞好关系。

【对话2】卡达非：有客户，有生意，才有钱赚哪！

　　　　员　工：经理说得对，**买主买主，衣食父母**嘛！

卖瓜的不说瓜苦　mài guā de bù shuō guā kǔ

【解释】卖瓜的人不说自己的瓜是苦的。比喻谁也不说自己的货物不好。也比喻谁也不说自己不光彩的事。多用来说不能听人自我宣扬。

A person who sells melon doesn't say that his or her melon is bitter. Likened to that no one says about his or her ignominious things. Mainly used to persuade people not to believe others' self-propagation.

【情景1】刘岩与外国朋友迪安进城的一路上收到好几份小广告。

【对话1】刘岩：你看这些小广告，把他们的东西都说神了！

　　　　迪安：这很正常，中国不是有句俗话叫**卖瓜的不说瓜苦**吗？

【情景2】卡罗琳和朋友张兰各买了一件衬衫。

【对话2】卡罗琳：你还说这布料不透气，可那卖主直说这布料凉快。

　　　　张　兰：你听他的？**卖瓜的不说瓜苦**！

漫天要价，就地还钱　màntiān yào jià, jiùdì huán qián

【解释】做生意讨价还价时，卖方价钱要得很高，买方却把价钱还得很低，这是常见现象。多用来说价格双方可以商量。

In bargain, the seller asks an exorbitant price and the buyer insists on a lowest price. This is a common phenomenon. Mainly used to refer to that price can be discussed by both sides.

【情景1】中外买卖双方在进行商务谈判。

【对话1】买方：你要价太高了，这货我们不要。

　　　　卖方：别，别。**漫天要价，就地还钱**嘛，价钱还可以商量。

【情景2】牛贵见外国朋友买一块小地毯花了三百多，说他买贵了。

【对话2】朋友：人家就要这么高的价呀！

　　　　牛贵：唉，你还不懂**漫天要价，就地还钱**，跟他讨价还价呀！

没有不透风的墙　méiyǒu bú tòu fēng de qiáng

【解释】比喻消息封锁不住，秘密总会泄露（xièlòu）出去。多用来说事情无法隐瞒。

There is no wall that can block news and secrets would always be leaked. Mainly used to indicate that it is impossible to keep something in secret.

【情景1】中外员工丁大勇和约瑟夫在一起议论公司的一件事。

【对话1】丁大勇：都说**没有不透风的墙**，可这事咱怎么一点儿没听说？

　　　　约瑟夫：现在不是听说了吗？就是**没有不透风的墙**啊！

【情景2】艾纳提找了个中国女朋友，又不想让别人知道。

【对话2】女朋友：唉，**没有不透风的墙**，这事早晚得传到别人耳朵里。

　　　　艾纳提：我也知道**没有不透风的墙**，晚一天是一天吧。

眉毛胡子一把抓　méimao húzi yì bǎ zhuā

【解释】比喻做事不分轻重主次。多批评人工作忙乱无序。也说"头发胡子一把抓"。

　　　　Likened to people not handling affairs in the order of importance and urgency. Mainly used to criticize somebody who works busily and without an order. Also spoken as "头发胡子一把抓".

【情景1】柏戴维见秘书姚小姐整天忙不过来，就让她注意抓重点。

【对话1】柏戴维：你也得分个轻重主次，不能**眉毛胡子一把抓**!

　　　　姚小姐：我得**眉毛胡子一把抓**，领导让我干啥我干啥。

【情景2】中外员工张文有和阿里木在议论他们公司经理。

【对话2】张文有：咱们经理太累，该不该他管的事他都管。

　　　　阿里木：整天忙不到点子上，**头发胡子一把抓**!

每逢佳节倍思亲　měi féng jiājié bèi sī qīn

【解释】每到过年过节的时候就更加怀念亲人。

　　　　On festive occasions more than ever we think of our dear ones far away.

【情景1】杜伟与外国朋友卢依萨聊天。

【对话1】杜　伟：卢依萨，听说你昨天往家里打了三个电话。

　　　　卢依萨：圣诞节嘛。中国有句俗话**每逢佳节倍思亲**，我们也是这样啊!

【情景2】李琴去看外国朋友那贝哈。

【对话2】李　琴：大过节的，一个人关在家里干什么呢?

　　　　那贝哈：**每逢佳节倍思亲**，我在看从家里带来的录像呢。

名师出高徒　míng shī chū gāo tú

【解释】有名的好师傅能教出本领高的徒弟。多用来称赞有名的好师傅培养出了技艺高超的徒弟，也可以说某有本领的人是某名师培养出来的。

　　　　A famous master can train and bring up a prentice with high faculties. Mainly used to praise a famous master who has done so, or refer to a prentice who has been trained and brought up by a great teacher.

【情景1】王师傅的徒弟在厨艺大赛中获得了中国传统菜肴大奖，朋友普京称赞他。

【对话1】普　京：王师傅，您徒弟得了大奖，真是**名师出高徒**啊!

　　　　王师傅：这是他勤奋努力的结果啊!

【情景2】奥斯曼听说那位售货员的师傅是张秉贵，连连称赞。

【对话2】奥斯曼：啊，你师傅就是张秉贵? 真是**名师出高徒**啊!

　　　　售货员：谢谢，您过奖了。

明人不做暗事　míng rén bú zuò àn shì

【解释】光明正大的人不做见不得人的事。强调做事不背着人，不怕人知道。说自己时，表示行为可以公开；说别人时，要人光明正大。

An honest person does nothing underhand. Emphasizing doing something openly and not afraid of being known. Expressing that one's behaviors can be known to the public when addressing oneself; and that people should be honest when addressing the others.

【情景1】中国员工周天明向领导反映了普京先生的问题。

【对话1】周天明：我是**明人不做暗事**。你的行为就是索贿，我已经反映到领导那去了。

普　京：好啊，周天明，你真不够朋友！

【情景2】宋远见朋友米卢老板与员工在悄悄商量什么，便故意与他开玩笑。

【对话2】宋远：米卢先生，**明人不做暗事**，你们干吗偷偷摸摸的？

米卢：我们怎么叫偷偷摸摸的？**明人不做暗事**，我们正在议论你呢！

磨刀不误砍柴工　mó dāo bú wù kǎn chái gōng

【解释】磨刀不耽误砍柴的时间。比喻多花时间做好准备，不但不会影响工作，反而会加速工作进程。

To grind a knife doesn't delay the time for you to cut firework. Likened to that spending more time to prepare doesn't influence your work; on the contrary, it would enhance your work.

【情景1】经理卡西坦让秘书姚小姐把材料整理一下儿再打字。

【对话1】姚小姐：我都急死了，你们要得那么急，我怕两个小时也打不完。

卡西坦：整理清楚打字才快呀，不是说**磨刀不误砍柴工**吗！

【情景2】保罗知道李老师在忙着写东西，可又见他常常出来锻炼，觉得奇怪。

【对话2】保　罗：李老师，您还有空锻炼啊？

李老师：这就叫**磨刀不误砍柴工**，运动锻炼会使人精力充沛，事半功倍！

拿鸭子上架　ná yāzi shàng jià

【解释】架，家禽住的分层的窝。硬把鸭子抓到架上去。比喻勉强别人做不胜任或不爱做的事。常用来说自己干不了某事，有时是谦虚。也说"赶鸭子上架"。

　　架，perch. Drive a duck onto a perch. Likened to making somebody do something entirely beyond his (her) ability or he (she) dislikes. Usually used to refer to being unwilling to do something, sometimes used to show one's modesty. Also spoken as "赶鸭子上架".

【情景1】这次汉语节目表演，老师让伊莎贝拉演《雷雨》中的鲁四凤。

【对话1】老　　师：伊莎贝拉，你口语不错，扮演鲁四凤。

　　　　伊莎贝拉：我从来没表演过，让我演这个重要角色，这可是**拿鸭子上架**啊!

【情景2】外语系篮球队非让贝当迪当他们的教练不可，贝当迪推托不了。

【对话2】贝当迪：我不过是个普通运动员，怎能当教练，你们真是**赶鸭子上架**。

　　　　队　员：你准行，我们不是**赶鸭子上架**。

哪壶不开提哪壶　nǎ hú bù kāi tí nǎ hú

【解释】哪壶水没烧开，偏提走哪壶水。比喻为难人，使人难堪。多指提到人最怕人说的方面。

　　Happen to carry the pot of water which is not boiled in spite of the many pots of water that are boiled. Likened to embarrassing somebody. Mainly used to describe somebody who is afraid of something being mentioned.

【情景1】甘小姐问松本先生夫人的情况，松本先生没有回答。奥平向甘小姐解释。

【对话1】甘小姐：松本先生好像不太高兴。

　　　　奥　平：你真是**哪壶不开提哪壶**，松本先生已与夫人分居，正闹离婚呢。

【情景2】卢环问外国朋友彼德，考试写的作文能不能在《学汉语》上发表。

【对话2】卢环：你的作文都不错，这次考试作文能在《学汉语》上发表吗?

　　　　彼德：你别**哪壶不开提哪壶**，我考试去晚了，作文没写完，还发表呢!

哪里跌倒哪里爬　nǎli diē dǎo nǎli pá

【解释】在哪里跌倒，在哪里爬起来。比喻在哪方面做错了，在哪方面改正。也比喻在哪儿犯了错误，在哪儿接受教育，改正错误。

　　Stand up where stumbled. Likened to correcting something that is done erroneously. Also likened to people accept education where making a mistake.

【情景1】黄卫的节目演砸了，外国朋友安蒂来看他。

【对话1】安蒂：小黄，不要难过，再演别的吧。

　　　　黄卫：不，我要**哪里跌倒哪里爬**，一定把它演好!

【情景2】王老师备课不认真，课上得不好，学生有意见，他去找了校长。

【对话2】王老师：校长，我想调走。

　　　　校　长：我劝你不要调走，好好工作，**哪里跌倒哪里爬**!

男大当婚，女大当嫁　nán dà dāng hūn, nǚ dà dāng jià

【解释】无论男孩子女孩子，到了结婚年龄理所当然应当结婚。多用来说孩子大了，恋爱结婚是正当的，不应干涉；也劝做父母的关心子女婚姻问题。

When boys and girls attain the marriageable age, they should certainly get married. Mainly used to describe that it is right for a child to marry if he or she becomes an adult, and that this kind of rights shouldn't be interfered. Also used to persuade parents to care about their children's marriage.

【情景1】中外朋友阿珍和玉子在议论小秀的事。

【对话1】阿珍：小秀找了个男朋友，还不敢跟家里说呢。

玉子：小秀也不小了，**男大当婚，女大当嫁**嘛，找对象干吗还瞒着父母？

【情景2】阿姨与日本永井夫人聊天。

【对话2】阿姨：夫人，您儿子该找对象了，**男大当婚，女大当嫁**呀。

夫人：我正为这事伤脑筋呢，人家给介绍了几个，他都看不中。

男儿有泪不轻弹　nán'ér yǒu lèi bù qīng tán

【解释】男子汉不轻易落泪。多劝男人不要哭，或说男人哭了必有伤心事。

A great man doesn't shed tears easily. Mainly used to persuade a man not to weep or indicate that a man who weeps must have something sad.

【情景1】由于一时不慎于坚比赛失败了，他流下了眼泪，外国朋友尼立尔劝他。

【对话1】尼立尔：俗话说**男儿有泪不轻弹**。你要记住这次教训！不要流泪了。

于　坚：虽说**男儿有泪不轻弹**，可我心里难受啊！

【情景2】收到失学少年黄志强的礼物，方略激动得流了泪，外国朋友克拉贝也很激动。

【对话2】方　略：都说**男儿有泪不轻弹**，可我实在控制不住自己了。

克拉贝：是啊，我都要流泪了。

内行看门道，外行看热闹　nèiháng kàn méndao, wàiháng kàn rènao

【解释】门道：做事的窍门或方法。内行人看实质，看本领，看真功夫；外行人只看外表，看形式。常用来引导人看问题本质，也用来说人是内行或者外行。也说"行家看门道，力巴看热闹"。力巴：外行人。

门道，knack，method. An expert sees the essence, faculty and real skill and a layman sees the appearance and form. Usually used to introduce somebody to see the essence of problems, or used to indicate that somebody is an expert or a layman. Also spoken as "行家看门道，力巴看热闹". 力巴, layman.

【情景1】某外国公司想装修，德维尔在与装修公司汤老板商谈。

【对话1】德维尔：还是这种装修样子漂亮。

汤老板：真是**内行看门道，外行看热闹**。这好看的样子保持不了多久！

【情景2】张力和外国朋友库玛一起看下棋。

【对话2】库玛：你说两位下棋的谁是高手？

张力：这我可不懂。所谓**行家看门道，力巴看热闹**，我是看热闹的。

能人背后有能人 néngrén bèihòu yǒu néngrén

【解释】形容能人上面还有更有能耐的人。多用来说某人技艺更高，本事更大。

For every able person there is always one still abler. Mainly used to indicate that somebody has higher skill.

【情景】校田径运动会上不断有人破校纪录。中外学生议论纷纷。

【对话】丁　云：张华光的100米短跑纪录被美国留学生古波打破了。

皮里杜：这不奇怪，**能人背后有能人**嘛！

你有千条妙计，我有一定之规 nǐ yǒu qiān tiáo miàojì, wǒ yǒu yídìng zhī guī

【解释】你的好计策再多，我只有一个主意。比喻采用什么办法也不能使人改变主意。

You have many good stratagems, but I have only an idea. Likened to being unable to make somebody change his or her ideas whatever methods being taken.

【情景1】公司经理佩雷斯怪质检员没按规定做。

【对话1】佩雷斯：你怎么不按我说的规定做？

质检员：**你有千条妙计，我有一定之规**！你的规定不合理。

【情景2】刘明告诉外国朋友贝斯学校有新的考勤规定。

【对话2】贝斯：什么规定也管不住我，**你有千条妙计，我有一定之规**！

刘明：那可不行，期末不让你考试，你毕不了业！

宁吃鲜桃一口，不吃烂杏一筐 nìng chī xiān táo yì kǒu, bù chī làn xìng yì kuāng

【解释】宁肯吃一口鲜美的桃，也不吃一筐腐烂的杏。比喻宁肯少也要好，不贪多。多用在饮食方面。

Would rather eat a piece of a fresh peach than a basket of rotten apricots. Likened to people would rather select less but good things. Mainly used to refer to food and drink.

【情景】中外朋友一起去饭店吃饭，他们在点菜。

【对话】普立斯：别点太多菜，咱们少而精。

罗　刚：对，**宁吃鲜桃一口，不吃烂杏一筐**。

克毕克：什么叫**宁吃鲜桃一口，不吃烂杏一筐**？是水果吗？

女大十八变 nǚ dà shíbā biàn

【解释】女孩子在成长过程中变化大。多用来夸赞女孩子变漂亮了。

A girl will have a big change in the course of growth. Mainly used to praise a girl who has become beautiful.

【情景1】十年后何阿姨又见到了曾永夫人的女儿京子。

【对话1】阿姨：哎呀，这就是京子小姐！这么漂亮，真是**女大十八变**啊！

140

京子：阿姨，我小时很难看，是吧?

【情景2】米拉带女儿来旅游，顺便来看中国朋友金凤。

【对话2】米拉：瞧我这女儿，像她爸爸，丑丫头!

　　　　金凤：哎，**女大十八变**，长大了还可能是个大美女呢!

跑了和尚跑不了寺　pǎo le héshang pǎo bu liǎo sì

【解释】寺：庙，和尚出家修行的地方。和尚可以跑掉，寺庙却跑不掉。"寺"与"事"谐
　　　　音，比喻事情还在，逃脱不了。多用来说对逃跑或想逃跑者，仍然要追究责任。

　　　寺，a temple where monks practise Buddhism. A monk can run away but his temple
can't. "寺" and "事" are homophonic, and so the saying is likened to that the matter is
still there unresolved even though the person concerned has run arvay. Mainly used to indi-
cate that a person can't make his or her responsibility free from investigation.

【情景1】外国客人发现买的是假酒，赶忙去报案。

【对话1】客人：那个卖假酒的已经逃跑了。

　　　　警察：他**跑了和尚跑不了寺**，有这批假酒在，不怕找不到他们。

【情景2】中外两个老板一起干的事情暴露了，他们在商量怎么办。

【对话2】中方：我想到外面躲几天。

　　　　外方：你要跑? 不成，**跑了和尚跑不了寺**，我看咱们自首吧。

便宜无好货　piányi wú hǎo huò

【解释】价钱太便宜，东西不会好。可用来说因为买时太便宜，所以东西不好也不奇怪；
　　　　还可劝人不要买便宜货。

　　　If the price is too cheap, then the goods would not be good. Can be used to indicate
that it isn't strange that the goods aren't good because the price is low. Also used to per-
suade somebody not to buy cheap goods.

【情景】舒曼去修鞋，遇见了中国朋友洪琴。

【对话】舒曼：我这双皮鞋三十元买的，穿了一个星期就掉底了。

　　　　洪琴：要不怎么说**便宜无好货**呢，以后别买便宜货了。

破家值万贯　pò jiā zhí wànguàn

【解释】万贯：指很多钱，古代使用的铜钱用绳子穿着，一千个铜钱是一贯。家再穷，也
　　　　值一万贯。用来说家产置办起来不容易，东西不能轻易舍弃。

　　　万贯，a lot of money linked together by a rope, a thousand copper cash is equal to one
string. The poorest family can also be worth ten thousand strings. Used to indicate that it
is difficult to set up family property and one can't abandon it easily.

【情景1】唐立群去帮外国朋友艾伦搬家。

【对话1】艾　伦：我就讨厌破东西，能扔就扔!

　　　　唐立群：别扔，买哪样东西都得花钱，**破家值万贯**啊。

【情景2】 小玉与外国朋友尹太英议论某居民区刚刚发生的一场火灾。

【对话2】 尹太英：这次火灾，哪家损失都不小。

小　玉：可不是，说是家里没啥，**破家值万贯**呢。

起个大早，赶个晚集　qǐ ge dà zǎo, gǎn ge wǎn jí

【解释】 比喻行动虽早，结果却晚了。多指没赶上某一时间。

Likened to that an early action brings forth a late result. Mainly used to indicate that one does not catch a certain thing.

【情景】 张卫与外国朋友尤丽娅去参加一位朋友的婚礼。

【对话】 张　卫：快走吧，别磨蹭了。

尤丽娅：这就走，别**起个大早，赶个晚集**。

前怕狼，后怕虎　qián pà láng, hòu pà hǔ

【解释】 比喻胆小，顾虑多，怎么做都担心。含贬义。多用来埋怨人胆小怕事，顾虑重重。

Likened to somebody being coward and full of fears. With derogatory meaning. Mainly used to complain about somebody who is coward and full of scruples.

【情景1】 永春想与外国朋友罗阳一起开个小店，他怪罗阳老拿不定主意。

【对话1】 永春：你到底干不干？别这么**前怕狼，后怕虎**的！

罗阳：不是我**前怕狼，后怕虎**，事情总得考虑稳妥点儿啊。

【情景2】 罗天明与外国朋友库玛聊天。

【对话2】 罗天明：我这个人特别怕人说闲话，办事老犹犹豫豫的。

库　玛：你就是**前怕狼，后怕虎**！

钱是英雄胆　qián shì yīngxióng dǎn

【解释】 有了钱，说话办事胆子就壮。多用来说有钱才敢办事，没钱就不敢。

Have money and then act boldly. Mainly used to refer to that one dare to act only if she has money, and on the contrary, one can't if he or he or she has no money.

【情景】 中外员工左为民和贝斯特在谈论他们的老板。

【对话】 贝斯特：咱们老板真有魄力，他又在南方办了个分公司！

左为民：**钱是英雄胆**，手里没点儿资金，他敢这么做！

巧媳妇难为无米之炊　qiǎo xífu nán wéi wú mǐ zhī chuī

【解释】 媳妇手再巧，没有米也做不出饭来。比喻缺少必要条件做不成事。

The cleverest housewife can't cook a meal without rice. Likened to that one can't succeed without necessary conditions.

【情景1】 留学生2015班晚上要在校园聚餐，每个人做一个拿手菜。

【对话1】 老师：卓娅，晚上你做一个俄罗斯菜吧。

卓娅：我当然想做，可惜这儿没有那些作料，我是**巧媳妇难为无米之炊**呀！

【情景2】布乔巴问老师编新教材的事。

【对话2】布乔巴：老师，你们的教材编得怎么样了？

老　师：别提了，图书馆装修停止借阅，我弄不到资料，**巧媳妇难为无米之炊**呀。

清官难断家务事　qīngguān nán duàn jiāwùshì

【解释】清官也难判断和处理家庭内部事务引出的矛盾。说明家庭内部纠纷复杂，外人不便过问，更不好判断谁是谁非。

Even an upright official finds it hard to settle a family quarrel. Explaining that there are many issues in a family, it is inconvenient for the outsider to concern about them and it is more difficult to judge who is right.

【情景1】李为听说外国同事齐藤夫妇老吵架，一天他跟田中经理谈起了这事。

【对话1】李为：田中先生，您不能都忙解决解决？

田中：谁有办法？**清官难断家务事**！

【情景2】麦家尼跟丈夫闹了别扭，在公司跟好友林小姐说。

【对话2】麦家尼：你给评评理，我先生对，还是我对？

林小姐：**清官难断家务事**，你家的事我可不知道。

情人眼里出西施　qíngrén yǎn li chū Xīshī

【解释】情人：指相爱中的人。西施：中国古代美女，后来作为美女的代称。在情人的眼里，他爱的姑娘就是美女。比喻自己心爱的人总觉得美丽。多用来说本来不美的人，你看上她，也会觉得她美。

情人，a person in love. 西施，an ancient Chinese beautiful girl, later becomes a synonym for beauty. In the eyes of the lover, his beloved is a beauty. Likened to people who always think that their lovers are lover beautiful. Mainly used to indicate that a person who isn't beautiful in fact could become so in your eyes if you fall in love with her or him.

【情景1】李丹与外国朋友朴银熙聊天，谈到了郑友的女朋友。

【对话1】李　丹：我看她长得很一般，可郑友整天夸她美。

朴银熙：这就叫**情人眼里出西施**啊。

【情景2】毛力对女朋友小荣喜欢得不得了，外国朋友尼维尔直笑。

【对话2】毛　力：自从跟小荣交了朋友，怎么看怎么觉得她美。

尼维尔：这可是你自己说的啊！这是**情人眼里出西施**。

穷家难舍，故土难离　qióng jiā nán shě, gùtǔ nán lí

【解释】再穷的家也舍不得抛弃，故乡总是不愿意离开。用来说人对家或家乡留恋，依依不舍，不愿离开。

Hate to abandon even the poorest family and hard to depart from one's hometown. Used to describe the nostalgia of people.

【情景1】小杨和外国朋友许在凡随便在城里转着。

【对话1】小　杨：你看拆迁那片破房子，那儿的住户还老回去看呢。

　　　　许在凡：**穷家难舍，故土难离**，人对老房子、老地方还是有感情啊!

【情景2】老师与留学生信泽聊天，信泽谈起了父母。

【对话2】信泽：父母在农村，我劝父母到东京跟我们一块儿住，老人还舍不得老窝儿。

　　　　老师：中国有句俗语**穷家难舍，故土难离**，老人的心可以理解啊。

人不可貌相，海水不可斗量　rén bù kě mào xiàng, hǎishuǐ bù kě dǒu liáng

【解释】相：察看。量：测量。不能根据人的长相、外貌、自然条件等来评定人。多用来说不能看不起人，对人低估。

　　　相，look at and appraise. 量，measure. Don't judge a person by his or her appearance, colour or other natural conditions. Mainly used to persuade people not to look down upon and undervalue somebody.

【情景1】中外员工王朋、奥蒂在谈论新来的工程师。

【对话1】奥蒂：看他矮矮的个子，整天不言不语的，他能做项目负责人?

　　　　王朋：**人不可貌相，海水不可斗量**。他创出好多优质工程呢!

【情景2】导游小姐与外国游客一起登上了长城后高兴地聊起来。

【对话2】导　游：安娜看上去比较弱，我还担心她上来太吃力呢。

　　　　马克礼：她是登山运动员，**人不可貌相，海水不可斗量**。

人多智慧高　rén duō zhìhuì gāo

【解释】人多想出的办法好。多用来说有事大家一块儿商量办。

　　　Many people can think out good measures. Mainly used to emphasize that people should consult with each other to solve a problem.

【情景1】中外朋友遇到一件难办的事。

【对话1】韩平：我们几个人一块儿商量商量，肯定会想出好办法。

　　　　迈克：对，**人多智慧高**。

【情景2】经理看了新方案很满意，连连称赞中国员工刘林。

【对话2】刘林：这是我们组几个人一块儿研究的。

　　　　经理：真是**人多智慧高**啊!

人逢喜事精神爽　rén féng xǐshì jīngshén shuǎng

【解释】人遇到喜庆的高兴事，精神格外爽快、振奋。多用来说人遇到喜事时的高兴样子。

　　　A person will feel very well if he or she meets a happy event. Mainly used to describe the joyous complexion of somebody who meets a happy event.

【情景1】中外朋友见韩国留学生全振国拿到了硕士证书都在为他高兴。

【对话1】权春秀：你看权振国一直在笑，嘴里还哼着歌。

梁　洪：这是大喜事，**人逢喜事精神爽**啊！

【情景2】中国员工施雨的新项目得了大奖，他高兴得一夜没睡，大家对此议论纷纷。

【对话2】任清：真是**人逢喜事精神爽**，他还不觉得累。

　　　　艾伦：可不是，他早上七点半就到公司来了。

人怕出名猪怕壮　rén pà chū míng zhū pà zhuàng

【解释】人就怕出名，猪就怕肥壮。比喻人出了名往往会招来麻烦。

A person is afraid of fame and a pig is afraid of being fat. Likened to that fame often portends trouble for men just as fattening does for pigs.

【情景1】记者采访某名人回来遇见了外国朋友，他们又聊了起来。

【对话1】朋友：这次采访有什么感想？

　　　　记者：真是**人怕出名猪怕壮**，名人被捧得挺高，也累个要死！

【情景2】王老师听说要他上电视，赶紧摆手。留学生亚罗不理解。

【对话2】亚罗：老师，您上了电视说不定就成了名人了！

　　　　老师：名人有什么好？**人怕出名猪怕壮**，成了名人麻烦事就来了！

人巧不如家什妙　rén qiǎo bù rú jiāshi miào

【解释】人手再巧，也不如使用的工具好。多用来称赞工具好，也用来说明需要好工具。
也说"手巧不如家什妙"。

The most dexterous hands can't compared to good tools. Mainly used to praise a good tool, or used to explain the requirement for good tools. Also spoken as "手巧不如家什妙".

【情景1】外国朋友普力在称赞崔师傅的手艺。

【对话1】普　力：崔师傅，您这萝卜花削得太精美了！

　　　　崔师傅：**人巧不如家什妙**，我是用削花机削的！

【情景2】中外员工在谈论技术革新问题。

【对话2】李琼：技术要革新，但也不能忽视工具的改进。

　　　　约翰：那当然了，**手巧不如家什妙**嘛！

人是铁，饭是钢　rén shì tiě，fàn shì gāng

【解释】人好比是铁，饭好比是钢。说明人吃饱了饭才有力气。多用来强调不吃饱饭，干
不了活。也说"人是铁，饭是钢，一顿不吃饿得慌"。

People are like iron and rice is like steel, which means that only by eating one's fill can a person have strength. Mainly used to emphasize that a person can't do anything without eating one's fill. Also spoken as "人是铁，饭是钢，一顿不吃饿得慌".

【情景1】中国员工方进和日本田中先生都忙到中午一点多了还没吃饭，他拉田中去吃饭。

【对话1】田中：我不饿，我这还忙呢。

方进：不行，**人是铁饭是钢**啊。走，一块儿吃饭去！

【情景2】日本人酒井先生来到1701房间时桥本先生还在忙，秘书刘小姐跟酒井先生打招呼。

【对话2】刘小姐：桥本先生忙得中午都没吃饭。

酒　井：**人是铁，饭是钢**，一顿不吃饿得慌。刘小姐，去买两个盒饭来！

人是衣裳马是鞍　rén shì yīshang mǎ shì ān

【解释】人穿上好衣服就漂亮，马配上好鞍子就好看。多用来称赞人穿上好衣服显得漂亮了。

A person is beautiful in beautiful clothes and a horse is beautiful equipped with a pair of good saddle. Mainly used to praise someone in beautiful clothes.

【情景1】韩国学生崔元庆穿一身高档西装，中国朋友尚波称赞他。

【对话1】尚波：你穿上这套西服多帅，简直像个总统！

崔元庆：**人是衣裳马是鞍**嘛！

【情景2】徐老师与外国朋友开玩笑，提起了他那件大背心。

【对话2】徐老师：我穿它去买鸡蛋，人家还以为我是卖鸡蛋的呢，都冲我问价。

朋　友：好哇，**人是衣裳马是鞍**嘛，老师变成卖鸡蛋的老板了！

人熟好办事　rén shú hǎo bàn shì

【解释】人熟悉，办事就方便，容易办成。多用来说办事要找熟人，也用来说事情办得顺利是因为有熟人。也说"熟人好办事"。

Human relations can help a person to succeed easily. Mainly used to indicate that a person should depend on acquaintances if he or she wants to handle affairs, or that it is because of one's acquaintances that he or she handles affairs smoothly. Also spoken as "熟人好办事".

【情景1】日本某公司经理中村先生让中国雇员吴强去跑一趟货运处。

【对话1】中村：你跟那儿的人打过几次交道，**人熟好办事**。

吴强：好吧，我这就去。

【情景2】齐连福去办事没办成，他回来遇见了外国朋友佩普。

【对话2】佩　普：事情办成了吗？

齐连福：我以为**熟人好办事**，谁知没这手续不行！

人往高处走，水往低处流　rén wǎng gāo chù zǒu, shuǐ wǎng dī chù liú

【解释】比喻人总有进取心。多用来鼓励人进步、向上，批评人不长进。也说"人往高，水往低"。

Likened to that a person should always be enterprising. Mainly used to persuade somebody to progress or criticize somebody for not making any progress. Also spoken as "人往高，水往低".

146

【情景1】中国员工金石常常想调到下边去，外国朋友甘地好心批评他。

【对话1】甘地：大金，**人往高处走，水往低处流**。你别动不动就想调到下边去！

　　　　金石：可也是，这儿要求高可以锻炼人啊！

【情景2】中外朋友谈论中国农民进城找工作的问题。

【对话2】牛英：这也不奇怪，现在多数农村条件还比不上城市。

　　　　沙伦：俗话说**人往高，水往低**嘛！

人无头不走，鸟无头不飞　rén wú tóu bù zǒu, niǎo wú tóu bù fēi

【解释】头：带头的。强调做事要有人带头。

　　　　头，leader. Emphasizing that it is necessary to have a leader to handle affairs.

【情景】中外员工王钢、阿里在向上级领导反映公司近来走下坡路的情况。

【对话】阿里：公司这一年来，领导换了三四次，常常处于没人管事的状态。

　　　　王钢：**人无头不走，鸟无头不飞**，这样下去怎么能有成效？

人心都是肉长的　rénxīn dōu shì ròu zhǎng de

【解释】是说人都有感情，对人应该有同情心。多用来劝人同情人、体谅人。

　　　　Everyone has feelings and we should sympathize with people who are suffering. Mainly used to persuade somebody to be considerate to others.

【情景1】中外同学一起谈论中国一些贫困地区孩子读不起书的事。

【对话1】孟华：我觉得他们特可怜，可有的人有钱也不爱管他们！

　　　　爱尼：**人心都是肉长的**，他们怎么一点儿同情心都没有！

【情景2】曾远听说外国朋友维诺的女朋友是离过婚的，还有个孩子。

【对话2】曾远：你能接受她带个孩子嫁过来？

　　　　维诺：**人心都是肉长的**，我既然爱她，又怎么忍心拆散他们母子？

人心齐，泰山移　rénxīn qí, Tài Shān yí

【解释】人们要是齐心协力，连泰山都能给移走。比喻心齐力量大。多用来鼓励人团结一致，共同完成某项任务。

　　　　The people all working with one will can move Mountain Tai. Likened to that a people united can produce great power. Mainly used to persuade people to unite as one to accomplish a task.

【情景1】某公司遇到了困难，中外员工一起商量办法。

【对话1】陈广才：这事有些难办啊！

　　　　格　卓：就看大家心齐不齐了。**人心齐，泰山移**啊。

【情景2】张立与外国朋友牧野经过某小街，那里变得异常干净。

【对话2】张立：昨天街道退休人员和保洁员一齐行动，把路边堆放的垃圾清除了。

　　　　牧野：这就叫**人心齐，泰山移**吧？

人一走，茶就凉　rén yì zǒu, chá jiù liáng

【解释】比喻人一离开，感情就淡漠了。多用来怪人没有情谊。

 Likened to that the feelings become cool after one leaves the position. Mainly used to blame somebody for having no human feelings.

【情景1】甘萍向外国朋友金仁中打听金南非的消息。

【造句1】金仁中：那个人哪，**人一走，茶就凉**，连封信都没来过。

   甘．萍：咳，有几个人不是**人一走，茶就凉**呢？

【情景2】毕业了，中外同学互相告别。

【对话2】钟石：再见了，阿里，玛丽，你们不会**人一走，茶就凉**吧？

   阿里：瞧你说的，怎么会呢！

   玛丽：我不是那种**人一走，茶就凉**的人，我回国后一定常跟你联系。

入乡先问俗　rù xiāng xiān wèn sú

【解释】到一个新地方要先了解当地的风俗习惯，以免惹出麻烦。

 One should comprehend the customs of a new place at first after entering it so as not to provoke troubles.

【情景1】王美与外国朋友左哈拉去大理旅行要去一个中国朋友家。

【对话1】王　美：咱们得打听一下儿去那里做客有什么讲究，别弄得不合适。

   左哈拉：你说的对，李老师常说**入乡先问俗**，就是这个意思吧？

【情景2】德国朋友马特要与中国朋友于文一起去西藏拉萨旅行。

【对话2】于文：我们去之前，要了解一下那里的风俗习惯。

   马特：对，**入乡先问俗**，别弄出笑话，让藏族人不高兴。

若要人不知，除非己莫为　ruò yào rén bù zhī, chúfēi jǐ mò wéi

【解释】要想别人不知道你做的事，除非你不做。比喻干坏事一定会被人知道。多用来表示知道了别人干的事情，要人正确对待，不回避。也说"要想人不知，除非己莫为"。

 If you don't want others to know about it, don't do it. Likened to that bad behaviors will be surely known. Mainly used to refer to that someone must properly treat and doesn't avoid something done by himself or herself.

【情景1】留学生海罗在社会上骗人钱被拘留。警察问他事情经过。

【对话1】海罗：你让我说什么？我什么事也没干。

   警察：没干？**若要人不知，除非己莫为**！

【情景2】宋明英语考试竟找人代考，外国朋友罗阳听说以后生气地批评了他。

【对话2】宋明：你是怎么知道的？谁告诉你的？

   罗阳：谁告诉我的？**要想人不知，除非己莫为**！

三分吃药，七分养　sān fēn chī yào，qī fēn yǎng

【解释】要想病好，三分在于治疗，七分在于休养。说明养病比治病吃药还重要。多用来劝病人注意营养和休息。

To cure a disease lies in 30 per cent treatment and 70 per cent recreation, which means that recreation is more important that treatment. Mainly used to persuade somebody to care about nutrition and relaxation.

【情景1】韩国学生李效荣又犯了胃病，中国朋友韩贵劝告她。

【对话1】李效荣：我吃了好多药了，怎么还不好？

　　　　韩　贵：治病不能光靠吃药。俗话说**三分吃药，七分养**，你吃东西得多注意。

【情景2】某日本夫人常常拉肚，去中日友好医院看病。

【对话2】大夫：我给你开点儿药，你还要注意饮食，**三分吃药，七分养**。

　　　　夫人：我明白**三分吃药，七分养**，我会注意的。

三个臭皮匠，顶个诸葛亮　sān ge chòupíjiàng，dǐng ge Zhūgě Liàng

【解释】皮匠：修鞋工人。诸葛亮：三国时代蜀汉丞相，一位极有智能的人，后人把他作为智能的化身。三个皮匠凑在一起的智能，就能像诸葛亮一样。比喻人多智能多。多用来说遇事大家一起商量，就能想出好办法。

皮匠，cobbler. 诸葛亮，prime minister of the state of Shu in the age of the Three Kingdoms, a man of wisdom, later considered as the embodiment of wisdom. Three stupid cobblers can do as well as Zhuge Liang, if they meet together. Likened to that the wisdom of the masses exceeds that of the wisest individual. Mainly used to indicate that people should consult with each other and will surely think out a good measure.

【情景1】中外员工一起商量怎么解决某一技术难题。

【对话1】元持：来，咱们大伙商量商量，**三个臭皮匠，顶个诸葛亮**。

　　　　李斌：咱们这么多人能顶好几个诸葛亮。

【情景2】布乔有件事想不出主意，和几个人一商量，办法就出来了，他高兴地跟中国朋友说起来。

【对话2】布乔：哎，真是**三个臭皮匠，顶个诸葛亮**啊！

　　　　朋友：你才知道，这话多有道理啊！

三句话不离本行　sān jù huà bù lí běn háng

【解释】说上三句话就能说到自己行业上去。比喻言谈总是离不开自己的行业或自己关心的事情。

Can hardly open one's mouth without talking shop. Likened to somebody talking nothing except one's profession or something he or she cares about.

【情景1】邢新在业余推销减肥茶，韩国朋友李东远有时爱跟他开玩笑。

【对话1】李东远：你怎么说着说着就说起推销来了？真是**三句话不离本行**！

邢新：我是推销员嘛，到哪儿都得讲推销。

【情景2】克拉是搞服装设计的，他的中国朋友孙红是汉语老师。

【对话2】孙红：你老是什么款式呀、线条的，**三句话不离本行**！

　　　　克拉：你才**三句话不离本行**呢！人家一说话，你不是正音，就是分析语法错误！

三天打鱼，两天晒网　sān tiān dǎ yú, liǎng tiān shài wǎng

【解释】打三天鱼就得晒两天网。比喻做事时断时续，不能坚持经常。含贬义。多用来批评人经常误工缺席，特别是学习方面。

Go fishing for three days and dry the nets for two. Likened to people working by fits and starts and lacking perseverance, with derogatory meaning. Mainly used to criticize somebody who is often absent, especially in study.

【情景1】劳拉让中国朋友张立替他请个假，他说特累，今天不想去上课了。

【对话1】张立：你就这么**三天打鱼，两天晒网**的，难怪老考不及格！

　　　　劳拉：现在忙啊，下学期我肯定不这么**三天打鱼，两天晒网**了。

【情景2】老板批评中国临时工小何。

【对话2】老板：小何，昨天怎么又没来？**三天打鱼，两天晒网**，不想干了？

　　　　小何：我有急事，以后保证不**三天打鱼，两天晒网**了！

杀鸡给猴看　shā jī gěi hóu kàn

【解释】在猴子面前杀鸡，让猴子看了害怕。比喻惩罚一个人警戒其他人。

Kill the chicken to frighten the monkey. Likened to the practice of punishing some-

150

somebody as a warning to others.

【情景1】中国员工见经理不在，悄悄议论起了刚才的事。

【对话1】初志伟：今天经理怎么冲秘书发那么大的火，又让写检查，又要扣奖金的？

　　　　詹姆斯：他那是**杀鸡给猴看**，冲着我们来的！

【情景2】老板古斯隆嫌个别工人太不听话，跟工程师高振海商量采取办法。

【对话2】古斯隆：这几个人得教训教训，咱们先治治段玉良，来个**杀鸡给猴看**！

　　　　高振海：就这么办，**杀鸡给猴看**，我去找段玉良。

山外有山，天外有天　shān wài yǒu shān, tiān wài yǒu tiān

【解释】比喻还有本事更高的人。多用来称赞人更有本事，也用来教育人不可太骄傲。也说"人上有人，天外有天"。

　　　　There are other people who have higher faculty. Mainly used to praise somebody who has higher faculty, or used to teach somebody not to be too pride. Also spoken as "人上有人，天外有天".

【情景1】一位普通大学生竟然解决了几位专家解决不了的难题，中外朋友都很惊奇。

【对话1】赵明：这真让人难以相信！

　　　　阿里：真是**山外有山，天外有天**！

【情景2】中外朋友一起议论本届围棋赛谁能得冠军。

【对话2】孙进：谁也不能肯定谁得冠军，虽然宏义是高手，但可能还有比他强的。

　　　　路丁：那是，**人上有人，天外有天**啊！

伤筋动骨一百天　shāng jīn dòng gǔ yìbǎi tiān

【解释】筋骨受损伤，要经过一百天才能好。多劝受伤的人不要着急，慢慢恢复。

　　　　Wounded bones and muscles can be cured at least 100 days later. Mainly used to persuade the wounded not to be anxious and wait for it recovering gradually.

【情景1】张梅上星期脚扭伤了，走路一瘸一拐，路上遇见了外国朋友高桥。

【对话1】张梅：我是又贴药又吃药，怎么还疼？

　　　　高桥：俗话说**伤筋动骨一百天**。慢慢养吧，急也没用。

【情景2】下周就要比赛足球了，汪达把腿摔坏了。洋教练急得不得了。

【对话2】教练：**伤筋动骨一百天**，恢复得再快也来不及呀！

　　　　领队：是啊，让他好好休息，换别人上吧。

上梁不正下梁歪　shàng liáng bú zhèng xià liáng wāi

【解释】建房时上边的大梁放得不正，下边的二梁就要歪。比喻上边的领导或长辈不好，群众或晚辈就会学坏。多在批评群众或晚辈受了领导或长辈坏影响时说。

　　　　If the upper beam is not straight, the lower ones will go aslant. Likened to that bad leaders or seniors can make the crowd or the juniors bad too. Mainly used to criticize the crowd or the juniors influenced by leaders or the old generations.

【情景1】某厂中外工人在议论工厂风气。

【对话1】于长海：有的人好像不占工厂点儿便宜就吃了亏似的。

贝鲁特：工厂领导整天吃吃喝喝，耗费厂里公款，**上梁不正下梁歪**！

【情景2】李田和外国朋友亨达谈起了邻居家的孩子。

【对话2】亨达：那么小的孩子怎么会喝酒、赌博、打架？

李田：那叫**上梁不正下梁歪**，像他爸爸！

少壮不努力，老大徒伤悲　shàozhuàng bù nǔlì, lǎodà tú shāngbēi

【解释】青春年少时不勤奋努力，到老年时悲伤后悔也没有用，来不及了。多用来劝青少年努力学习、上进。

If one doesn't exert oneself in youth, one will regret it in old age. Mainly used to persuade the youth to study hard and make progress.

【情景1】王教授常教育留学生们努力学习。

【对话1】教授：你们不能让时光白白度过，**少壮不努力，老大徒伤悲**啊！

佐藤：父母也常这样勉励我。

【情景2】斯特凡觉得中国朋友小秦太紧张太累了。

【对话2】斯特凡：你上班那么累，还用业余时间去读"自考"，太辛苦了。

小　秦：我要趁年轻多学习。**少壮不努力，老大徒伤悲**，我可不想年老时后悔！

舍不得孩子打不着狼　shě bu dé háizi dǎ bu zháo láng

【解释】要是舍不得牺牲孩子，也就打不着狼。比喻不做出牺牲，不付出代价，就得不到更大的好处或达不到更重要的目的。多用来劝人舍弃小利益，以换取更大的好处。

If you hate to immolate your child, you won't catch a wolf. Likened to "without immolation and price, without more profits or success". Mainly used to persuade somebody to abandon smaller profits to exchange bigger ones.

【情景1】某公司经理大森想卖掉小店，筹集资金参与竞争。他在向员工方成解释。

【对话1】大森：**舍不得孩子打不着狼**，用不了多久，这个店还得回到咱们手里。

方成：我懂，那时就不是小店，而是大店了！

【情景2】中外朋友在议论某人为当局长而给市长送礼的事。

【对话2】陈　丰：人家问他怎么送那么多礼，你猜他说什么？

那热特：他说**舍不得孩子打不着狼**！

身教重于言教　shēn jiào zhòng yú yán jiào

【解释】自己做出个样子比用语言说教更有效。多用来强调干部、教师、长辈等要做出榜样。

Example is better than precept. Mainly used to emphasize that the leader, teacher, or the senior should serve as an example.

152

【情景1】王月告诉外国朋友贝笛，他们老师处处注意用良好行为影响学生。

【对话1】王月：这很重要，老师的言行会影响学生。

贝笛：这我懂，**身教重于言教**。

【情景2】中外员工对公司某领导不以身作则有看法，在议论。

【对话2】蔡　宁：作为领导，自己要做出个样子来。

拉西姆：是啊，**身教重于言教**。群众都看着领导呢！

身在曹营心在汉　shēn zài cáo yíng xīn zài hàn

【解释】人在曹操的军营里，心却想念着蜀汉的刘备。比喻人在这里工作、任职，心却想念别处。多用来说人工作不安心，向往别的单位、部门。含贬义。也说"人在曹营心在汉"。

Being in the battalion of Cao Cao, one is missing Liu Bei, the emperor of the State of Shu. Likened to somebody who works here is missing other places. Mainly used to refer to somebody who doesn't keep his or her mind on work yearns for other departments, with derogatory meaning. Also spoken as "人在曹营心在汉".

【情景1】经理与外国朋友肯特谈到公司技术力量不足的问题。

【对话1】经理：有的技术人员还想调走，工作不安心。

肯特：他们是**身在曹营心在汉**。

【情景2】训练时一位外籍球员把球踢进了自家大门里。教练跟他开玩笑。

【对话2】教练：你在给谁使劲？是不是**人在曹营心在汉**？

队员：不是，我想踢给守门员，这是失误。

身在福中不知福　shēn zài fú zhōng bù zhī fú

【解释】生活在幸福之中却感觉不到是幸福。责备人不知满足，含贬义。也说"生在福中不知福"。

Growing up in happiness, one often fails to appreciate what happiness really means. Used to blame somebody for not being content with one's lot, with derogatory meaning. Also spoken as 生在福中不知福.

【情景1】季一之从外地来看外国朋友罗纳多，两人聊天，谈到坐车出行问题。

【对话1】季一之：我住的地方条件不错，就是坐车不太方便。

罗纳多：你还嫌不方便？你别**身在福中不知福**！

【情景2】要放假了，李立与外国朋友科尔出去买东西，谈起了他的奶奶。

【对话2】李立：奶奶老说我们年轻人**生在福中不知福**，总不知满足。

科尔：年轻人真的不容易满足，哎，时代变了嘛！

生姜还是老的辣　shēng jiāng hái shì lǎo de là

【解释】生姜越老味越辣。比喻人老经验丰富，办事老练。多用来称赞年纪大的人办法多，手段高。也用来说某事要靠某位年纪大的人来办。也说"姜是老的辣"。

The older the ginger is, the hotter the ginger is. Likened to that an old person is more experienced. Mainly used to praise that the old people has more ideas and better means. Also used to refer to that some job should depend on the old people to do. Also spoken as "姜是老的辣".

【情景1】 老孟一出面就把难题解决了，中外员工一齐称赞他。

【对话1】 高山：老孟真行！一下子就解决了。

万达：**生姜还是老的辣**啊！

【情景2】 河本所长派金山去办一件事，金山建议派经验丰富的高桥先生去。

【对话2】 金山：这件事关系重大，高桥先生经验丰富，能不能让他跑一趟？

河本：你说的对，**姜是老的辣**，就让高桥先生去吧。

生米做成了熟饭   shēng mǐ zuò chéng le shú fàn

【解释】 比喻事情已成定局，无法改变。多用在婚姻方面，表示既成事实，无可奈何。

Likened to that things have been done and couldn't be changed. Mainly used to refer to marriage, expressing that it is an accomplished fact, there is no alternative.

【情景1】 阿里找了个中国对象，他跟中国朋友聂林商量，打算瞒着父母结婚。

【对话1】 聂林：婚姻大事为什么瞒着父母？

阿里：我怕他们不同意，要是**生米做成了熟饭**，他们就不会反对了。

【情景2】 某外国在北京的公司招聘员工，发现录取的名单不对。

【对话2】 秘书：怎么录取的是范广生？是不是名字弄错了？

经理：错就错了吧，**生米做成了熟饭**。再说，几个人水平都差不多。

胜败乃兵家常事   shèng bài nǎi bīngjiā cháng shì

【解释】 胜利和失败是领兵的将军经常碰到的事情。比喻成功和失败是常有的事。多用来劝慰失败的人。

Victory and failure are commonplace for generals. Likened to that success and failure are commonplace. Mainly used to console somebody who has failed.

【情景1】 比赛输了，小东心里不舒服，外国朋友伊凡劝他。

【对话1】 小东：我怎么会输给他？

伊凡：你也用不着难过，**胜败乃兵家常事**，下次赢他。

【情景2】 赵老板和外国朋友辛格在谈论做生意的事。

【对话2】 辛　格：**胜败乃兵家常事**，做生意也是一样，有赚的时候，也有赔的时候啊！

赵老板：话虽这么说，可谁赔钱不难受啊！

失败乃成功之母   shībài nǎi chénggōng zhī mǔ

【解释】 失败是成功的基础。多用来鼓励人从失败中吸取教训，努力奋斗。

154

Failure is the mother of success. Mainly used to persuade somebody to take lessons in order to struggle hard in the future.

【情景1】赵军他们第一次实验失败了，外国朋友菲利普鼓励他们。

【对话1】菲利普：搞实验嘛，免不了失败，**失败乃成功之母**啊。

　　　　赵　军：谢谢您的鼓励，我们马上总结经验教训，争取下一次成功！

【情景2】志强告诉外国朋友古波，他要办一家特别的公司。

【对话2】古波：你要做好失败的准备，别后悔。

　　　　志强：我不怕失败，**失败乃成功之母**。

十年河东，十年河西　shí nián hé dōng, shí nián hé xī

【解释】十年在河的东边，十年在河的西边。比喻盛衰无常，变化太大或变化无常。多用来感叹境况的变化。

　　　　A place lies in the east side of a river, but ten years later, it may lie in the west side of the river. Likened to that prosperity and decline are variable. Mainly used to sigh with feeling the changes of circumstance.

【情景1】中外朋友一起谈论电视专访中那位企业家。

【对话1】贾先生：他红的时候，又作报告，又被采访，又被接见，现在他不行了。

　　　　圣西门：人的一生真是**十年河东，十年河西**！

【情景2】小肖觉得自己不顺利，心情不太好，外国朋友韩美纯劝她。

【对话2】韩美纯：一时不顺不等于一辈子不顺。人嘛，总是**十年河东，十年河西**。

　　　　小　肖：好啊，我就盼着转运了。

十年树木，百年树人　shí nián shù mù, bǎi nián shù rén

【解释】培植树木需十年时间，培养人才需要上百年时间。说明培养人才不容易，是长久之计。

　　　　It takes ten years to grow trees, but it takes a hundred to rear people. Indicating that to rear a person isn't easy and is a plan for long.

【情景1】密特朗在与中国朋友、某公司老板曲立群谈论培养人的问题。

【对话1】密特朗：都说**十年树木，百年树人**，将来谁接你的班，考虑了没有？

　　　　曲立群：我已经着手培养接班人了。

【情景2】公司几位技术骨干要调走，经理托马斯很着急地跟中国朋友说这事。

【对话2】朋　友：你急什么，再培养新人啊。

　　　　托马斯：培养人需要时间，中国不是有句俗话**十年树木，百年树人**吗！

世上无难事，只怕有心人　shìshàng wú nán shì, zhǐ pà yǒuxīnrén

【解释】只要一个人有理想、有志气、肯动脑筋，对他来说，世界上就没有办不到的难事。

　　　　说明只要下决心去做，又肯钻研，不管怎么难的事都能办成。也说"天下无难事，只怕有心人"。

Nothing in the word is difficult for one who sets his or her mind on it. Explaining that one can handle affairs succeedingly as long as he or she determines to do and is willing to engage. Also spoken as "天下无难事，只怕有心人".

【情景1】兰娜汉语口语特别流利，丽莎非常羡慕她。
【对话1】丽莎：你怎么说得那么好，是怎么练的？
　　　　兰娜：这是下功夫苦练的，**世上无难事，只怕有心人**嘛。

【情景2】阿里担心小孟搞那种设计不行，可小孟决心特别大。
【对话2】阿里：这种设计，对工程师来说都很难，你能行吗？
　　　　小孟：**天下无难事，只怕有心人！**

瘦死的骆驼比马大　shòu sǐ de luòtuo bǐ mǎ dà
【解释】骆驼即使瘦死了，也比马大。比喻有钱有势的人，即使衰败破产了，也比一般人强。可以说单位集体，也可以说个人。

The camel is bigger that a horse even if it dies of thinness. Likened to that people of wealth are stronger than the common people even if they go bankrupt. Can be used to refer to a group or an individual.

【情景1】外国朋友小西鼓励林老板与大华公司竞争，林老板觉得实力相差太大。
【对话1】小　西：大华最近不景气，正裁员呢。
　　　　林老板：哎，**瘦死的骆驼比马大**，大华资金雄厚，我们竞争不过他们。

【情景2】中外员工跟老经理小原关系很好，大家要求他请客。
【对话2】小原：我都退休了，挣不了几个钱了。
　　　　员工：**瘦死的骆驼比马大**，您现在的顾问费，也比我们多得多呀！

树挪死，人挪活　shù nuó sǐ, rén nuó huó
【解释】树挪个地方栽往往会死，人换个地方工作却常常会变得更好。多用来劝人换单位，或说人调动工作后境况好了。也说"人挪活，树挪死"。

A tree will die if it is moved to a new place, but a person will be better if he or she moves to a new work place. Mainly used to persuade somebody to change job or describe somebody having a better circumstance after movement. Also spoken as "人挪活，树挪死".

【情景1】克拉克听说中国朋友焦立新工作不顺心，鼓励他调一个新单位。
【对话1】焦立新：换换单位？哪儿都一样！
　　　　克拉克：不一样，俗话说**树挪死，人挪活**呀！

【情景2】阿里与中国朋友孙建谈论朋友小周。
【对话2】阿里：小周调到中祥公司没多久，新房子住上了，科长也当上了。
　　　　孙建：真是**人挪活，树挪死**。他原来多不顺心哪！

156

水火不留情 shuǐ huǒ bù liú qíng

【解释】水灾、火灾残酷无情，给人造成的损失大。多在遇到水火灾害，或强调要预防水火灾害时说。

Floods and fires have no mercy and can cause enormous losses for anybody. Mainly used to warn people of the disasters of flood and fire.

【情景1】中外朋友在议论一场火灾。

【对话1】朴星珍：太惨了，烧死二十三个孩子！

李　红：真是**水火不留情**啊！

【情景2】电视里报道，某地正在准备预防洪水，中外朋友谈论起来。

【对话2】夏卓：真得吸取去年那场水灾的教训。

玛丽：是呀，**水火不留情**啊！

水浅养不住大鱼 shuǐ qiǎn yǎng bu zhù dà yú

【解释】比喻小地方容不下大人物。多在有人要求调出时说。

Likened to that a small place can't accommodate an important person. Mainly used to console oneself when somebody applying to change a new work place.

【情景1】中国员工顾非要调到另一个英国公司去工作，经理和他谈话。

【对话1】经理：说老实话，真舍不得放你走，只是我们公司**水浅养不住大鱼**啊。

顾非：经理可别这么说，我调走只是考虑专业对口。

【情景2】听说麦克先生为公司招聘到两位从美国回来的博士，李松称赞他。

【对话2】李松：麦克先生真为公司招来了人才。

麦克：两个人都不错，只怕咱公司**水浅养不住大鱼**啊！

说曹操，曹操就到 shuō Cáo Cāo, Cáo Cāo jiù dào

【解释】正谈论曹操，曹操就来了。比喻说着谁，正好谁就来了。

Mention Cao Cao, and there he is. Likened to the situation that people are talking about somebody, and he comes just in time.

【情景1】袁庆章正要与外国朋友去看从外地来的老朋友列娜，列娜来了。

【对话1】袁庆章：**说曹操，曹操就到**。我们正说去看你呢，你倒自己来了。

列　娜：走，那就到我那儿坐坐。

【情景2】马青和外国朋友正说好久没见佩雷斯了，佩雷斯来了。

【对话2】马　青：真是**说曹操，曹操就到**。我们正说你呢。

佩雷斯：说我？说我什么呢？

说的比唱的还好听 shuō de bǐ chàng de hái hǎotīng

【解释】比喻专门说使人满意的爱听的话。多用来怪人光说不做。贬义。

Likened to somebody saying something others like to listen. Mainly used to blame somebody for only words without action. A derogatory term.

【情景1】马明又说帮外国朋友约翰复习，他说了几次都没做到，约翰不大高兴。

【对话1】约翰：你行了吧，**说的比唱的还好听**！

马明：对不起，以前我实在没有时间帮你复习。

【情景2】马岛在向林南推销产品，说什么"实行三包"、"免费送货"等等。

【对话2】林南：免费这个，免费那个，**说的比唱的还好听**！

马岛：我保证做到，绝不是**说的比唱的还好听**。

死马当做活马医 sǐ mǎ dàngzuò huó mǎ yī

【解释】把死马当做活马来医治。比喻在无望的情况下，尽最后的努力来挽救。可用于治病救人上，也可用于其他方面。

Doctor a dead horse as if it were still alive. Likened to not giving up for lost and making every possible effort. Can be used to refer to a patient, etc.

【情景】厂长告诉外国朋友他请了几位中外专家出谋划策，想振兴工厂。

【对话】厂长：工厂快倒闭了，请来专家也不过是**死马当做活马医**而已。

朋友：和专家一块商量，说不定就有振兴的希望。

死猪不怕开水烫 sǐ zhū bú pà kāishuǐ tàng

【解释】比喻身处逆境，怎样对待都不怕。多用来说自己，也可说别人不在乎批评、惩罚等。

One isn't afraid of whatever treatment he or she may meet now that he or she is in adversity. Mainly used to refer to oneself or the other who doesn't care about others' criticism, punishment, etc.

【情景1】田永生见外国朋友对经理说话太不客气，急忙劝阻。

【对话1】田永生：你这样说话，不怕被经理批评？

朋　友：**死猪不怕开水烫**！我都被他撤了职，还怕什么批评？

送君千里，终有一别 sòng jūn qiān lǐ, zhōng yǒu yì bié

【解释】送人就是送出一千里，也还得分别。多用来劝人不必远送，也表示自己不再远送。

There will be a separation even if you see somebody off for a thousand *li*. Mainly used to persuade somebody not to see somebody off far or express that oneself no longer sees somebody off far.

【情景1】大岛要回国了，中国朋友赵民把他送到了大门口。

【对话1】赵民：我送你到机场吧。

大岛：不用了，**送君千里，终有一别**，我们就在这儿告别吧。

【情景2】李芳送外国朋友丽娜去青岛工作。

【对话2】李芳：我也不远送了，**送君千里，终有一别**。盼望你再来北京。

丽娜：再见，我一定会再来的。

抬头不见低头见　tái tóu bú jiàn dī tóu jiàn

【解释】形容彼此经常见面。多用来说与人常见面，处理问题不得不顾及情面。也说"低头不见抬头见"。

Describing that people often meet. Mainly used to refer to that you should consider the other's feelings while dealing with problems because you can't avoid meeting with him or her. Also spoken as "低头不见抬头见".

【情景1】郭勇让立川跟小野说说，别老招来客人，影响大家学习。

【对话1】立川：还是你跟他说好。我跟他**抬头不见低头见**，不好说。

郭勇：好，我说，我不怕得罪人。

【情景2】古拉斯向中国员工季业转达了主任的意见，还特别加了说明。

【对话2】古拉斯：大家**低头不见抬头见**，别为这点儿事伤了和气。

季　业：你放心，我不会怪他。

太阳从西边出来　tàiyáng cóng xībian chūlai

【解释】比喻根本不可能或者奇异少见，让人难以相信。多说人很少有某种好举动。也说"日头从西边出来"。

Likened to something impossible and hard to believe. Mainly used to describe that somebody does some good deeds which are rare for them. Also spoken as "日头从西边出来".

【情景1】中外朋友商量让谁请客。

【对话1】王春：让大岛请客，他得了大奖了！

中村：他是个出了名的小气鬼，叫他请客，除非**太阳从西边出来**！

【情景2】总爱迟到的藤村今天七点五十就到了教室，同学们在讥笑他。

【对话2】岸上：今天真是**太阳从西边出来**了。

藤村：老师说了，让**太阳从西边出来**给你们看看。

【情景3】中外员工在聊天，谈起了傲慢的经理，他从来不与员工打招呼。

【对话3】关永：今天**日头从西边出来**，经理见我主动打了招呼。

海姆：这可真是**日头从西边出来**。

贪多嚼不烂　tān duō jiáo bu làn

【解释】贪图一口吃得多多的，往往嚼不碎。比喻过于追求数量，质量必定受影响。多用在学习知识方面，劝人量力而行，不要贪多。

Bite off more than one can chew. Likened to that to seek the quantity excessively will affect the quality. Mainly used in study, persuading somebody to do according to his or her capability and not to covet too much.

【情景1】班侬跟中国朋友谈他的学习计划。

【对话1】班侬：我计划一天背二百个生词，两个月内学完那本词汇大纲。

朋友：不行，**贪多嚼不烂**，背多了记不住。

【情景2】有的留学生还想多学一段课文，老师和另一些学生都说不行。

【对话2】老师：今天先学这两段吧，**贪多嚼不烂**，下次再接着学。

学生：老师说得对，**贪多嚼不烂**，我的脑袋都发胀了。

天无绝人之路　tiān wú jué rén zhī lù

【解释】天不会断绝人的生活道路。多用来鼓励处于困境中的人，说明总会想出办法，找到活路的。

Heaven never seals off all the exits. Mainly used to persuade somebody in adversity to think out good measures and find a new means of livelihood.

【情景1】经理霍克跟推销员梁斌在为一批商品找出路。

【对话1】霍克：我真怕这批货烂在咱们手里。

梁斌：**天无绝人之路**，我再跟施德公司联系联系。

【情景2】松本先生病了，夫人特别担心，阿姨在劝她。

【对话2】夫人：先生这一病倒，我就觉得像天塌了一样，往后的日子可怎么过？

阿姨：你也别犯愁，**天无绝人之路**。

【情景3】刘康与外国朋友柯雷格一时想不出办法，却也不着急。

【对话3】柯雷格：休息休息，出去走走，说不定能想出办法来。

刘　康：好，出去走走，我相信**天无绝人之路**。

天有不测风云　tiān yǒu bú cè fēngyún

【解释】天常常让人预料不到地刮风下雨。比喻一些情况的出现让人难以预料。多用来说人遇到了意想不到的困难和灾祸。也说"天有不测风云，人有旦夕祸福"。

A storm may arise from a clear sky. Likened to some unexpected situations. Mainly used to refer to that someone meets an unexpected difficulty or disaster. Also spoken as "天有不测风云，人有旦夕祸福".

【情景1】某公司购进大量棉花生产棉布，不料棉布价格大幅下调。中外员工议论纷纷。

【对话1】普立：真是**天有不测风云**，谁会想到棉布价格大幅下调！

老叶：公司不会因此倒闭吧？

【情景2】小宋与外国朋友黑川谈论汪先生遇到的一起事故。

【对话2】小宋：谁能想到大桥突然坍塌，汪先生连车带人掉下去，险些送了命。

黑川：这真是**天有不测风云，人有旦夕祸福**啊！

跳进黄河也洗不清　tiào jìn Huánghé yě xǐ bu qīng

【解释】就是跳进黄河里洗，也洗不干净。比喻冤屈无法辩白。多在被诬陷被误解时，用来表示太委屈。

One can't wash himself or herself clean even if he or she jumps into the Yellow River. Likened to that injustice can't be offered an explanation. Mainly used to refer to somebody who is misunderstood and has been wronged severely.

【情景1】公司老板尼维尔与会计有矛盾，会计诬告他有贪污问题，他觉得特别委屈，中国朋友劝他。

【对话1】朋友：你别太激动，事情总会弄清楚的。

　　　　老板：谁能相信我的话？我怕是**跳进黄河也洗不清**了。

【情景2】秦力告诉外国朋友德佛斯，他把拾到的皮包还给了失主，失主硬说是他偷的。

【对话2】秦　力：我是**跳进黄河也洗不清**了！

　　　　德佛斯：你别着急，警察会调查清楚的，怎么能**跳进黄河也洗不清**呢！

偷鸡不成蚀把米　tōu jī bù chéng shí bǎ mǐ

【解释】蚀：损失。想偷鸡没偷到，反而损失一把喂鸡的米。比喻想占便宜却吃了亏。多用来劝人不要干贪便宜而没有把握的事。也嘲笑人想捞好处却受了损失。

蚀，lose. Try to steal a chicken only to end up losing the rice. Likened to somebody who wants to gain extra advantage unfairly only end up suffering losses. Mainly used to persuade somebody not to be anxious to get things on the cheap without certainty. Also used to laugh at somebody who wants to gain extra advantage unfairly only end up suffering losses.

【情景1】曲庆钢劝外国朋友麦家尼不要在某公司入股。

【对话1】曲庆钢：那个公司哪有好处给你赚？别**偷鸡不成蚀把米**！

　　　　麦家尼：要干事情就不能怕啊！不要总怕**偷鸡不成蚀把米**。

【情景2】郎德与外国朋友西林谈论某公司。

【对话2】郎德：那家公司往面粉里掺假，受到了处罚，损失很大。

　　　　西林：活该，叫他们**偷鸡不成蚀把米**！

头痛医头，脚痛医脚　tóu tòng yī tóu，jiǎo tòng yī jiǎo

【解释】头痛就医治头，脚疼就医治脚。比喻就事论事，不从根本上解决问题。用来批评人没有全面计划安排。

Treat the head when the head aches; treat the foot when the foot hurts. Likened to people considering something as it stands and not solve the problem completely. Used to criticize somebody who has no complete plan.

【情景1】中国员工在谈论公司的问题，他们谈到了资金。

【对话1】唐先生：资金不足是个问题，资金的合理使用更是个问题。

　　　　普希金：是的，不能用它**头痛医头，脚痛医脚**。

【情景2】王英告诉外国朋友，他们厂下岗工人有孩子上大学的，都补助一年学费。

【对话2】王英：补助学费应该，不过这还是**头痛医头，脚痛医脚**，困难还没解决。

朋友：重要的是早日解决下岗工人再就业问题。

头三脚难踢 tóu sān jiǎo nán tī

【解释】开头的三脚不容易踢好。比喻事情开头难做。多用来鼓励人做事不要怕开头难。也用来叙述开始阶段的困难。

The first three kicks aren't easy. Likened to that everything is hard in the beginning. Mainly used to persuade somebody not to be afraid of the diffculty in the beginning. Also used to narrte the difficulty in the beginning.

【情景1】韩国朋友朴中汉与张力谈起了他在北京投资办的韩国餐馆。

【对话1】朴中汉：刚开业不久，困难还不少。

张　力：哎，这叫**头三脚难踢**，以后各方面都熟悉了就好了。

【情景2】叶达对外国朋友说他开了个洗染店，一开始就碰到一大堆麻烦事。

【对话2】叶达：真是**头三脚难踢**呀！

朋友：你知道**头三脚难踢**就好，别怕困难。

兔子不吃窝边草 tùzi bù chī wō biān cǎo

【解释】比喻坏人不在自己所在地附近干坏事。多用来说人不会危害亲友、邻居。也用来埋怨人危害了他们。

Likened to a villain who doesn't harm his natives and neighbours. Also used to complain of the harm from them.

【情景1】格雷姆提醒王发锁好车，说对面住的那个人专门偷人自行车。

【对话1】王　发：**兔子不吃窝边草**，他不会偷我的车。

格雷姆：还是小心点儿好。

【情景2】波兰学生马特因骑车违章，被当了警察的中国朋友大明罚了款。

【对话2】马特：你当了警察连朋友也不认识了，还罚我的款，**兔子还不吃窝边草**呢！

大明：这叫公事公办，你骑车违章，我照章办事！

万事开头难 wàn shì kāitóu nán

【解释】不管什么事都是开始阶段最难做。常用来鼓励人坚持干下去。

Everything is hard in the beginning. Usually used to persuade somebody to insist on the things they are engaged in.

【情景1】许老师想办个专门的财会学校，他与外国朋友斯拉夫谈起了这事。

【对话1】许老师：我这只是个愿望，还不知从哪儿做起呢！

斯拉夫：**万事开头难**，能招来第一批学生，后边的工作就好做了。

【情景2】普立先生为在北京办敬老院，几乎跑遍了北京市，人整个儿瘦了一圈。

【对话2】普立：如今这敬老院总算办起来了。

记者：**万事开头难嘛**，您为中国老年朋友办了件大好事啊。

无事不登三宝殿　wú shì bù dēng sānbǎodiàn

【解释】三宝殿：泛指佛殿。比喻没有事情不上门来。可以说自己专为某事而来，或说别人来了肯定有事。

三宝殿, referring in general to Buddhist temple. Likened to somebody who wouldn't go to sb.'s place except on business, for help, etc. Can be used to refer to oneself or the other.

【情景1】秘书侯小姐见客户花川先生来了，忙让座。

【对话1】侯小姐：花川先生有什么事吗？

花　川：我是**无事不登三宝殿**，要跟你们经理谈谈生意方面的问题。

【情景2】见隔壁田中先生来了，中外员工悄悄议论。

【对话2】关立冬：田中先生怎么突然来了，他准有什么要紧的事。

达尔文：是啊，他是**无事不登三宝殿**。

无债一身轻　wú zhài yì shēn qīng

【解释】不欠别人的债，觉得浑身都轻松。多用来说还清了债务，没有负担，心情愉快。有时也用来说急于还清债。

Feel easy from head to foot without debt. Mainly used to refer to somebody having paid off one's debts and being happy. Sometimes used to refer to being anxious of paying off one's debts.

【情景1】米拉一收到父母寄来的钱就来还孙钢，孙钢不要。

【对话1】孙钢：你不是要去旅行吗？先用吧。

米拉：还是先还清欠款好，**无债一身轻**啊。

【情景2】某公司刘先生来催还债，中本先生特别着急。

【对话2】中　本：我比你还着急，**无债一身轻**嘛，只是最近公司资金有些周转不开。

刘先生：我们也是等钱用啊！

物以稀为贵　wù yǐ xī wéi guì

【解释】东西因为少就显得珍贵。多用来说某种东西因为少而显得珍贵，或因为多而显得不值钱。

Things are valuable because they are rare. Mainly used to refer to something valuable because of rarity or something cheap because of large quantity.

【情景1】中外朋友一起买水果。

【对话1】乔小莲：这种水果在我们泰国一元钱能买一大堆，在这儿这么贵！

朋　友：中国没有啊，这就叫**物以稀为贵**。

【情景2】徐然陪外国朋友去买 VCD 机。

【对话2】徐然：前几天 VCD 机还挺贵的呢，现在各大商店争相让利销售。

朋友：哎，**物以稀为贵**，许多厂家都生产，太多了就不好卖了。

县官不如现管　xiànguān bù rú xiàn guǎn

【解释】别看县官官大，他还不如做具体工作的人说话算数。比喻职务虽然不高，但是说话算数。多用来说人负责某项具体工作有权，说话顶用。

A present officer can't match the person who manages concrete affairs. Likened to "what a low-rate officer says counts". Mainly used to refer to that one who is in charge of a concrete work has the power and what he or she says counts.

【情景】中外同学在谈论宿舍分配的事。

【对话】谷春：别小看这个宿舍管理员，许多学生巴结他。

雅娜：他管分配宿舍啊，**县官不如现管**。

心有余而力不足　xīn yǒu yú ér lì bù zú

【解释】心里想的特别好，力量却达不到，想做做不了。常说自己，也可说别人。

The spirit is willing, but the flesh is weak. May be used to refer to oneself or the other.

【情景1】留学生王永茂跟徐老师谈起了编词典的问题。

164

【对话1】徐老师：我一直想编一部大型中国文字演变的工具书，可惜**心有余而力不足**啊。

王永茂：找个助手嘛，肯定有人感兴趣。

【情景2】曹先生来找某公司经理乔纳森，希望他们能支持一所希望小学。

【对话2】曹先生：你们能不能出资支持一所希望小学？

乔纳森：我们当然愿意，可是资金紧张，**心有余而力不足**啊。

新官上任三把火　xīn guān shàng rèn sān bǎ huǒ

【解释】新官上任有三把火的热情。比喻新官员上任，有热情，决心大，劲头足，但不能持久。多用来说新干部热情可嘉，担心不能持久。

A new official applies strict measures. Likened to that a new official has ardor, determination and energy, but transient. Mainly used to refer to new cadres who have respectable ardor but not last long.

【情景】中外教师在谈论新来的校长。

【对话】白　老　师：新校长一来就召开各种座谈会，很快就解决了教学人员收入偏低的问题。

约翰老师：**新官上任三把火**嘛！

眼不见为净　yǎn bú jiàn wéi jìng

【解释】对于食品，没看见它脏不脏，就当它干净吧。多用来说不在意食品干不干净。

The food can be thought clean as long as you don't see it. Mainly used to persuade people not concern too nuch about whether the food is clean or not.

【情景1】列娜和中国朋友周丽到快餐厅吃小吃。

【对话1】周丽：餐厅的包子不知干不干净，真不敢吃。

列娜：**眼不见为净**，你要那么讲究，什么都不能吃了。

【情景2】中外两位顾客 A 和 B 在餐厅用餐。

【对话2】顾客 A：我眼看那勺子掉在地下，服务员捡起来就放在桌子上了。

顾客 B：在餐厅吃饭，**眼不见为净**吧。

养兵千日，用兵一时　yǎng bīng qiān rì, yòng bīng yì shí

【解释】养兵是长期的事情，用兵是一时的事情。比喻平时做好准备，在急需时使用。常用来鼓励人在关键时刻做出贡献。也说"养军千日，用在一朝"。

Maintain an army for a thousand days to use it for an hour. Likened to preparing at ordinary time to meet the demand at urgent time. Used to persuade somebody to make an achievement at crucial times. Also spoken as "养军千日，用在一朝".

【情景1】某公司开展技术攻关，经理鼓励中国员工谷力。

【对话1】经理：公司培养你这么多年，**养兵千日，用兵一时**，这次就看你的了。

谷力：我明白，我会尽力去做的。

【情景2】消防队为某外资工厂灭火，队长鼓励队员。

【对话2】队长：同志们，**养军千日，用在一朝**，就看咱们的了！

　　　　队员：队长放心，我们一定迅速把火扑灭。

一寸光阴一寸金　yí cùn guāngyīn yí cùn jīn

【解释】一分一秒的时间就像黄金那样珍贵。形容时间极为宝贵。多劝人珍惜时间。

　　　　A minute or a second of time is as precious as gold. Describing that the time is valu-
　　　　able. Mainly used to persuade somebody to value time.

【情景1】傅洪刚和外国朋友麦克在一起复习，他们互相鼓励。

【对话1】麦　克：咱们得抓紧时间复习，眼看就要考试了，**一寸光阴一寸金**啊。

　　　　傅洪刚：是啊，不能再浪费时间了！

【情景2】厂长斯特凡和车间主任杨安里商量生产问题。

【对话2】斯特凡：下月就交货了，时间紧，任务重，**一寸光阴一寸金**啊。

　　　　杨安里：误不了，不行就加加班。

一个巴掌拍不响　yí ge bāzhang pāi bu xiǎng

【解释】比喻单方面引不起纠纷。多用来说争斗双方都有责任，不能责罚某一方。

　　　　Likened to that dispute can't be caused by one side. Mainly used to indicate that both
　　　　sides are responsible for the dispute and both should be blamed for it.

【情景1】阿辽沙批评中国朋友李来多跟方兵争吵。

【对话1】李来多：这事怪他，他老找我毛病。

　　　　阿辽沙：**一个巴掌拍不响**，他怎么不找别人的毛病？

【情景2】周洪勃和朋友布拉维谈今天坐车见到的一场争吵。

【对话2】周洪勃：看得出售票员心里不痛快，火气特别大。

　　　　布拉维：**一个巴掌拍不响**，乘客买票时说话也难听，两人就吵起来了。

一个萝卜顶一个坑　yí ge luóbo dǐng yí ge kēng

【解释】一个萝卜长在一个坑里。比喻每个人各有自己的岗位和任务。多用来说明人员紧
　　　　张，没有多余人力。

　　　　A radish grows in a pit. Likened to that everyone has his or her own position and job.
　　　　Mainly used to explain that the personnel is scarce and there is no surplus manpower.

【情景1】长谷川所长跟李进谈工作。

【对话1】所长：你们组能不能抽个人到办公室帮帮忙？

　　　　李进：今天吴先生去出差，我们这是**一个萝卜顶一个坑**，抽不出人来了。

【情景2】队员们对领队的安排不满意。

【对话2】队员：现在是**一个萝卜顶一个坑**，万一有人生病或有事，谁来代替？

　　　　领队：别急，我马上调人来。

一分钱一分货　yì fēn qián yì fēn huò

【解释】花一分钱只能买一分钱的货物。比喻按质论价，什么样的价钱就是什么样的货物。
多为卖主在讨价还价时说，强调自己卖的贵是货好。也说"一分行情一分货"。

One cent can only buy one cent of goods. Likened to that the price is decided by the quality of goods. Mainly used by the seller to emphasize that one's own goods is good when bargaining with the customer. Also spoken as "一分行情一分货".

【情景1】京城老外都学会了讨价还价，尤丽娅去秀水街买东西。

【对话1】尤丽娅：你们的丝绸怎么比西单商场还贵？

　　　　商　贩：东西也不一样啊，**一分钱一分货**。这是地道的杭州丝绸！

【情景2】曾原夫人让阿姨看她的皮鞋。

【对话2】夫人：这双皮鞋买时我还嫌贵呢。可是你看，穿一年多了还像新的似的。

　　　　阿姨：穿着舒服吧？真是**一分钱一分货**。

一回生两回熟　yì huí shēng liǎng huí shú

【解释】第一次见面觉得陌生，第二次见面就熟悉了。是说彼此常见面，自然就熟悉了。

First time strangers, second time friends, which means people getting to know each other soon.

【情景1】老师安排两个班的留学生一块儿表演话剧。

【对话1】学生：我们跟2016班的同学不太熟悉。

　　　　老师：没关系，**一回生两回熟**，见见面就熟悉了。

【情景2】永井先生见到了同是搞光盘的罗天成。

【对话2】永　井：你好，初次见面，请多关照。

　　　　罗天成：不必客气，我们**一回生两回熟**，也请您多多关照。

一口吃不成个胖子　yì kǒu chī bu chéng ge pàngzi

【解释】吃一口东西不会马上变成胖子。比喻做事总有个过程。常用来劝人要耐心，不要急于求成。

You can't build up your constitution on one mouthful. Likened to that action needs a process. Mainly used to persuade somebody to be patient and not to be overanxious for quick results.

【情景1】留学生哈乌米要请老师辅导口语。

【对话1】哈乌米：我真羡慕桦岛启介，他汉语说得那么流利。

　　　　老　师：桦岛学了四年了，你刚学一年，不要着急，**一口吃不成个胖子**！

【情景2】中外朋友一起谈论绿化的事。

【对话2】田东：绿化这事真慢，不少荒山现在还光秃秃的。

　　　　青格：树要一棵一棵栽，一年一年长，**一口吃不成个胖子**！

一人做事一人当 yì rén zuò shì yì rén dāng

【解释】自己一个人做的事，由自己承担责任。多用来表示不把过错推给别人，也不连累别人。

A person should be responsible for his or her own actions. Mainly used to descrie somebody not to shift fault onto others and get others into trouble.

【情景1】警察问田口清一还有谁参与了打架。

【对话1】田口：你不用问了，人是我打伤的，我**一人做事一人当**！

警察：好啊，你还挺讲义气！

【情景2】外国朋友卡尔特与王彪合伙做事被罚了款，两人争执起来。

【对话2】卡尔特：王彪，**一人做事一人当**，干吗往我身上推？

王　彪：你怎么不**一人做事一人当**？这坏主意不是你出的吗？

一失足成千古恨 yì shīzú chéng qiāngǔ hèn

【解释】失足：失脚，脚下踩空，比喻人一时做了坏事或犯了错误。一旦做错了事或犯了错误，一辈子都会悔恨的。多用来劝人做事慎重，特别是对待婚姻问题。

失足，slip，likened to that one has done bad things. Mainly used to refer to the error of moment becomes the regret of a lifetime. Mainly used to persuade somebody to act discreetly, especially in treating the marriage.

【情景1】两人认识不到半个月，雨丝就决定跟田中走，中国朋友方元劝她慎重考虑。

【对话1】方元：你对田中同学了解不多，不能匆匆忙忙跟他走，**一失足成千古恨**啊！

雨丝：我的事用不着别人管！

【情景2】黄林与外国朋友宋提谈论雷宁参与走私香烟的事。

【对话2】黄林：雷宁还年轻，没有经验，又经不住钱的诱惑。

宋提：我知道他后悔死了，真是**一失足成千古恨**。

一条鱼腥了一锅汤 yì tiáo yú xīng le yì guō tāng

【解释】一条鱼把一锅汤都弄成了腥味。比喻一个人品德行为不好，影响了整个集体荣誉。多用来责怪人影响了集体。也说"一条鱼满锅腥"。

A fish makes the whole pot of soup fishy. Likened to that a person of bad morality can influence the whole collective. Mainly used to blame somebody for his or her bad influence on the collective. Also spoken as "一条鱼满锅腥".

【情景1】留学生2017班平均成绩在全年级排在最后。

【对话1】老师：我们班成绩在全年级排在最后，大家找找原因吧。

学生：主要原因是那几个不好好学习、经常旷课的同学成绩不好造成的，**一条鱼腥了一锅汤**。

【情景2】评委说留学生A班的体操表演特别好，只有一个男同学老出错，被扣了三分。

【对话2】老　师：他练习时就常出错，又不听人劝。

哈菲兹：到底弄得**一条鱼满锅腥**。

一心不可二用　yì xīn bù kě èr yòng

【解释】一颗心不能同时向两处用。多用来强调学习或做事要集中精力，不能分心。

A heart can't be used in two places. Mainly used to emphasize that one should keep his or her mind on the things they are studying or handling.

【情景1】老师发现留学生米奇上课时看杂志，便问他听没听讲课。

【对话1】老师：米奇，上课不要看杂志，**一心不可二用**。

　　　　米奇：老师，我听着呢。我在探索一心是否可以二用。

【情景2】邹青听说公司要上一个新项目，他找到了项目负责人中岛。

【对话2】邹青：中岛，我能不能参加你们的新项目，我们一块儿干?

　　　　中岛：你还在读研究生，**一心不可二用**，以后再说吧。

一朝被蛇咬，十年怕井绳　yì zhāo bèi shé yǎo, shí nián pà jǐngshéng

【解释】一天被蛇咬了，十年见到井绳都害怕，以为是蛇。比喻遭到一次灾难或挫折以后，心有余悸。多用来说人受惊吓后变得胆小怕事了。

Once bitten by a snake, one shies at a coiled rope for the next ten years. Likened to somebody having a lingering fear after the disaster or frustration. Mainly used to describe that one becomes timid after being frightened.

【情景1】卫晴特别怕电，外国朋友迪安觉得很奇怪，问他为什么。

169

【对话1】卫晴：我被电过一次，差点儿送了命。

迪安：你是**一朝被蛇咬，十年怕井绳**啊！

【情景2】大岛问中国朋友顾天，为什么在小组讨论会上总是沉默，一言不发。

【对话2】大岛：你怎么一句话也不说？

顾天：我挨过老板的骂，差点儿被开除，我是**一朝被蛇咬，十年怕井绳**啊！

英雄难过美人关　yīngxióng nán guò měirén guān

【解释】才能出众的英雄人物，很难通过"美人"这一关卡，往往因为迷恋女色而丧失斗志、犯错误或失败。

It is difficult for a hero to pass the barrier of beauty. He often loses fighting will, and even make error or fail because of being infatuated with women's charms.

【情景1】柯珍问中国朋友罗雨，总经理那么能干，怎么当了半年就被撤了。

【对话1】罗雨：咳，还不是跟女秘书的事。

柯珍：真是**英雄难过美人关**。

【情景2】苏文跟外国朋友葛瑞商量怎样对付经理。

【对话2】葛瑞：你想搞美人计？他能上钩吗？

苏文：你没听说**英雄难过美人关**吗？

有奶便是娘　yǒu nǎi biàn shì niáng

【解释】给自己奶吃的就是妈妈。比喻谁给好处就投靠谁。多用来嘲讽见利忘义、卖身投靠的人。贬义。

Whoever suckles me is my mother. Likened to somebody submiting oneself to anyone who feeds one. Mainly used to sneer at those who are devoid of gratitude for profit or barter away one's honour for sb.'s patronage.

【情景1】何老板又投靠向阳公司了，朋友约翰不解地问他。

【对话1】约　翰：何老板，你为什么又跟向阳公司搞项目了？

何老板：没法子，他们给的钱多，**有奶便是娘**！

【情景2】谢山认为运动员不能只呆在一个队里不调动，可以转会。外国朋友哈桑反对。

【对话2】谢山：运动员可以转会，不一定呆在一个队里不调动。

哈桑：你的意思是谁给的钱多就代表谁，**有奶便是娘**？

有钱能买鬼推磨　yǒu qián néng mǎi guǐ tuī mò

【解释】只要有钱就能让鬼为自己推磨。比喻有钱什么事都能办到。多用来说人靠钱办事。也说"有钱能使鬼推磨"。

You can make a ghost to push the mill for you. Likened to that you can succeed whatever you do if you have money. Mainly used to refer to that one depends on money to handle affairs. Also spoken as "有钱能使鬼推磨".

【情景1】吕森告诉外国朋友尤瑟米奥斯，经理花钱顾人打伤了昨天跟他吵架的人。

【对话1】尤瑟米奥斯：真有人为了钱帮他打人？

吕　　森：**有钱能买鬼推磨**，真有那不要命的。

【情景2】沙笛听夏军说，孙铁开车违反交规，还动手打了交警，让人扣起来了。他爸爸想花点儿钱了事。

【对话2】沙笛：这个孙铁，太不像话！

夏军：他爸爸以为**有钱能使鬼推磨**，花几个钱就行了。

冤仇宜解不宜结　yuānchóu yí jiě bù yí jié

【解释】冤仇应该解开、消除，不应该继续结仇。多在调解矛盾时，劝人不要跟人争斗或不要记恨人。也说"仇隙宜解不宜结"。

Rancour should be dismissed and shouldn't be started. Mainly used in interceding conflicts, persuading somebody not to remember the enmity, dispute or fight with others. Also spoken as "仇隙宜解不宜结".

【情景1】潘余与人吵架后想找人报复，韩国朋友金迎吉劝他。

【对话1】潘　余：他们太欺负人了！我一定找人报复！

金迎吉：这样斗下去有什么好处？**冤仇宜解不宜结**呀！

【情景2】某公司范经理来找川崎先生，想和解矛盾。

【对话2】范经理：我们两个公司一向合作得不错，为这事闹翻了不值得。

川　崎：你说的对，**仇隙宜解不宜结**呀！

远亲不如近邻　yuǎn qīn bù rú jìn lín

【解释】居住在远处的亲戚不如住在附近的邻居关系亲密，能互相帮助，互相照应。多用来称道邻里关系，也劝人搞好邻里关系。

Neighbours can help each other and are dearer than distant relatives. Mainly used to praise the close relation among neighbours. Also used to persuade somebody to get along well with the neighbour.

【情景1】艾伦刚来中国，住在他隔壁的中国学生谢扬去看他。

【对话1】谢扬：你有事找我好了，中国有句老话叫**远亲不如近邻**啊。

艾伦：好的，谢谢你。

【情景2】老师听说梅雨丝父母年纪大了，没人照顾，很担心。

【对话2】老　师：父母在家没人照顾，行吗？

梅雨丝：有邻居帮助照顾，**远亲不如近邻**啊！

远水不解近渴　yuǎn shuǐ bù jiě jìn kě

【解释】远处的水无法解除现在口渴。比喻远处的好条件解决不了眼前的急需。多用来说要重视眼前需要，加以解决。也说"远水救不了近火"。

Distant water can't quench present thirst. Likened to that the aid is too slow in coming to be of any help. Mainly used to refer to that the needs at the moment should be regarded and satisfied. Also spoken as "远水救不了近火".

【情景1】 钱悦去找外国朋友罗迈借车。

【对话1】 罗迈：你们公司不是有两辆车吗？怎么还向我借车？

钱悦：有八辆也没用，都不在公司，我急用，**远水不解近渴**。

【情景2】 孙秀娥知道拉弗尼亚很有钱，奇怪她说没钱去旅行。

【对话2】 孙 秀 娥：没钱，让你爱人寄呀。

拉弗尼亚：现在寄也来不及，**远水不救近火呀**！

在家靠父母，出门靠朋友 zài jiā kào fùmǔ, chū mén kào péngyou

【解释】 在家里依靠父母，出门在外依靠朋友。多用来说出门在外要与人搞好关系，多交朋友，有事好靠朋友帮忙。

You should depend on your parents when you are at home, but you could only depend on your friends when you are out. Mainly used to refer to that one should get along well with your friends and ask them for help when you have something hard to deal with.

【情景1】 下课时，老师跟留学生们谈起了朋友间互相帮助的问题。

【对话1】 老师：中国有句俗语**在家靠父母，出门靠朋友**，大家要互助帮助。

约翰：我来中国之前，妈妈就对我说**在家靠父母，出门靠朋友**。

【情景2】 穆斯塔第一天上班就请中外同事们吃饭。

【对话2】 穆斯塔：我刚到中国来工作，很多方面还要靠大家多指点。

董大柱：不必客气，大家互相帮助，**在家靠父母，出门靠朋友**嘛。

在家千日好，出门一时难 zài jiā qiān rì hǎo, chū mén yìshí nán

【解释】 在家里总是觉得好，出门在外就会感到困难。说明出门在外有很多事不如在家方便。多用来提醒人出门前做好各方面准备。

At home you may be a thousand days in comfort, away from home you are in constant trouble. Indicating that there will be more inconvenience for you when you are out than you are at home. Mainly used to remind somebody to prepare well before going out.

【情景1】 老师提醒留学生劳拉出去旅行多带些钱，注意这注意那。

【对话1】 劳拉：我就去一个星期，还有伴儿，没问题。

老师：几天也不如在家方便，**在家千日好，出门一时难**啊！

【情景2】 任天书和外国朋友牧阳春在外旅行半个月了，买不到回来的机票。

【对话2】 任天书：我算在外边呆够了，恨不得马上回家，机票又买不到。

牧阳春：俗话说**在家千日好，出门一时难**。咱不是要见世面吗？

站着说话不腰疼 zhànzhe shuō huà bù yāo téng

【解释】比喻说大话容易。多用来埋怨人不体谅自己的难处，勉强人做事或只知道说大话。

　　　　Likened to that it is easy for one to talk big. Mainly used to complain about somebody who doesn't consider one's own trouble, forces the other to do something or does nothing but bragging.

【情景1】索洛见许山又来找中国朋友高大川借车。

【对话1】索　洛：高大川，你不是有两辆自行车吗？给他一辆得了。

　　　　高大川：给他一辆？你真**站着说话不腰疼**，那是我打了半年工挣的呀！

【情景2】大岛光雄建议学计算机的中国员工顾冲办个计算机辅导班。

【对话2】大岛光雄：你办个计算机班，让新来的人都跟你学学。

　　　　顾　　冲：你别**站着说话不腰疼**，我哪有那么多时间！

知人知面不知心 zhī rén zhī miàn bù zhī xīn

【解释】了解一个人的外貌很容易，了解他的内心却很难。比喻人心难测。多在觉得关系亲近的人并不如自己想的那样好时说。

　　　　You may know a person's face easily but his or her heart difficultly. Likened to that a person's heart is hardly measured. Mainly used in the situation in which you think that a close friend isn't so good as you had predicted.

【情景1】笠岛提起了朋友薛敏，石宝生非常激动。

【对话1】石宝生：甭提他，我一直把他当作亲兄弟看待，原来他是在利用我。

　　　　笠　岛：真是**知人知面不知心**啊！

【情景2】田广文提醒吉田，别太相信那个房东大姐。

【对话2】田广文：你别什么话都对她说，**知人知面不知心**啊！

　　　　吉　田：我看房东大姐很老实，不会坑害我们的。

纸包不住火 zhǐ bāo bu zhù huǒ

【解释】比喻真相掩盖不住，事情无法隐瞒，总要暴露出来。多用来劝人承认错误或坦白罪行。

　　　　Likened to that the fact can't be hidden and will be exposed eventually. Mainly used to persuade somebody to admit his or her errors or confess his or her crime.

【情景1】望天公司逃税的事让人知道了，中外员工在议论这事。

【对话1】叶　爽：经理千嘱咐万嘱咐，还是让人知道了。

　　　　阿布哈亚：**纸包不住火**呀！早晚要暴露的。

【情景2】董林劝朋友安德烈去找老师说清自己考试作弊的事。

【对话2】董　林：要知道，**纸包不住火**，自个儿说比被别人说出来好。

　　　　安德烈：好，我就去说，承认错误。

众人拾柴火焰高　　zhòngrén shí chái huǒyàn gāo

【解释】大家都去拾柴火，柴火多了，火焰就高。比喻人多力量大，好办事。多用来鼓励人齐心合力做事。

When everybody adds fuel the flames rise high. Likened to that the large number of people have enormous strength. Mainly used to encourage everybody to unite as one to act.

【情景1】经理在动员中外员工齐心协力把事情办好，大家发表意见。

【对话1】古里利惠：公司的事情就是我们的事情，当然要靠大家齐心协力去做。

　　　　徐　　英：俗话说**众人拾柴火焰高**。只要大家心齐，什么事情都好办。

【情景2】看完电视里一些地区联合起来兴修水利工程的报道，中外朋友议论起来。

【对话2】雪瑞：他们的办法不错，群众都动员起来了。

　　　　王威：工地热火朝天，真是**众人拾柴火焰高**！

歇 后 语

八仙过海——各显神通　bāxiān guòhǎi——gè xiǎn shéntōng

【解释】八仙：中国道教传说中的八位神仙，他们是汉钟离、张果老、韩湘子、铁拐李、吕洞宾、曹国舅、蓝采和、何仙姑，个个都有特别的本领。神通：指仙人所具有的神奇的能力。这句歇后语意思是说，每个人都拿出自己的本领、办法来。也说"八仙过海——各显其能"。

八仙, the Eight Immortals in Taoist legend, all of whom have special faculties, i. e. Han Zhongli, Zhang Guolao, Han Xiangzi, Li Tieguai Lü Dongbin, Cao Guojiu, Lan Caihe, He Xiangu. 神通, miraculous ability a supernatural being has. This two-part allegorical saying means that everyone should show his or her own special faculty or means. Also spoken as "八仙过海——各显其能".

【情景1】老师在班上布置汉语演讲比赛。

【对话1】老师：你们在演讲比赛时，一定要**八仙过海——各显神通**，争取拿到名次。

　　　　学生：我们一定**八仙过海——各显神通**，不会让大家失望的。

【情景2】留学生彼得跟中国朋友张华在哈尔滨参观冰雕艺术。

【对话2】张华：这次冰雕艺术节展出的作品都很精美，形式多样，非常吸引人。

　　　　彼得：是啊，真是"**八仙过海——各显其能**"，显示出了艺术家的奇妙构思。

茶壶煮饺子——有嘴倒不出　cháhú zhǔ jiǎozi——yǒu zuǐ dào bu chū

【解释】"倒"与"道"谐音，"道"是"说"的意思。茶壶肚大嘴小，饺子倒不出来。这句歇后语形容人嘴笨，有话说不出来。多用来说人有知识，嘴却表达不出来。也用来说人有苦处，不好说出来。

"倒" is the homophone of "道", "道（say）" is equal to "说（say）". The tea pot has a big stomach and a small mouth, so the *jiaozi* in it can't be poured out. This two-part allegorical saying describes that somebody has a stupid mouth and couldn't speak out what he or she wants to speak. Mainly used to refer to somebody who is erudite but can't express what he or she thinks. Also used to refer to somebody who is suffering but can't speak out.

【情景1】泰国学生魏桂香与中国学生赵彩霞谈论各自的导师。

【对话1】魏桂香：我的导师知识很渊博，就是**茶壶煮饺子——有嘴倒不出**。

赵彩霞：我的导师还行，就是要求太严了。

【情景2】陆小姐要求调动工作岗位，调动后又后悔了。日本朋友田中芳子和陆小姐谈论这件事。

【对话2】陆 小 姐：当初我哭着闹着要求调到营业部来，没想到营业部这么忙，这么累。

田中芳子：现在你是**茶壶煮饺子——有嘴倒不出**啊！

窗户眼吹喇叭——名声在外 chuānghuyǎn chuī lǎba——míngshēng zài wài

【解释】"名"与"鸣"谐音，"鸣声"即"名声"。这句歇后语是说，从窗户眼向外吹喇叭，喇叭声传到了外面。形容事物或人的名气大，外人都知道。名声包括好名声和坏名声。

"鸣" is the homophone of "名", "鸣声（sound）" is equal to "名声（reputation）". This two-part allegorical saying says: blow a trumpet from a window's hole and its sound spreads outside. Describing that one's fame is so high that the outside knows him or her. Fame can be good or bad.

【情景1】桑娅与安娜聊天。

【对话1】桑娅：安娜，你怎么也认识拉萨德？

安娜：他可是**窗户眼吹喇叭——名声在外**的人，上次演讲比赛得了第一名！

【情景2】韩国学生崔庆山与中国学生张明谈杨春生抓了大奖的事。

【对话2】张 明：听说杨春生抓了个大奖，明天让他请客！

崔庆山：他能请客！他呀，**窗户眼吹喇叭——名声在外**，是个出了名的小气鬼！

【情景3】朝鲜学生金永庆手表坏了，要中国学生徐威陪他去表店修表。

【对话3】徐 威：你怎么就相信那个钟表店，非去那儿不可？

金永庆：电视里报道过，那家钟表店**窗户眼吹喇叭——名声在外**，可靠。

大姑娘坐轿——头一回 dà gūniang zuò jiào——tóu yì huí

【解释】轿：指旧时结婚新娘坐的花轿。这句歇后语的意思是说，大姑娘结婚坐轿，这是人生第一次。用来比喻第一次做某事。

176

轿, sedan used by brides in old times. This two-part allegorical saying means that, this is the first time for an unmarried girl to take a bridal sedan chair in her lifetime. Used to be likened to somebody doing something for the first time.

【情景】俄罗斯学生叶连娜给代表团当翻译，中国学生麦小英问她当翻译的感受。

【对话】麦小英：叶连娜，你这几天给代表团当翻译，有什么感受？

叶连娜：真有点紧张，当翻译我可是**大姑娘坐轿——头一回**呀！

大水冲了龙王庙——一家人不认识一家人　dàshuǐ chōng le lóngwángmiào——yì jiā rén bú rènshi yì jiā rén

【解释】龙王庙：龙王的庙宇。龙王是中国神话传说中掌管兴云降雨、统领水族的王。大水把龙王庙冲坏了，是一家人不认识一家人的结果。这句歇后语的意思是说，自己人之间发生了误会。

龙王庙，the temple of the Dragon King. The Dragon King is the king who charges cloud and rain and leads aquatic animals. The spate rushes away the temple of the Dragon King, which means that a member in a family doesn't know the other members in the same family. This two-part allegorical saying means that people on the same side have a misunderstanding.

【情景1】日本公司业务经理伊藤向中国雇员小刘介绍佐佐木先生。

【对话1】伊藤：小刘，你们认识一下，免得以后**大水冲了龙王庙—— 一家人不认识一家人**。

小刘：我叫刘长春，认识您很高兴，请多关照。

【情景2】武占祥陪日本留学生平泽去买衣服，平泽与另一个日本人吵了嘴。

【对话2】平　泽：这真是**大水冲了龙王庙——一家人不认识一家人**了！

武占祥：你们俩吵了半天，原来是老同学！

擀面杖吹火——一窍不通　gǎnmiànzhàng chuī huǒ——yí qiào bù tōng

【解释】擀面杖：擀面用的木棍。一窍不通：一个通气的窟窿都没有。这句歇后语比喻一点儿也不懂。用来说别人，有看不起人的意思。用来说自己，表示谦虚。

擀面杖, rolling pin. 一窍不通, there is no hole for ventilation. This two-part allegorical saying is likened to somebody knowing nothing. It has the meaning of looking down upon when it is used to refer to the other while it has the meaning of modesty when it is used to refer to oneself.

【情景1】外国朋友跟中国公司秘书谈论李主任。

【对话1】伊万：李主任对业务，怎么像歇后语说的那样**擀面杖吹火——一窍不通**？

秘书：李主任是行政领导，不抓业务。

【情景2】周伟请加藤先生做学校的顾问。

【对话2】周伟：加藤先生，您能不能给我们做日语教学顾问？

加藤：我是搞日语理论研究的，对教学工作可是擀面杖吹火——一窍不通。

高射炮打蚊子——大材小用　gāoshèpào dǎ wénzi——dà cái xiǎo yòng

【解释】高射炮：用来击落飞机等高空目标的防空火炮。大材小用：大的材料用到了小的
方面。这句歇后语的意思是说，把大的材料、重要人才等用在小的方面，划不来、
不合算。

高射炮, antiaircraft artillery. 大材小用, put fine timber to petty use. This two-
part allegorical saying means that it isn't worthwhile to waste one's talent on a petty job.

【情景1】日本山上夫人与保姆马阿姨谈话。

【对话1】山上夫人：马阿姨，你看这块布料做椅子垫怎么样？

　　　　马 阿 姨：这么好的丝绸，怎么能做椅子垫？那不是高射炮打蚊子——大材小
　　　　　　　　用了吗？

　　　　山上夫人：什么叫高射炮打蚊子——大材小用？

【情景2】鲁新兰对英国朋友博士生伊娃娜在幼儿园教幼儿英语不理解。

【对话2】鲁新兰：伊娃娜，你这个博士生教幼儿英语，那不是高射炮打蚊子——大材小
　　　　　　　　用吗？

　　　　伊娃娜：我是研究幼儿教育的，不是高射炮打蚊子——大材小用。

黄鼠狼给鸡拜年——没安好心　huángshǔláng gěi jī bài nián——méi ān hǎo xīn

【解释】黄鼠狼：黄鼬，又叫"黄皮子"，一般夜间出来活动，偷吃鸡鸭等家禽。黄鼠狼本
来要吃鸡，却来给鸡拜年，显然是别有用心。这句歇后语常用来揭露人伪装和伪
善，别有用心。

黄鼠狼, weasel, usually going out in night, eating chicken, duck, etc. stealthily.
The weasel goes to pay his respects to the hen. This two-part allegorical saying is used to
disclose somebody who is disguised and hypocritical and has ulterior motives.

【情景1】公司经理对秘书安娜没安好心，黄小姐提醒她注意。

【对话1】黄小姐：安娜，经理对你献殷勤，你可要小心点儿！

　　　　安　娜：我知道他黄鼠狼给鸡拜年——没安好心！

【情景2】外国人安东对吴荣小姐有好感，想跟她交朋友。

【对话2】吴荣：安东，用不着你关心，你是黄鼠狼给鸡拜年——没安好心！

　　　　安东：你误会了，我只想跟你交朋友。

火烧眉毛——顾眼前　huǒ shāo méimao——gù yǎnqián

【解释】这句歇后语是说，火把眉毛烧了，只能快扑眼前的火。比喻在紧急情况下，先解
决急需解决的问题。

This two-part allegorical saying means that the fire is singing the eyebrow and it is
time to stamp it out at once. Likened to solving the urgent problem first in a desperate sit-
uation.

【情景1】由于经济危机，公司要裁减人员，佐藤经理与陈秘书谈话。

【对话1】经理：为了渡过难关，只好**火烧眉毛——顾眼前**了。

秘书：辞退员工要做好思想工作，让他们走得高高兴兴。

【情景2】日本某公司海外部部长田中与中国某工厂厂长谈话，研究工厂生产问题。

【对话2】田中：凡事得有个长远考虑，不能**火烧眉毛——顾眼前**。

厂长：我也是这么想的，所以要培养高科技人才。

鸡蛋碰石头——自找难看 jīdàn pèng shítou——zì zhǎo nánkàn

【解释】鸡蛋软，石头硬，鸡蛋碰石头一碰就破。比喻自找难看或自寻死路。这句歇后语多用来说弱者与强者较量，不会有好结果。

A egg is brittle and a stone is hard, so the egg will surely break if it is to collide with the stone. Likened to people asking for one's embarrassment or bringing about one's destruction. This two-part allegorical saying is mainly used to indicate that there is no good result if the weak competes with the strong.

【情景1】长谷川要和江云摔跤，比一比谁有劲儿，朋友田家先笑他。

【对话1】田家先：江云人高力大，你不是**鸡蛋碰石头——自找难看**吗？

长谷川：我就是要跟他较量较量，胜败没关系。

【情景2】凯瑟林与陈旭东在评论两家公司的实力。

【对话2】陈旭东：我看 M 公司不如 N 公司。

凯瑟林：M 公司跟 N 公司竞争，那是**鸡蛋碰石头——自找难看**！

鸡毛炒韭菜——乱七八糟 jīmáo chǎo jiǔcài——luàn qī bā zāo

【解释】鸡毛不可能和韭菜一起炒，这只是一种设想，形容事情混乱，没有秩序。这句歇后语多用来说事情又多又乱，理不出头绪来。

Chicken's feather couldn't be stir-fried with leek. This is an envision used to describe chaos and disorder. This two-part allegorical saying is mainly used to describe that things are excessive and disorder and couldn't be tidied up.

【情景】岩田与中国员工沈中议论某公司情况。

【对话】岩田：那个公司人与人之间关系紧张，工作也没个头绪，可以说是**鸡毛炒韭菜——乱七八糟**。

沈中：看你说的，有那么严重吗？

姜太公钓鱼——愿者上钩 Jiāngtàigōng diào yú——yuànzhě shàng gōu

【解释】姜太公：姜姓，吕氏，名望，字子牙，又叫吕尚，通称姜太公。传说他不满殷纣王统治，隐居渭水河边，常用无饵的直钩钓鱼，并说："愿者上钩来！"后来遇到周文王，辅佐文王、武王灭商有功，封于齐，为齐国始祖。这句歇后语是说，心甘情愿地去做，上当受骗也愿意。多用来说做某事是自觉自愿的，不是被迫的。也用来说事先设好圈套，让不明真相的人上当受骗。

姜太公, Jiang Ziya, legendary character modelled upon Lü Shang, or Lü Wang. generally called Jiang Taigong. It is said that he was dissatisfied with the king of the Shang Dynasty, lived in seclusion and fished with a straight hook without any bait. He said: "volunteers, rise to the hook." Later he met with the Morality King Zhou and the Military King Zhou, helped them to exterminate the Shang Dynasty and was granted Qi territory, so became the ancestor of the Kingdom Qi. This two-part allegorical saying means that someone is willing to do something even if he or she may be cheated. It is mainly used to refer to that somebody doing something is voluntary, not forced by others. Also used to refer to somebody setting a snare for those who don't know the fact to swallow the bait.

【情景1】莉莎是外国留学生，扎赫德把她介绍给中国朋友罗意克做女友。

【对话1】扎赫德：你和莉莎见面了没有？谈得怎么样？有没有希望？

罗意克：我把地址告诉她了。反正是**姜太公钓鱼——愿者上钩**，她不来就算了。

【情景2】外国公司经理与中国推销员谈推销产品。

【对话2】经　理：我们打开销路后，再降价出售那些次品，肯定有人愿意买。

林有为：经理，您这一招真绝，这叫**姜太公钓鱼——愿者上钩**啊！

脚底抹油——溜了　jiǎodǐ mǒ yóu——liū le

【解释】溜：滑溜，指溜走，偷偷地走开。这句歇后语是说，脚底上抹了油，站不住，溜走了。比喻偷偷地离开。多用来说人不辞而别。也说"鞋底儿抹油——溜了"。

溜, sneak away. This two-part allegorical saying means that someone whose soles are daubed with oil couldn't stand and has to sneak away. Likened to somebody leaving by stealth. mainly used to refer to somebody leaving without saying good-bye. Also spoken as "鞋底儿抹油——溜了".

【情景1】某公司效益不好，有的员工离开了，巴拉特跟中国员工谈这件事。

【对话1】巴拉特：卡列基刚拿到工资就**脚底抹油——溜了**。

何世勤：公司得想办法提高效益，增加工资，要不然，离开的人会更多。

【情景2】中外学生周末在一家歌厅唱卡拉OK，小张有事要走。

【对话2】纳赛尔：小张，你怎么**鞋底儿抹油——溜了**？

小　张：我有点儿事，先走一步。

脚上的泡——自己走的　jiǎo shang de pào——zàjǐ zǒu de

【解释】这句歇后语是说，脚上的泡是自己走出来的。比喻事情的不好结果是自己造成的。多用来说事情没办好，产生不良后果，原因在于自己。

This two-part allegorical saying means that the blisters on one's feet originates from one'own action. Likened to indicate that a bad result is caused by oneself. Mainly used to explain that the thing hasn't been done well and brings about bad results, and that the cause lies in oneself.

【情景】夏丹阳的朋友走私汽车被海关没收，夏丹阳跟外国朋友赛卡谈这件事。

【对话】夏丹阳：我多次劝他不要走私，他不听，这回损失惨重。

赛　卡：这叫脚上的泡——自己走的。

孔夫子搬家——净是书　Kǒngfūzǐ bān jiā——jìng shì shū

【解释】孔夫子：对孔子的称呼，孔子名丘字仲尼，儒家学派创始人，中国古代伟大的哲学家、思想家、教育家。人们认为孔子很有学问，家里一定有很多书。孔子搬家肯定都是书。"书"与"输"谐音，"输"是失败的意思。这句歇后语的意思是说，总是失败，没有成功或胜利的时候。

孔夫子, appellation of Confucius, his given name is Qiu, styled Zhongni, the founder of the Confucian school, great ancient Chinese philosopher, thinker and educator. People consider Confucius as an educated man, so there must be a lot of books in his house. When Confucius moved his house, the things he wanted to move must all be books. "书" and "输" are homophonic, and "输" is the meaning of failure. So this two-part allegorical saying means that there are only failures but no success or victory.

【情景】外国留学生足球队跟中国学生足球队比赛三场，都输了。双方队长对话。

【对话】阿里：我们队体力、技术都不行，从来没赢过，就像歇后语说的**孔夫子搬家——净是书**。

李勇：你们队员的素质不错，只要配合好，取胜的希望还是有的。

快刀斩乱麻——一刀两断　kuài dāo zhǎn luàn má——yì dāo liǎng duàn

【解释】斩：砍。这句歇后语比喻毫不犹豫、坚决果断地断绝关系。

斩, cut. This two-part allegorical saying is likened to disengaging with somebody unhesitatingly and decidedly.

【情景】秦小利失恋了，外国朋友米哈依安慰她。

【对话】米哈依：他既然不爱你，你就不要犹豫了，干脆**快刀斩乱麻——一刀两断**!

秦小利：唉，感情不是那么容易割断的。

老鸹落在猪身上——看见别人黑，看不见自己黑　lǎogua luò zài zhū shēn shang——
kànjian biéren hēi, kàn bu jiàn zìjǐ hēi

【解释】老鸹：乌鸦，全身羽毛是黑的。猪：这里指黑毛猪。黑：黑色，用来指代缺点、错误、毛病。这句歇后语的意思是说，只看到别人的缺点错误，看不到自己的缺点错误。

老鸹, crow, whose feathers are black. 猪, here referring to black-haired pig. 黑, black colour, likend to shortcoming, fault or defect. This two-part allegorical saying means that someone couldn't find his or her own but others' faults.

【情景1】荷兰学生阿杰和彼特吵架，中国学生王刚进行劝解。

【对话1】阿杰：彼特说我是**老鸹落在猪身上——看见别人黑，看不见自己黑**，就吵起来了。

王刚：你们两个都心平气和地说话，就不会吵起来了。

【情景2】中国学生张成与毛里求斯留学生孟强谈论他们的朋友徐京的缺点毛病。

【对话2】张成：徐京总爱挑别人毛病，其实他比谁的毛病都多。

孟强：他是**老鸹落在猪身上——看见别人黑，看不见自己黑!**

老鼠过街——人人喊打　lǎoshǔ guò jiē——rén rén hǎn dǎ

【解释】老鼠：鼠的通称，又叫"耗子"，用来比喻危害人的人或事。这句歇后语是说，危害人的人或事，人人都痛恨。也说"耗子过街——人人喊打"。

老鼠, general name of rat, also named "耗子", likened to somebody or something harmful. This two-part allegorical saying means that everyone hates somebody or something harmful. Also spoken as "耗子过街——人人喊打".

【情景1】法国留学生雷米和中国学生安宏谈论如何做人。

【对话1】雷米：做人要做好人，不做坏人，否则就会**老鼠过街——人人喊打**。

安宏：话是这么说，可做好人难哪。

【情景2】扎赫德跟中国朋友田红谈论"打假"问题。

【对话2】扎赫德："打假"很好，假冒伪劣产品成了**老鼠过街——人人喊打**的东西，不敢露面了。

田　红：只要"打假"坚持下去，假冒伪劣产品就没有市场了。

老王卖瓜 —— 自卖自夸　Lǎo Wáng mài guā —— zì mài zì kuā

【解释】自卖自夸：自己夸自己卖的东西好。这句歇后语的意思是，自己夸自己的东西好，或自己夸自己好。也说"王婆卖瓜 —— 自卖自夸"。

自卖自夸, praise the goods one sells. This two-part allegorical saying is used to describe somebody praising one's own belongings or oneself. Also spoken as "王婆卖瓜 —— 自卖自夸".

【情景1】秀水街自由市场一个小商贩拿着皮衣喊："瞧一瞧，看一看，正宗意大利皮衣，物美价廉。"

【对话1】魏国：卖东西的都说自己的东西好。

　　　　阿里：对，这叫**老王卖瓜 —— 自卖自夸**。

【情景2】日本留学生冈田在中国朋友刘春美面前夸口自己汉语水平高。

【对话2】冈田：我不是吹牛，我觉得我的汉语水平不错了。

　　　　春美：你别**王婆卖瓜 —— 自卖自夸**了，"的"、"地"、"得"还分不清呢！

老太太过年 —— 一年不如一年　lǎotàitai guò nián —— yì nián bù rú yì nián

【解释】这句歇后语是说，老太太过年，过一年衰老一年，身体也不如以前。用来比喻生活一年比一年穷困，或健康状况一年比一年差。也说"老头儿过年 —— 一年不如一年"、"王小二过年 —— 一年不如一年"。

This two-part allegorical saying means that an old lady becomes more senescent than last year after spending the New Year. Likened to that one's life becomes poorer and poorer or one's health becomes worse and worse. Also spoken as "老头儿过年 —— 一年不如一年"、"王小二过年 —— 一年不如一年".

【情景1】也门留学生赛哈姆在中国学生李向阳家过春节，跟向阳奶奶谈话。

【对话1】赛哈姆：奶奶，听说过去你们农村生活很苦，是吗？

　　　　奶　奶：是啊，那时候是**老太太过年 —— 一年不如一年**。现在可好了，天天过年。

【情景2】艾伯力看到一位外国老人打太极拳，结束时他跟老人谈话。

【对话2】艾伯力：老人家，看你气色不错，身体好吧？

　　　　老人家：不行啊，**老头儿过年 —— 一年不如一年**了。

聋子的耳朵 —— 摆设　lóngzi de ěrduo —— bǎishe

【解释】摆设：摆在房间里供欣赏的艺术品，这里指徒有其表而没有实际用处的东西。这句歇后语是说，聋子的耳朵听不到声音，成了摆设。比喻人或东西成了没用的多余的了。也说"聋子的耳朵 —— 废物"。

摆设, artworks put inside a room to be appreciated, here refering to specious but useless things. This two-part allegorical saying means that a deaf person couldn't hear anything so that his or her ears becomes specious but useless. Likened to that someone or something becomes useless. Also spoken as "聋子的耳朵 —— 废物".

【情景1】留学生爱华房间的电视总出毛病，中国学生张力来告诉她有一个电视剧很好看。

【对话1】爱华：这个电视动不动就出毛病，是**聋子的耳朵——摆设**。

张力：那你到我房间看吧。

【情景2】留学生丹阳到中国学生左兰家做客，两人谈所住小区的安全问题。

【对话2】丹阳：看样子你们住的地方很安全，门口还有看门的。

左兰：那是**聋子的耳朵——摆设**，照样丢东西。

罗锅上山——前紧 luóguō shàng shān——qián jǐn

【解释】罗锅：驼背的人。"前"与"钱"谐音，"前紧"就是"钱紧"。钱紧：钱不够用，经济上有困难。这句歇后语是说，经济上有困难，手里不宽裕，钱不够用。

罗锅，humpbacked person. "前" and "钱" are homophonic, "前紧" is "钱紧". 钱紧，the money isn't enough for spending, the economy becomes difficult. This two-part allegorical saying means that someone hasn't enough money to spend and has a tight economy.

【情景1】中国学生马良约外国留学生阿杰一起去旅行。

【对话1】马良：阿杰，放假了，我们一起去旅行吧？

阿杰：我不能去了，现在我是**罗锅上山——前紧**啊。

【情景2】某公司中国秘书同外国经理谈话，请求买几台电脑。

【对话2】秘书：经理，我们公司还得添置几台电脑。

经理：你说的也是，不过现在公司生意不好，**罗锅上山——前紧**啊！

马尾穿豆腐——提不起来 mǎyǐ chuān dòufu——tí bu qǐlái

【解释】马尾：马尾巴上的长毛。提：把物体从下往上移，这里是"说"、"谈"的意思。这句歇后语是说，用马尾穿豆腐是提不起来的。运用时有三种情况：一是指事情不能提；二是指事物之间不能相提并论；三是指人的精神提不起来。

马尾，long hair on a tail of a horse. 提，raise something from down to up, here referring to speaking or talking. This two-part allegorical saying means that it is impossible to raise a piece of bean curd by a long hair on a horse's tail. Used in three kinds of situation: the first indicating that something couldn't be mentioned; the second referring to that things couldn't be mentioned in the same breath; the last referring to that one's spirit couldn't be raised.

【情景1】徐广利问纳赛尔什么时候跟吉玛结婚。

【对话1】徐广利：你跟吉玛的关系怎么样了？什么时候结婚？

纳赛尔：唉，**马尾穿豆腐——提不起来**了，人家又看上别人了。

【情景2】中国学生万雨红跟外国学生布兰卡谈小王失恋的事儿。

【对话2】万雨红：小王失恋了，吃饭、学习、工作都没精神。

布兰卡：是啊，我怎么说都没用，真是**马尾穿豆腐——提不起来**了。

门缝里看人——把人看扁了 ménfèng li kàn rén——bǎ rén kàn biǎn le

【解释】这句歇后语是说，从门缝看人，只能看到一条扁的形状。比喻小看人，看不起人。也说"隔着门缝看人——把人看扁了"。

This two-part allegorical saying means that if you see somebody from a door crack, you would see a flat image. Likened to people looking down upon somebody. Also spoken as "隔着门缝看人——把人看扁了".

【情景1】李永久和外国朋友大山一起学武术，两个人互不服气，要比武。

【对话1】大　山：你不要**门缝里看人——把人看扁了**，不服气就比一比!

　　　　李永久：比就比，你那两下子，差远了!

【情景2】中国学生刘康看到留学生巴维尔在画牡丹，没想到他会画画。

【对话2】刘　康：你还会画画？我真没想到!

　　　　巴维尔：你是**隔着门缝看人——把人看扁了**。

木头眼镜——看不透 mùtou yǎnjìng——kàn bu tòu

【解释】眼镜是用玻璃或水晶等制成的，因为它透明、透光，所以能看见东西。用木头做的眼镜（这是一种假设），因为它不透明，所以看不见东西。这句歇后语比喻认不清事物或人的真相。

Eyeglass is usually made of glass, crystal, etc. Because it is transparent, one can see something through it. If you use a pair of wood-made eyeglass (a hypothesis), you wouldn't see anything because it isn't transparent. This two-part allegorical saying means someone or something difficult to be understood.

【情景】外国朋友马丁发现中国朋友周文会武术，感到很惊讶。

【对话】马丁：看你文质彬彬的样子，还会武术？真是**木头眼镜——看不透**。

　　　　周文：练武术是为了强身健体，谁都可以练啊。

泥菩萨过江——自身难保 ní púsà guó jiāng——zìshēn nán bǎo

【解释】菩萨：佛教指地位仅次于佛的人，也泛指佛教徒崇拜信仰的某些神，认为它们能保佑百姓平安、幸福。这句歇后语是说，泥做的菩萨过江，一下水很快就会融化，连自己都保不住，怎么能保佑别人呢？也说"泥菩萨过河——自身难保"。

菩萨, referring to the person whose position is just inferior to Buddha, also referring to some divinities which Buddhist followers believe that they can bless common people. This two-part allegorical saying means that a mud-made Bodhisattva couldn't go through a river, it will thaws. If it couldn't defend itself, how can it bless others? Also spoken as "泥菩萨过河——自身难保".

【情景】李红要求外国留学生谢尔盖帮她复习英语，谢尔盖正准备汉语考试，没时间。

【对话】李　红：谢尔盖，你能帮我复习英语吗？

　　　　谢尔盖：我是**泥菩萨过江——自身难保**，哪有时间帮你复习呀!

逆水行舟——不进则退　nì shuǐ xíng zhōu——bú jìn zé tuì

【解释】舟：船。这句歇后语是说，逆着水流划船，不前进就要后退。常用来说人学习或做事，不努力向前就会向后倒退。

舟，boat. This two-part allegorical saying means that a boat sailing against the current must forge ahead or it will be driven back. Usually used to refer to that one will retrogress if he or she doesn't go forward in studying or working.

【情景】外国留学生巴扎尔劝中国朋友杜守仁不要贪玩，要努力学习。

【对话】巴扎尔：老师经常教导我们要努力学习，他常说，学如**逆水行舟——不进则退**。

杜守仁：老师说的对，以后我一定努力学习。

牛皮灯笼——里头亮　niúpí dēnglong——lǐtou liàng

【解释】这句歇后语是说，用牛皮做成的灯笼（这是一种假设），因为不透明，只有里头亮。常用来说人心里明白，不表现出来。

This two-part allegorical saying means that cattlehide-made lantern (a hypothesis) is only bright insides because it isn't transparent. Usually used to describe someone who is clear about something in mind, but not give out his or her opinion.

【情景】中国学生林清美和日本留学生本田阳子谈论同学左军。

【对话】林　清　美：你觉得左军怎么样？

本田阳子：别看他傻乎乎的，他可是**牛皮灯笼——里头亮**，人很聪明。

蚍蜉撼大树——不自量力　pífú hàn dà shù——bú zì liàng lì

【解释】蚍蜉：蚂蚁。撼：摇动。这句歇后语是说，小小的蚂蚁想要摇动大树，不衡量一下自己的力量。比喻狂妄自大。

蚍蜉，ant. 撼，shake. This two-part allegorical saying means that an ant trying to topple a giant tree is ridiculously overrating its own strength. Likened to being wildly arrogant.

【情景】中国学生鲁长海和外国朋友巴拉特一起看《人民日报》。

【对话】巴拉特：文章说，任何想要分裂中国的人，都是**蚍蜉撼大树——不自量力**。

鲁长海：台湾是中国的一个省，世界上只有一个中国。

骑毛驴看唱本——走着瞧　qí máolǘ kàn chàngběn——zǒu zhe qiáo

【解释】毛驴：驴的通称，一种像马似的牲畜，比马小，可骑。唱本：一种刊载戏文或曲艺唱词的书。这句歇后语是说，骑在毛驴上看唱本，一边走一边看。比喻事情的结局怎样，以后就会看出结果。

毛驴，generally called donkey, a kind of animal smaller than a horse, can be ridden. 唱本，libretto, a kind of book publishing opera or song. This two-part allegorical saying means riding an ass while reading a libretto. Likened to the result will come out as time goes on.

【情景】海伦与中国朋友金花发生了矛盾，两人互不相让。

【对话】海伦：我们俩不用争了，咱们**骑毛驴看唱本——走着瞧**吧。

　　　金花：好，咱们就走着瞧！

肉包子打狗——有去无回　ròu bāozi dǎ gǒu——yǒu qù wú huí

【解释】肉包子：肉馅儿包子。这句歇后语是说，用肉馅儿包子打狗，结果包子被狗吃了，
　　　拿不回来了。比喻一去不返。多用来说东西拿出来就收不回来了，或人一走就不
　　　回来了。

　　　肉包子，steamed meat-stuffed bun. This two-part allegorical saying means that a
steamed meat-stuffed bun used to hit a dog would be eaten by the dog and could never re-
turn. Likened to something being gone forever. Mainly used to indicate that somebody or
something will never return if they leave or are taken out .

【情景】苏伦把书借给了中国朋友丁强，又嘱咐他别弄丢了。

【对话】苏伦：你可得还给我，别**肉包子打狗——有去无回**。

　　　丁强：别那么小气，一定还给你。

沙锅捣蒜——一锤子买卖　shāguō dǎo suàn——yì chuízi mǎimai

【解释】沙锅：一种用陶土和沙烧制成的锅，性脆，易坏，不能用它捣蒜，一捣，沙锅就
　　　破了。这句歇后语是说，用沙锅捣蒜，一锤子它就坏了。比喻做事或与人打交道，
　　　成与不成，只此一次。

　　　沙锅，clay-made or sand-made pot，brittle，which couldn't be used to smash gar-
lic. If you use it to do so，it will break. This two-part allegorical saying means that if you
use a clay-made or sand-made pot to smash garlic，it will ruin at the first strike. Likened to
that there is only once for someone to handle affairs or to contact with others，whether he
or she succeeds or not.

【情景】日本某公司经理奥山先生在与中国某公司的刘先生谈生意。

【对话】刘先生：我们还要长期合作，都要讲信誉。

　　　奥　山：是啊，不能**沙锅捣蒜——一锤子买卖**。

十五个吊桶打水——七上八下　shíwǔ ge diàotǒng dǎ shuǐ——qī shàng bā xià

【解释】吊桶：栓着绳子的水桶，用来从井里打水。这句歇后语是一种假设，意思是说，
　　　用十五个吊桶轮番打水，七个向上，八个向下。形容人心里慌乱不安。

　　　吊桶：bucket with a rope，used to fetch water from a well. This two-part allegorical
saying is just a consumption，which means that fifteen buckets are used to fetch water one
by one；seven is up while eight is down. Describing somebody being agitated.

【情景1】泰国留学生张素华的妈妈打来电话，说爸爸病重住院了，让她赶快回国。她与
　　　老师商量怎么办。

【对话1】张素华：我的心就像**十五个吊桶打水——七上八下**，不知该怎么办。

老　师：你回去看看吧，以后我再给你补课。

【情景2】中国学生史可明跟韩国学生金永吉谈起了考试的问题。

【对话2】史可明：我真担心考不好。

　　　　金永吉：我也是，心里**十五个吊桶打水——七上八下**的。

孙猴子的脸——说变就变　Sūnhóuzi de liǎn——shuō biàn jiù biàn

【解释】孙猴子：指孙悟空，中国古代著名神话小说《西游记》中的人物，会七十二种变
　　　　化，说变什么就变成什么。这句歇后语是说孙悟空的脸变化快。比喻变化无常。

　　　　孙猴子，referring to *Sun Wukong*'the Monkey King, a character in the famous Chi-
nese novel *Pilgrimage to the West*. The Monkey King can change himself into seventy-
two different figures. This two-part allegorical saying means that the face of the Monkey
King changes quickly. Likened to somebody or something being inconstant.

【情景】外国留学生乔丹到山区旅游，跟导游谈天气变化。

【对话】导游：上山时，天气还很好，现在天空布满了乌云，看样子要下雨。

　　　　乔丹：怎么这山区的气候就像**孙猴子的脸——说变就变**。

剃头挑子——一头热　tì tóu tiāozi——yì tóu rè

【解释】剃头：理发。挑子：担子。旧时农村或小城镇的理发师傅，常常挑着理发用具走
　　　　村串户，或在街头，或到家里为顾客服务。挑的担子一头是带抽屉的凳子，另一
　　　　头是烧水用的火盆，所以说剃头挑子一头热。这句歇后语，比喻一厢情愿。多用
　　　　来说当事双方一方热情、积极、主动，另一方冷淡、消极、被动。

　　　　剃头，haircut. 挑子，a carrying pole or the loads on it. In ancient society, a barber
usually carried haircut appliances to go out for service. One end of his pole was a stool with
a drawer and the other end was a fire pan used to heat up water. So that only one end was
warm. This two-part allegorical saying is likened to one's own wishful thinking. Mainly
used to describe the situation that one side is warm and active but the other is cool and pas-
sive.

【情景1】外国公司经理对中国推销员谈推销问题。

【对话1】经　理：我们不能**剃头挑子——一头热**呀，得看人家愿不愿意买。

　　　　推销员：我还要多跑几个地方，边推销边宣传。

【情景2】外国员工阿兰爱上了公司副总经理李文，阿兰同李文谈话。

【对话2】阿兰：李先生，但愿我不是**剃头挑子——一头热**，我希望你也爱我。

　　　　李文：阿兰，我也很爱你！

铁公鸡——一毛不拔　tiě gōngjī——yì máo bù bá

【解释】铁公鸡：用铁制作的公鸡。这句歇后语是说，用铁制作的公鸡，一根毛也拔不下
　　　　来。比喻人非常吝啬，一分钱也舍不得拿出来。

铁公鸡, iron cock. This two-part allegorical saying means that one couldn't pull out even a feather from an iron cock. Likened to a stingy person who begrudges even a cent to be spent.

【情景】外国留学生汤姆向哈龙借钱，哈龙说没有钱，他又向中国学生柳斌借钱。

【对话】汤姆：我向哈龙借钱，他说没有，真是**铁公鸡——一毛不拔**。

柳斌：他是有名的吝啬鬼，你怎么跟他借钱！

铁路警察——各管一段　tiělù jǐngchá——gè guǎn yí duàn

【解释】这句歇后语是说，铁路是分段管理的，铁路上的警察，各管各自的一段。比喻各管各的，互不干涉。

This two-part allegorical saying means that railway is administrated by many subsections, and that policemen and policewomen manage their own sections individually. Likened to the situation that everyone manages his or her own affairs without interfering others.

【情景】王小燕和男朋友艾柏思发生了矛盾，好朋友波罗米多劝王小燕。

【对话】波罗米多：小燕，你太任性，脾气大，是你不对。

王小燕：（生气地）**铁路警察——各管一段**，我的事儿，你管不着！

秃头上的虱子——明摆着　tūtóu shang de shīzi——míng bǎi zhe

【解释】秃头：头发脱光或剃光的头。虱子：一种寄生于人体或猪牛等动物身上的小虫子，吸食血液，能传染疾病。这句歇后语是说，秃头上的虱子，很明显地摆在那里。比喻事情或问题很清楚明白，不容置疑。也说"和尚头上的虱子——明摆着"。

秃头, bald head. 虱子, a kind of small bug that parasitizes human body or pig, cattle, etc., sucks blood, and infects diseases. This two-part allegorical saying means that a flea on a bald head is very obvious and needn't be doubted. Also spoken as "和尚头上的虱子——明摆着".

【情景1】在足球场上，中国学生队周大志跟外国留学生队迪米争论谁犯规。

【对话1】迪米：不用争论，**秃头上的虱子——明摆着**，是你故意用腿绊我。

周大志：我没有绊你，是你把我撞倒了。

【情景2】外国留学生阿尔德对中国学生鲁凤海说，公园门票对外国人收费太高，不合理。

【对话2】阿尔德：这种收费不合理，**和尚头上的虱子——明摆着**！

鲁凤海：对我们学生是一样的。至于对外国游客，收费高可能是有根据的。

兔子尾巴——长不了　tùzi wěiba——cháng bu liǎo

【解释】这句歇后语是说，兔子的尾巴很短，长（zhǎng）不长（cháng）。比喻不会长久。多用来说坏人、坏事或邪恶势力不会长久。

This two-part allegorical saying means that the tail of a rabbit can't be long. Likened to that bad person, bad thing or evil force can't last long.

【情景】中外员工谈论公司经理经常用公款大吃大喝，早晚要出问题。

【对话】陈永前：我们经理经常用公款大吃大喝。

斯特朗：我看他是**兔子尾巴——长不了**，早晚得下台。

外甥打灯笼——照舅 wàisheng dǎ dēnglong——zhào jiù

【解释】外甥：姐姐或妹妹的儿子。舅：妈妈的哥哥或弟弟。"舅"与"旧"谐音，"照舅"就是"照旧"，意思是跟原来一样。这句歇后语是说，外甥给舅舅打灯笼，灯光照在舅舅身上。比喻一切照旧，不变。用来说事情没变化，跟原来一样。

外甥, son of one's sister. 舅, brother of one's mother. "舅" and "旧" are homophonic, "照舅" is "照旧", which means being the same as ever. This two-part allegorical saying means that a nephew holds a lantern for his or her mother's brother and the light reflects the latter. Used to indicate that things have never changed.

【情景】学校规定圣诞节不放假，留学生把庆祝活动安排在晚上。

【对话】哈维尔：圣诞晚会安排在晚上，一切活动都是**外甥打灯笼——照舅**！

马达礼：大家别忘了带蜡烛和杯子。

瞎子点灯——白费蜡 xiāzi diǎn dēng——bái fèi là

【解释】瞎子：盲人，眼睛失明的人。白费蜡：白浪费蜡烛。这句歇后语是说，瞎子点了灯还是看不见，白白地浪费了蜡烛。比喻白费劲，不起作用。多用来说白浪费时间、人力、物力等，却毫无成果。

瞎子, the blind. 白费蜡, waste candle. This two-part allegorical saying means that it is like lightening a candle for a blind person. Likened to the efforts being useless. Mainly used to describe something wasting time, manpower, material resources, etc. and having no fruit.

【情景】阿卜杜勒家失火，把翻译手稿全烧了，中国朋友罗兰安慰他。

【对话】阿卜杜勒：我的手稿全烧了，我翻译了半年，**瞎子点灯——白费蜡**！

罗　兰：太可惜了，真是水火无情！

小葱拌豆腐——一青二白 xiǎo cōng bàn dòufu——yì qīng èr bái

【解释】"青"与"清"谐音。清：清楚。白：明白。这句歇后语是说，小葱和豆腐拌在一起，小葱是青色，豆腐是白色，青色和白色非常清楚明显。多用来强调事情非常清楚明白，毫不含混，没有差错，或用来说人与人之间的关系清白。

"青" and "清" are homophonic. 清, clear. 白, clear. This two-part allegorical saying means that spring onion and bean curd are stirred together, the onion is green and the bean curd is white. Green and white colour have a distinctly difference. Mainly used to emphasize that things are very clear and aren't ambiguous. Also used to describe the clear relation among people.

【情景1】外国公司总经理表扬中国会计小谭账目管理得好。

【对话1】 总经理：小谭，你把公司的账目管理得清清楚楚，真是**小葱拌豆腐——一青二白**。

小 谭：总经理您过奖了。

【情景2】 王小军怀疑外国朋友鲁斯曼和张国英小姐关系暧昧。

【对话2】 王小军：鲁斯曼，你跟张国英是什么关系？

鲁斯曼：什么关系？朋友关系，我们**小葱拌豆腐——一青二白**。

哑巴吃饺子——心里有数　yǎba chī jiǎozi——xīn li yǒu shù

【解释】哑巴：不能说话的人。这句歇后语是说，哑巴吃饺子，吃了多少个，嘴里说不出来，但心里是有数的。多用来说人虽然嘴上不说，但是心里清楚明白。

哑巴, a dumb person. This two-part allegorical saying means that a dumb person knows the number of *jiaozi* he or she has eaten in heart though they couldn't speak out. Used to refer to that someone is clear in mind, but not speak it out.

【情景】中外同学在一起举行新年联欢会，外国同学阿里把不爱说话的钱永顺叫作"老蔫儿"。

【对话】阿 里：别看老蔫儿不说话，他是**哑巴吃饺子——心里有数**。请他唱个歌吧！

钱永顺：我不会唱歌，我给大家变个魔术吧！

哑巴吃黄连——有苦说不出　yǎba chī huánglián——yǒu kǔ shuō bu chū

【解释】黄连：一种中草药，根和茎味苦。这句歇后语是说，哑巴吃了黄连，知道苦，但说不出来。多用来说人有难言之苦。

黄连, a kind of herb medicine whose root and stem are bitter. This two-part allegorical saying means that a dumb person who has eaten this kind of medicine know its bitter taste but couldn't speak out his or her feeling. Mainly used to describe somebody unable to express his or her discomfort.

【情景1】秘书阎小姐这几天情绪不好，金娜跟外国员工爱娃谈论这件事。

【对话1】金娜：秘书小阎，为什么闷闷不乐？

爱娃：小阎是**哑巴吃黄连——有苦说不出**。

金娜：她有什么苦？

爱娃：经理在追她，她不同意，又怕得罪经理。

【情景2】中国学生包庆祥发现外国留学生乌里克愁眉苦脸不高兴，问同屋托马斯。

【对话2】包庆祥：乌里克怎么了？

托马斯：唉，他是**哑巴吃黄连——有苦说不出**，被人骗了2000元。

丈二和尚——摸不着头脑　zhàng'èr héshang——mō bu zháo tóunǎo

【解释】丈二：1丈2尺，相当于4米。这句歇后语是说，1丈2尺高的和尚，身材高大，一般人摸不着他的头。比喻不了解情况，弄不清底细。

丈二：one *zhang* and two *chi*, approximately equal to four meters. This two-part allegorical saying means that a monk who is one *zhang* and two *chi* high is so tall that most people couldn't touch his head. Likened to somebody being unfamiliar about things and not know ins and outs.

【情景】乌克兰留学生柏拉图刚来到学校，中国学生范正义问他对学校的印象。

【对话】范正义：你觉得语言大学怎么样？谈谈你的印象。

柏拉图：我刚来，还不了解情况，**丈二和尚——摸不着头脑**，我觉得环境很优美。

芝麻开花——节节高　zhīma kāi huā——jié jié gāo

【解释】芝麻：也叫胡麻、油麻、脂麻，种子可制香油，是一年生草本植物，花为淡紫色或白色，茎直立，开花时一节一节由下往上开。这句歇后语是说，芝麻开花，一节一节往上开，一节比一节高。比喻越来越好，越来越高。多用来说生活越来越提高，形势越来越好。也用来说人一天比一天好，进步很快。

芝麻，also called sesame, gingili, whose seeds can be made into vegetable oil, a kind of herb plant whose flower is lilac or white and stem is vertical, it flowers notch by notch, from the bottom to the top. This two-part allegorical saying means that a sesame stalk puts forth blossoms notch by notch, higher and higher. Likened to something being better and better, higher and higher. Mainly used to indicate that life or situation becomes better and better. Also used to describe someone who makes more and more progress.

【情景1】外国留学生哈雷到中国学生王大卫家过春节，同王妈妈谈话。

【对话1】王大娘：你来中国好几年了，你看我们生活怎么样？

哈　雷：你们的生活是**芝麻开花——节节高**，一年比一年好。

【情景2】外国朋友莫里斯在中国有一个公司，徐刚问他公司效益怎么样。

【对话2】徐　刚：现在生意不太好做，你的公司怎么样？

莫里斯：我们公司一年比一年好，可以说是**芝麻开花——节节高**。

猪八戒照镜子——里外不是人　Zhūbājiè zhào jìngzi —— lǐ wài bú shì rén

【解释】猪八戒：中国古代著名神话小说《西游记》中的人物，他的形象是人身猪头。这句歇后语是说，猪八戒照镜子时，镜子里镜子外都不是人的样子。多用来说人处于为难境地，到处受埋怨，夹在中间受气。

猪八戒，a character of famous Chinese myth novel *Pilgrimage to the West*, having a head like a pig. This two-part allegorical saying means that when Pigsy looked into the mirror, his figure in the mirror isn't like a human being. Mainly used to indicate that someone feels embarrassed in an awkward situation, who is complained and bullied.

【情景】伊万求牛秀英给找个中国女朋友，牛秀英把好友赵小红介绍给他，最后两人没谈成。伊万埋怨牛秀英。

【对话】伊　万：牛小姐，你怎么给我介绍那么一个姑娘？

牛秀英：你埋怨我，赵小姐也埋怨我，我落个**猪八戒照镜子——里外不是人**！

竹篮打水——一场空 zhúlán dǎ shuǐ——yì chǎng kōng

【解释】竹篮: 用竹子编成的篮子。这句歇后语是说, 用竹篮子打水, 水很快就漏光了, 竹篮里空空的, 什么都没有。比喻一切落空, 一无所获。

竹篮, bamboo-made basket. This two-part allegorical saying means drawing water with a bamboo basket——all in vain. Likened to that everything is gone and having no fruit.

【情景】中国学生李民同时爱上两个女同学, 外国朋友索玛洪劝他选择一个。

【对话】索玛洪: 你不能同时爱两个人, 早点儿定下一个, 否则会**竹篮打水——一场空**。

　　　李　民: 我正在考虑。

做梦娶媳妇——光想美事 zuò mèng qǔ xífu——guāng xiǎng měi shì

【解释】这句歇后语是说, 做梦娶了媳妇, 想的都是美事。比喻想得美, 但不一定能实现。

This two-part allegorical saying means that when a man dreams of a wife, what he thinks is only good things. Likened to that one's thinking is very beautiful but impracticable.

【情景】中国学生丛向阳和外国朋友长谷川到凤凰岭游玩, 中午饿了, 丛向阳想吃饺子。

【对话】丛向阳: 我饿了, 想吃饺子。

　　　长谷川: 你真是**做梦娶媳妇——光想美事**了。好, 咱们就吃饺子!

学习熟语主要参考书目

惯用语

《惯用语词典》	戴木金编	四川人民出版社 1986 年
《惯用语例释》	徐宗才、应俊玲编著	北京语言学院出版社 1985 年
《汉语惯用语词典》	施宝义、姜林森、潘玉江编	外语教学与研究出版社 1985 年
《实用惯用语词典》	黎庶、艾英、伊介编著	吉林大学出版社 1989 年

成语

《汉语成语词典》	李一华、吕德申编	四川辞书出版社 1985 年
《汉语成语大词典》	湖北大学语言研究室编	河南人民出版社 1985 年
《万条成语词典》	颜毓书主编	黑龙江人民出版社 1986 年
《中国成语大辞典》	王涛、王剑引等编	上海辞书出版社 1987 年

俗语

《常用俗语手册》	徐宗才、应俊玲编著	北京语言学院出版社 1985 年
《常用谚语词典》	张毅编著	上海辞书出版社 1987 年
《汉语谚语小词典》	温端政编	商务印书馆 1989 年
《简明汉语俗语词典》	许少峰编	海潮出版社 1993 年
《俗语词典》	徐宗才、应俊玲编著	商务印书馆 1994 年
《中国俗语大辞典》	温端政主编	上海辞书出版社 1989 年
《中华成语熟语辞典》	唐枢主编	学苑出版社 1995 年

歇后语

《歇后语词典》	温端政、沈慧云、高增德编	北京出版社 1984 年
《歇后语大全》	李兴望、闵彦文编	甘肃人民出版社 1983 年